LES DOUZE
PATRIARCHES

SOURCES CHRÉTIENNES

Nº 419

RICHARD DE SAINT-VICTOR

LES DOUZE PATRIARCHES

ou
BENIAMIN MINOR

TEXTE CRITIQUE ET TRADUCTION

PAR

† Jean CHÂTILLON

et

Monique DUCHET-SUCHAUX

INTRODUCTION, NOTES ET INDEX

PAR

Jean LONGÈRE

LES ÉDITIONS DU CERF, 29 Bd de Latour-Maubourg, Paris 7ᵉ
1997

© *Les Éditions du Cerf, 1997*
ISBN : 2-204-05610-3
ISSN : 0750-1978

AVANT-PROPOS

Le Père Jean Châtillon souhaitait vivement publier le *Beniamin minor* de Richard de Saint-Victor dans *Sources Chrétiennes*. La maladie, puis la mort (29 septembre 1988) l'ont empêché de mener à terme ce projet, moins avancé, en fait, qu'on ne pouvait le penser quand, avec l'accord du R.P. Dominique Bertrand, la poursuite du travail a été décidée.

La présente édition reproduit le texte latin et la traduction française du *Beniamin minor*, tels que les avaient mis au point le Père Jean Châtillon. L'un et l'autre ont été revus par Madame Monique Duchet-Suchaux et Jean Longère. Ce dernier a assuré la vérification des sources scripturaires ou autres, l'établissement des notes, la rédaction de l'introduction pour laquelle rien encore n'avait été préparé. Le Père Bernard de Vregille s'est chargé de l'ultime révision et des index.

Certes, le résultat obtenu est loin de l'édition et du commentaire qu'aurait pu donner le Père Jean Châtillon, qui avait consacré tant d'érudites études aux œuvres et à la théologie de Richard de Saint-Victor.

Nous osons espérer, cependant, que cette publication posthume correspond à la volonté profonde de celui dont nous voulons ainsi honorer la mémoire. Par là également, le témoin original et souvent cité de la spiritualité médiévale qu'est le *Beniamin minor* sera rendu plus accessible au public de langue française.

J. L.

ABRÉVIATIONS

AHDLMA	*Archives d'Histoire Doctrinale et Littéraire du Moyen Age*
BLE	*Bulletin de Littérature Ecclésiastique*
BM	*Bibliothèque Municipale*
BN	*Bibliothèque Nationale*
CCCM	*Corpus Christianorum. Continuatio Mediaevalis*
CCSL	*Corpus Christianorum. Series Latina*
CSEL	*Corpus Scriptorum Ecclesiasticorum Latinorum*
DHGE	*Dictionnaire d'Histoire et de Géographie Ecclésiastiques*
D.Sp.	*Dictionnaire de Spiritualité*
GCS	*Griechischen Christlischen Schriftsteller*
J.L.	*Jaffé-Loewenfeld, Regesta Pontificum Romanorum (882-1198)*
PG	*Patrologia Graeca*
PL	*Patrologia Latina*
PLS	*Patrologia Latina. Supplementum*
R. bén.	*Revue bénédictine*
SC	*Sources Chrétiennes*

INTRODUCTION

I. RICHARD DE SAINT-VICTOR

A. LA VIE

Jean de Thoulouse, chroniqueur victorin du XVIIe siècle, a rassemblé, le premier, les données relatives à la vie et à l'œuvre de Richard de Saint-Victor [1].

Richard, qualifié de *Scotus* par Jean de Thoulouse, est né Outre-Manche à une date inconnue [2]. Il entre chez les chanoines réguliers de Saint-Victor de Paris et y fait profession sous le long abbatiat de Gilduin (1114-1155). Comme il

---

1. Voir une notice brève sur Richard de Saint-Victor par JEAN DE THOULOUSE, *Liber antiquitatum sancti Victoris*, V, 55, dans Paris, BN lat. 14375, p. 274-277 ; 14677, f⁰ 95v-96v ; V, 57 dans Paris, BN lat. 14678, f⁰ 117r-119v. — Notice plus développée au début de l'édition des *Opera omnia* de Richard réalisée par Jean de Thoulouse en 1650 : RICHARDI S. VICTORIS *Doctoris praeclarissimi opera ex manuscriptis eiusdem operibus quae in Bibliotheca Victorina seruantur, accurate castigata et emendata, cum Vita ipsius antehac nusquam edita, studio et industria canonicorum regularium regalis abbatiae Sancti Victoris Parisiensis*, Rothomagi, sumptibus J. BERTHELIN 1650, in-folio, 688 p. et tables. *PL* 196, IX-XIV a repris, sans la modifier, la notice de cette édition.

2. Dans sa lettre à Robert, évêque de Hereford, Richard parle de l'affection spéciale que la nature le conduit à porter à l'Église d'Angleterre : « ... et ecclesiam Anglorum quam, praeter charitatem quam habemus ad omnes ecclesias, quadam speciali affectione, natura suadente, diligimus » ; *PL* 196, 1225 A.

semble avoir connu Hugues de Saint-Victor, mort le 11
février 1141, il serait donc arrivé à Paris avant cette date. Sa
signature au bas d'une charte connue de Jean de Thoulouse
montre qu'il exerce la charge de sous-prieur en 1159. Il succède en 1162 au prieur Nanterre, fonction qu'il exercera jusqu'à sa mort en 1173.

Dans le conflit qui oppose Thomas Becket au roi Henri II
d'Angleterre, l'abbaye de Saint-Victor a pris le parti de l'archevêque de Cantorbéry ; les deux seules lettres conservées
dont Richard soit l'auteur ou le co-auteur se rapportent à cette
affaire : dans la première, qu'il adresse avec Ernis, abbé de
Saint-Victor, à Robert de Melun, évêque d'Hereford, il
reproche vivement à son correspondant de s'être rallié avec
d'autres prélats à la cause de Henri II [1]. Dans la seconde, écrite
vraisemblablement en 1169, peut-être à la demande du roi de
France, il prie le pape de prendre effectivement contre Henri II
les sanctions dont il l'avait auparavant menacé [2]. Thomas
Becket a rendu visite à Saint-Victor le 4 septembre 1170, peu
avant son assassinat, le 29 décembre de la même année.

En 1155, à la mort de Gilduin, l'anglo-normand Achard
est élu abbé de Saint-Victor. Le roi Henri II refusera de
reconnaître son élection au siège de Sées en 1157, mais il
semble qu'il l'ait nommé lui-même à celui d'Avranches au
début de l'année 1161, choix entériné ensuite par l'épisco-
pat normand [3].

1. Lettre citée ci-dessus, n. 2 ; *PL* 196, 1225 A-1226 C.

2. Cette seconde lettre est publiée avec la correspondance du pape
Alexandre III : *Epistula 285, PL* 200, 1443-1444. Voir J. CHÂTILLON,
« *Thomas Becket. Actes du Colloque international de Sédières, 19-24 août
1973* », publiés par R. FOREVILLE, Paris, 1975, p. 89-101 ; Beryl SMALLEY,
The Becket Conflict and the Schools. A Study of Intellectuals in Politics,
Oxford, 1973, p. 39-58.

3. J. CHÂTILLON, *Théologie, spiritualité et métaphysique dans l'œuvre
oratoire d'Achard de Saint-Victor. Études d'histoire doctrinale précédées
d'un essai sur la vie et l'œuvre d'Achard* (Études de philosophie médiévale,
58), Paris, 1969, p. 75-96.

Gontier est alors élu abbé de Saint-Victor ; il meurt la même année et il est remplacé par Ernis, d'origine anglaise [1].

Durant les premières années, Ernis jouit de la confiance de Louis VII, d'Alexandre III et de la curie romaine, comme le montrent ses interventions ou les fonctions exercées de délégué du pape ou de membre d'une commission d'enquête à Sainte-Geneviève [2]. A partir de 1165 le ton change ; à la suite des plaintes des chanoines, Alexandre III demande à Ernis de modifier sa façon trop personnelle de gouverner l'abbaye.

Il n'est pas entendu. Les avertissements se succèdent jusqu'en 1169 [3], où, devant l'échec de ses tentatives de réforme par la persuasion, Alexandre III décide la création d'une commission d'enquête, composée de Guillaume-aux-Blanches-Mains, frère du roi, archevêque de Sens, et de Odon, abbé d'Ourscamp, qui avait été chancelier de l'église de Paris (1164-1167) avant de se faire cistercien.

La lettre pontificale énumère les reproches faits à Ernis : altération de la discipline « au point que son église ne semble plus la même », gouvernement tyrannique (Ernis est quali-

---

1. Voir D. LOHRMANN, « Ernis, abbé de Saint-Victor (1161-1172) », dans *L'abbaye parisienne de Saint-Victor au Moyen Age*. Communications présentées au XIIIᵉ colloque d'humanisme médiéval de Paris (1986-1988) et réunies par J. LONGÈRE, Paris-Turnhout, 1991, p. 181-193.

2. Tous les actes de la papauté concernant Saint-Victor au XIIᵉ siècle bénéficient d'une remarquable édition critique et sont aisément consultables dans : D. LOHRMANN, *Papsturkunden in Frankreich*. Neue Folge 8. *Diözese Paris I. Urkunden und Briefsammlungen der Abteien Sainte-Geneviève und Saint-Victor* (Abhandlungen der Akademie der Wissenschaften in Göttingen. Phil. hist. Klasse. Dritte Folge, nr 174), Göttingen, 1989, 423 p. — Pour les fonds d'archives de l'abbaye, assez bien conservés (aujourd'hui 200 cartons aux Archives Nationales de Paris), et l'étude des possessions de Saint-Victor, région par région, voir M. SCHOEBEL, *Archiv und Besitz der Abtei St. Viktor in Paris* (Pariser historische Studien, Band 31), Bonn, Bouvier Verlag, 1991, 302 p., 8 pl.

3. Voir D. LOHRMANN, « Ernis... », p. 186-187, et *Papsturkunden*, n. 104, 106, 107, p. 282-286. Fourier BONNARD, *Histoire de l'abbaye royale et de l'ordre des chanoines réguliers de Saint-Victor de Paris. Première période (1113-1500)*, Paris, s.d. [1907], p. 223.

fié d'*alter Caesar*), non respect des statuts, distribution des obédiences sans le conseil de la communauté. En accord avec l'évêque de Paris, les commissaires ont tout pouvoir pour déposer l'abbé, si nécessaire, et en faire élire un autre [1]. Le rapport des délégués du pape ne nous est pas parvenu, mais, grâce à ses appuis à la cour royale, Ernis va bénéficier d'un nouveau sursis accordé par Alexandre III, le 13 mai 1170, et notifié à Richard et à la communauté : en vertu des statuts, il faut obéir à Ernis et le soutenir [2].

Rien ne change et, dès le 1er février 1171, Alexandre III forme une nouvelle commission d'enquête. Elle comprend Guillaume-aux-Blanches-Mains, Étienne de la Chapelle, évêque de Meaux, et Odon de Valséry, abbé prémontré du Val-Secret au diocèse de Soissons [3]. Alexandre III informe Ernis et sa communauté [4] et il avertit Louis VII [5]. Les raisons de cette enquête sont le poids des dettes et l'incapacité que montre Ernis à changer sa manière de gouverner.

Durant l'hiver 1171-1172, les cardinaux Albert et Théodin viennent à Paris, à la suite du meurtre de Thomas Becket à Cantorbéry. Ils écrivent au victorin Guérin de se rendre auprès d'eux [6] ; ils lui apprennent sa nouvelle tâche : succéder à Ernis. La démission de ce dernier, au plus tard en

---

1. *Papsturkunden*, n. 108, p. 287-289 ; RICHARD DE SAINT-VICTOR, *Sermons et opuscules spirituels inédits*. Tome I. *L'édit d'Alexandre ou les trois processions*. Texte latin, intr. et notes de J. CHÂTILLON et W.J. TULLOCH. Traduction française de J. BARTHÉLEMY, Bruges, 1951, p. XXXVIII. Traduction française dans F. BONNARD, I, p. 231.

2. *Papsturkunden*, n. 111, p. 291 ; Ph. JAFFÉ, *Regèsta pontificum romanorum*, t. 2, Lipsiae 1888, réimpr. Graz, 1956, n. 11792 (7880), p. 235 (= J.L.) ; F. BONNARD, I, p. 232.

3. *Papsturkunden*, n. 113, p. 294 ; J.L. 11974 (8021), p. 249 ; F. BONNARD, I, p. 233.

4. *Papsturkunden*, n. 114, p. 296 ; J.L. 11975 (8022), p. 249 ; F. BONNARD, I, p. 234.

5. *Papsturkunden*, n. 115, p. 297 ; J.L. 11976 (8023), p. 249 ; F. BONNARD, I, p. 234.

6. *Papsturkunden*, n. 117, p. 300.

février 1172, est en fait une déposition. Dès le 11 avril, la renonciation d'Ernis et l'élection du nouvel abbé sont confirmés par Alexandre III [1].

Ernis est astreint à résider au prieuré Saint-Paul de Chevreuse, où il ne paraît guère s'amender. Un autre scandale éclatera à son propos au printemps 1173, quand l'archevêque de Lund, Eskyl, demandera le remboursement des trois cent soixante-dix livres d'argent qu'il avait confiées à Ernis et que Guérin est bien incapable de restituer. Pour la solution de cette affaire, Rome jouera un rôle déterminant, en particulier Pierre, cardinal-prêtre de Saint-Chrysogone [2].

Comme prieur, Richard de Saint-Victor fut mêlé de près à tous les événements qui conduisirent à la déposition d'Ernis. Les plaintes et les critiques rencontrées dans quelques écrits pourraient se rapporter aux troubles qui ont affecté l'abbaye, peut-être à l'animosité d'Ernis qui a pu compliquer sa tâche et entraver son activité de prédicateur ou d'écrivain [3]. Homme de prière et d'étude, peut-être de tempérament inquiet, en tout cas très différent d'Ernis, exerçant de plus une fonction d'intermédiaire entre l'abbé et la communauté, Richard a sûrement connu de 1161 à 1171 une période agitée et difficile, qu'entre autres son amour des lettres et sa renommée de théologien à l'intérieur et à l'extérieur de Saint-Victor ont pu l'aider à franchir.

Richard ne profita pas longtemps de la paix et de la régularité ramenées dans l'abbaye par l'élection de Guérin. Selon Jean de Thoulouse, il mourut le 10 mars 1173.

---

1. *Papsturkunden*, n. 118-119, p. 301-302 ; J.L. 12149 (8167) et 12150 (8168), p. 260 ; F. BONNARD, I, p. 236.

2. *Papsturkunden*, n. 129-139, p. 317-333 ; F. BONNARD, I, p. 239-245.

3. *Beniamin minor* XLI, XLVI, LVII, *infra*, et *PL* 196, 30 D-31 A, 34 C-D, 42 A ; *Beniamin maior* II, 2 et 15, *ibid.* 80 D-81A, 94 A-B ; *Adnotationes in psalmum* 118, *ibid.* 354 B ; J. CHÂTILLON, « Richard de Saint-Victor », *D Sp* 13, 1988, c. 597.

On ignore à quelle date Richard commença à écrire. Des lettres qui lui furent adressées ou des dédicaces d'œuvres montrent que plusieurs traités ont été rédigés à la demande d'amis ou de disciples dont l'identité n'est pas facile à établir. Ainsi on ne connaît que le nom, Jean, de l'auteur des questions auxquelles veut répondre l'*Explicatio aliquorum passuum difficilium Apostoli*[1]. Le *De quaestionibus regulae sancti Augustini* est dédié à un ami appelé Simon, qui serait l'abbé de Saint-Albans (1167-1187)[2]. Plusieurs lettres émanant de ce monastère bénédictin anglais se rapportent à l'œuvre de Richard, pour remercier de l'envoi de certains traités ou solliciter la copie d'autres ouvrages[3]. Guillaume, prieur cistercien d'Ourscamp, souhaite se procurer le texte du *De somnio Nabuchodonosor* (ou *De eruditione hominis interioris*)[4]. Jean, sous-prieur de l'abbaye de Clairvaux, demande à Richard de composer à son intention une prière à l'Esprit saint[5]. Ainsi les contemporains de Richard lui ont-ils témoigné intérêt admiratif et respect.

B. L'ŒUVRE

Dans les *Prolegomena* qui ouvrent le tome 196 de la Patrologie latine, Flavien Hugonin compte sept éditions des *Opera omnia* de Richard de Saint-Victor, depuis la première publiée à Venise en 1506, in-octavo, jusqu'à celle parue à Rouen, chez Jean Berthelin, en 1650, in-folio[6]. La liste pro-

1. *PL* 196, 665-684 ; RICHARD DE SAINT-VICTOR, *Opuscules théologiques.* Texte critique avec introduction, notes et tables par J. RIBAILLIER, Paris, 1967, p. 297-337.
2. M.L. COLKER, « Richard of Saint-Victor and the Anonymous of Bridlington », *Traditio* 18, 1962, p. 181-227.
3. *Epistulae* VI, VII, XI, dans *PL* 196, 1227-1230.
4. *Epistula* III, dans *PL* 196, 1226-1227.
5. Lettre citée par Jean de Thoulouse, *PL* 196, X.
6. *PL* 196, XVII A.

posée par Gervais Dumeige ne mentionne pas l'édition in folio, Paris, 1550 [1] ; celle-ci ne figure pas non plus dans le *Catalogue général des livres imprimés de la Bibliothèque nationale* [2].

L'édition de 1650 qui fait état, dans son titre, du travail de correction des chanoines de Saint-Victor est, en fait, l'œuvre de Jean de Thoulouse. Elle est peu différente des précédentes et comporte encore des fautes. Elle a été reproduite avec d'importantes modifications par Flavien Hugonin en *PL* 196, Paris, 1855, c. 1-1366. Une réimpression très fautive de l'édition de 1855 a été faite en 1880, sans la partie des *Prolegomena* de Hugonin où il est question des œuvres de Richard.

Les changements apportés par Hugonin consistaient en des additions de lettres absentes des éditions antérieures et en un classement des œuvres de Richard en trois catégories : écrits exégétiques, théologiques et *Miscellanea* ou « Mélanges qui comprennent des lettres et quelques écrits détachés » [3].

J. Châtillon a jugé cette classification « assez arbitraire », car elle fait passer des traités de théologie dans les commentaires exégétiques et inversement. De plus, elle n'accorde aucune place à l'enseignement proprement spirituel de Richard. Il a donc proposé une nouvelle répartition :

— ouvrages se rapportant aux méthodes d'interprétation de l'Écriture et à l'exégèse ;

— traités de caractère théologique : si l'Écriture n'est jamais absente, elle y est citée ou interprétée de manière différente ;

1. G. DUMEIGE, *Richard de Saint-Victor et l'idée chrétienne de l'amour*, Paris, 1952, p. 171-172.
2. Tome 151, Paris, 1938, c. 221-222.
3. *PL* 196, XVII B-C.

— écrits longtemps classés comme exégétiques, mais qui relèvent plutôt d'un enseignement spirituel, exposé souvent d'une manière systématique ;

— sermons et lettres [1].

La datation de la plupart des œuvres de Richard s'avère très difficile. Dans la liste de ses *Opera*, on a noté cependant les quelques indications chronologiques à peu près assurées.

LISTE DES *OPERA* DE RICHARD

1. COMMENTAIRES SCRIPTURAIRES

RICHARD DE SAINT-VICTOR, *Liber exceptionum*. Texte critique avec introduction, notes et tables, publié par Jean CHÂTILLON (Textes philosophiques du Moyen Age, 5), Paris 1958, 547 p. — Cf. *PL* 177, 191-284 (livres I-X) ; *PL* 175, 633-828 (livres I-X, XI-XIV) ; *PL* 175, 899-960 (sermons 1-27 des *Sermones centum*).

Date inconnue. Composée avant *In Apocalypsim* ; parmi les premières œuvres de Richard.

In Apocalypsim, *PL* 196, 683-688.

Expositio difficultatum suborientium in expositione tabernaculi foederis, *PL* 196, 211-222.

De templo Salomonis ad litteram, *PL* 196, 223-242.

De concordia temporum conregnantium super Iudam et Israel, *PL* 196, 241-256.

In uisionem Ezechielis, *PL* 196, 527-600.

De meditandis plagis quae circa finem mundi euenient, *PL* 196, 201-212.

2. TRAITÉS DE THÉOLOGIE

De potestate ligandi et soluendi, dans RICHARD DE SAINT-VICTOR, *Opuscules théologiques*. Texte critique avec introduction, notes et tables par J. RIBAILLIER (Textes philosophiques du Moyen Age, 15), Paris, 1967, p. 57-110 ; *PL* 196, 1159-1178.

---

1. J. CHÂTILLON, « Richard de Saint-Victor », *DSp* 13, 1988, c. 598-599.

De spiritu blasphemiae, éd. J. RIBAILLIER, p. 111-129 ; *PL* 196, 1186-1192. Composé après 1162.

De iudiciaria potestate in finali et universali iudicio, éd. J. RIBAILLIER, p. 130-154 ; *PL* 196, 1178-1186.

Quomodo Spiritus sanctus est amor Patris et Filii, éd. J. RIBAILLIER, p. 155-166 ; *PL* 196, 1011-1012. Lettre adressée à un frère dont J. Ribaillier pense qu'il pourrait être un chanoine de Saint-Victor.

De tribus personis appropriatis in Trinitate, éd. J. RIBAILLIER, p. 167-188 ; *PL* 196, 991-994. Lettre écrite vers 1160.

Declarationes nonnullarum difficultatum Scripturae, éd. J. RIBAILLIER, p. 189-214 ; *PL* 196, 255-266.

Ad me clamat ex Seir : Custos qui de nocte (sic), *custos qui de nocte. Dixit custos : Venit mane et nox. Si queritis, querite, conuertimini et uenite,* Is. 21, 11-12. Hec sunt que michi exponenda proponis et fatuitatem meam fatigare non erubescis... Éd. J. RIBAILLIER, p. 215-280 ; *PL* 196, 995-1010 (*Liber de Verbo incarnato*). Probablement un commentaire issu d'une homélie ou d'une *collatio* rédigée avec soin par la suite.

De uerbis Apostoli, éd. J. RIBAILLIER, p. 287-337, ou *Explicatio aliquorum passuum difficilium Apostoli, PL* 196, 665-684. Neuf explications théologiques distinctes de sentences empruntées pour la plupart à saint Paul.

De Emmanuele, PL 196, 601-666. Postérieur à 1160.

Quomodo Christus ponitur in signum populorum, PL 196, 523-528.

De Trinitate. Outre *PL* 196, 887-992, deux éditions nouvelles :

RICHARD DE SAINT-VICTOR, *De Trinitate.* Texte critique avec introduction, notes et tables publié par J. RIBAILLIER (Textes philosophiques du Moyen Age, 6), Paris, 1958, 300 p.

RICHARD DE SAINT-VICTOR, *La Trinité.* Texte latin, introduction, traduction et notes de G. SALET (SC 63) Paris, 1959, 526 p.

Œuvre de maturité, assez tardive. Peut-être même « un ouvrage posthume » dans sa forme actuelle (J. Ribaillier, Introd., p. 11-13).

3. OUVRAGES ET OPUSCULES SPIRITUELS

De statu interioris hominis post lapsum, éd. J. RIBAILLIER, *Archives d'histoire doctrinale et littéraire du Moyen Age,* t. 34, année 1967 (1968), p. 7-128 ; *PL* 196, 1115-1160. Rédigé entre 1159 et 1162.

De praeparatione animi ad contemplationem ou *Beniamin minor*, *PL* 196, 1-64.

De gratia contemplationis ou *Beniamin maior*, *PL* 196, 63-192.

Nonnullae allegoriae tabernaculi foederis, *PL* 196, 191-202.

De exterminatione mali et promotione boni, *PL* 196, 1073-1116.

De eruditione hominis interioris, ou *De somnio regis Nabuchodonosor*, *PL* 196, 1229-1366.

Mysticae adnotationes in Psalmos, et *Tractatus super quosdam psalmos et quarumdam sententias Scripturarum*, *PL* 196, 265-404.

De quatuor gradibus uiolentae caritatis, *PL* 196, 1207-1224, et dans IVES, *Épître à Séverin sur la charité* ; RICHARD DE SAINT-VICTOR, *Les quatre degrés de la violente charité*. Texte critique avec introduction, traduction et notes publié par G. DUMEIGE (Textes philosophiques du Moyen Age, 3), Paris, 1955, p. 89-200. Ouvrage postérieur aux deux *Beniamin*.

De comparatione Christi ad florem et Mariae ad uirgam, *PL* 196, 1031-1032.

De sacrificio David prophetae et quid distet inter ipsum et sacrificium Abrahae patriarchae, *PL* 196, 1031-1042.

De differentia sacrificii Abrahae a sacrificio beatae Mariae Virginis, *PL* 196, 1043-1060.

Exiit edictum ou *De tribus processionibus*, dans RICHARD DE SAINT-VICTOR, *Sermons et opuscules spirituels inédits*. Tome I. *L'édit d'Alexandre ou les trois processions*. Texte latin, introduction et notes de J. CHÂTILLON et W.J. TULLOCH. Traduction française de J. BARTHÉLEMY, Bruges, 1951. Ouvrage composé probablement par Richard vers la fin de sa vie.

In illa die. Causam quam nesciebam. Carbonum et cinerum : trois opuscules sans titre dans les plus anciens manuscrits et désignés par leur incipit dans l'édition critique de J. CHÂTILLON, *Trois opuscules spirituels de Richard de Saint-Victor*, Paris, 1986, p. 55-152 ; 153-221 ; 223-263.

De questionibus regulae sancti Augustini solutis, éd. M.L. COLKER, « Richard of S. Victor and the Anonymus of Bridlington », *Traditio* 18, 1962, p. 181-227. Réponse à des questions posées par Simon, encore prieur de Saint-Albans ; traité antérieur à 1167.

4. Sermons

Sermo in ramis palmarum. *Geminum pascha colimus, geminum sane celebrare debemus, PL* 196, 1059-1067.

De missione Spiritus sancti sermo. *Spiritus Domini repleuit orbem terrarum et hoc quod continet omnia, scientiam habet uocis,* Sag. 1, 7. Ecce qualem, fratres, Paraclitum de Domini promissione accepimus, ecce qualem consolatorem habemus... *PL* 196, 1017-1032.

Misit Herodes rex manus ut affligeret quosdam de Ecclesia, Act. 12,1. Scripturam sacram recte, cum legit, intelligit qui modos locutionum eius non negligit..., *PL* 141, 277-306.

Sermones centum, PL 177, 899-1210.

5. Lettres

Lettre adressée par Ernis, abbé, et Richard, prieur de Saint-Victor, à Robert de Melun, évêque d'Hereford, *PL* 196, 1225, et J.C. Robertson, *Materials for the History of Thomas Becket, archbishop of Canterbury,* London, 1875-1885, t. 5, *Epist.* 220, p. 456-458. Lettre de 1166 d'après Robertson.

Lettre adressée par Richard, prieur, et par un abbé, désigné par l'initiale R, au pape Alexandre III. Texte publié dans la correspondance d'Alexandre III, *PL* 200, 1443-1444, et par J.C. Robertson, *op. cit.,* t. 6, p. 529-530. Probablement écrite au début de 1169.

C. LA PLACE DU *BENIAMIN MINOR* DANS L'ŒUVRE DE RICHARD ET LE TITRE DE L'OUVRAGE

Le *Beniamin minor* illustre la difficulté qu'on a pu éprouver à vouloir classer les œuvres de Richard. Il est en quatrième position dans l'édition de 1650 (p. 114-146), après trois autres ouvrages considérés aujourd'hui comme des traités spirituels : *De exterminatione mali et promotione boni* (p. 1-23), *De statu interioris hominis* (p. 23-45), *De eruditione hominis interioris* (p. 46-114). Il est regardé comme commentaire scripturaire par la *Patrologie latine* ; il est même mis en tête du volume, puisqu'il s'agit des fils de Jacob dont parle la Genèse, premier livre de l'Écriture. Un peu dans la même ligne que l'édition de 1650, J. Châtillon voit dans le *Beniamin minor* un opuscule spirituel et le rattache en conséquence au troisième des cinq groupes qu'il a distingués. On notera que le *Beniamin minor* précède toujours le *Beniamin maior* considéré par tous, à juste titre, comme sa suite. C'est d'ailleurs à cause de cette continuité que le *Beniamin maior* est ainsi appelé, car le nom de Benjamin ne figure jamais dans ce deuxième ouvrage, qui étudie également la contemplation. Il le fait de manière beaucoup plus développée que le *Beniamin minor*, en s'appuyant sur le thème de l'arche de Moïse, dont il recherche la signification mystique ou tropologique.

Quoi qu'il en soit, le *Beniamin minor* figure avec le *Beniamin maior*, le *De Trinitate*, le *De quatuor gradibus uiolentae caritatis*, parmi les ouvrages les plus diffusés et les plus connus de Richard.

On lui a donné plusieurs titres. La Patrologie latine indique *De praeparatione animi ad contemplationem liber dictus Beniamin minor*. Les anciennes éditions connaissent le premier intitulé qui annonce assez bien le contenu de l'ouvrage, mais qui ne fait que reproduire la rubrique du chapitre d'ouverture. Le second est celui sous lequel on désigne habituellement le traité ; il provient du thème initial emprunté au psaume 67, 28 : *Beniamin adolescentulus in mentis excessu (Benjamin jeune adolescent, dans le transport de l'esprit)*, verset choisi à cause de l'expression : *excessus mentis* qui relève du vocabulaire spirituel et mystique.

J. Châtillon proposait de reprendre le titre que donne à l'opuscule quelques-uns des manuscrits les plus anciens : *De patriarchis* ou *De duodecim patriarchis* [1]. Cette appellation

---

1. Titres proposés par les manuscrits : *Beniamin de studio sapientie ; Contemplatio de Beniamin et de XII patriarchis ; Liber contemplatiuus ; De contemplatione minori ; De patriarchis et eorum filiis et uxoribus ; De*

a l'avantage de suggérer, mieux que les autres, le contenu global du livre qui offre, en effet, une interprétation tropologique du nom et de l'histoire de chacun des douze fils que Jacob eut de Lia et de Rachel, ses épouses, et de Zelpha et Bala, leurs servantes (*Gen.* 29, 15 à 35, 29), et non du seul Benjamin, le douzième et dernier fils.

Si dans la suite de l'Introduction, d'une manière générale, on parle plutôt du *Beniamin minor* que du *De duodecim patriarchis*, c'est qu'il a semblé préférable, malgré tout, de conserver le titre sous lequel l'ouvrage de Richard est aujourd'hui habituellement connu et cité.

II. BENIAMIN MINOR

A. ANTÉCÉDENTS BIBLIQUES, PATRISTIQUES, MÉDIÉVAUX

Lia et Rachel épouses de Jacob, d'une part, ses douze fils, communément appelés les douze patriarches, d'autre part, ont suscité, antérieurement à Richard de Saint-Victor, des commentaires et des interprétations allégoriques qu'il convient de rappeler brièvement pour situer l'apport à la fois traditionnel et original du *Beniamin minor*.

a. Lia et Rachel

1. La Bible

Selon la Genèse (29, 18-20 et 30-33), Jacob aimait Rachel, la sœur cadette, mais non Lia. Cela tenait probablement à

praeparatione animi ad contemplationem ; *Summa magistri Ricardi Parisiensis canonici* ; *Moralis expositio de uxoribus et filiis Iacob in libro de patriarchis* ; *De contemplatione Beniamin.* Voir J. LONGÈRE, *Avant-Propos* à J. CHÂTILLON, « Le *De duodecim Patriarchis* ou *Beniamin minor* de Richard de Saint-Victor », *Revue d'histoire des textes,* 21, 1991, p. 160, n. 3.

leur aspect physique, puisque, selon l'auteur inspiré, *Lia avait les yeux ternes, mais Rachel avait belle tournure et beau visage* (*Gen.* 29, 17). Cependant Dieu rend féconde Lia, tandis que Rachel est stérile et jalouse de sa sœur. Par servantes interposées, Rachel et Lia ont chacune deux fils de Jacob. Puis Dieu se souvient de Rachel, exauce ses prières et la rend enfin féconde (*Gen.* 30, 22). Elle met au monde Joseph et Benjamin, qui seront les préférés de Jacob (*Gen.* 30, 24 et 35, 18).

Les deux sœurs ne s'aimaient guère, la mort continue de les séparer : Rachel succombe à la naissance de Benjamin et *elle est enterrée sur le chemin d'Éphrata, c'est-à-dire Bethléem* (*Gen.* 35, 19). Lia est ensevelie dans la grotte du champ de Makpela, où avaient été déposés les corps d'Abraham et de Sara, d'Isaac et de Rébecca (*Gen.* 49, 31), où le sera, à son tour, celui de Jacob (*Gen.* 50, 13).

Les livres de la Bible autres que la Genèse ne parlent qu'exceptionnellement des épouses de Jacob. Selon *1 Samuel* 10, 2, c'est près du tombeau de Rachel, sur la frontière de Benjamin, que Saül reçoit le signe attestant que Yahvé l'a oint comme son héritier. *Jérémie* (31, 15) demande qu'on entende la plainte de Rachel pleurant ses fils, c'est-à-dire les descendants d'Éphraïm et de Manassé, fils de Joseph, et ceux de Benjamin massacrés ou déportés par les Assyriens.

Matthieu (2, 18) voit dans le massacre des Innocents par Hérode l'actualisation de l'oracle de Jérémie : Rachel personnifiant les mères qui sanglotent après le meurtre de leurs enfants. Lia n'est jamais citée seule. Mais le livre de *Ruth* réunit dans un même éloge *Rachel et Lia qui, à elles deux, ont édifié la maison d'Israël* (4, 11).

2. *Philon d'Alexandrie*

Philon d'Alexandrie (vers 20/10 avant J.-C.-39/40 après J.-C.), le principal représentant littéraire du judaïsme hellénistique, a cherché la signification morale et spirituelle des grandes figures de la Genèse. Ainsi pour lui, dès le sein maternel, Jacob est le symbole du bien, Esaü celui du mal [1]. Chez Laban, Jacob apprend [2] à connaître le domaine des sens [3], il s'adonne à l'exercice des vertus [4]. Lia et Rachel, ses épouses légitimes, sont « les facultés de l'ascèse » [5] ; chacune est « de nature et d'espèce différente » [6].

L'aînée est supérieure à la cadette : elle est la « toute vertueuse » [7], « la vertu » [8] qui « tourne les yeux vers le Bien seul » [9], et « se fatigue dans cette poursuite continue du Bien » [10]. Elle exprime « la beauté de l'âme » [11] ; « mouvement tout à fait sain, stable, paisible » [12], elle correspond à la « partie rationnelle » de l'âme. « Tandis que Rachel évoque sa partie irrationnelle » [13], elle, qui est la sensation [14],

1. Voir P.-M. GUILLAUME, « Rachel et Lia », DSp 13, 1988, c. 25-30 ; C. CHALIER, Les matriarches : Sarah, Rébecca, Rachel et Léa. Paris, 1985, p. 153-224.

2. PHILON D'ALEXANDRIE, De sacrificiis Abelis et Caini, 4, dans Les œuvres de Philon d'Alexandrie 4, Paris, 1966, p. 65 : « Elle (Rébecca) conçut les deux natures contradictoires du bien et du mal ».

3. PHILON, De fuga et inuentione, 46 (Les œuvres... 17, Paris, 1970, p. 131).

4. PHILON, De congressu eruditionis gratia, 34-35 (Les œuvres... 16, Paris, 1967, p. 129).

5. PHILON, De fuga et inuentione, 15 (Les œuvres... 17, p. 111).

6. PHILON, De congressu eruditionis gratia, 25 (Les œuvres... 16, p. 123).

7. PHILON, De migratione Abrahami, 95 (Les œuvres... 14, Paris, 1965, p. 153).

8. PHILON, ibid. 99 (p. 157).

9. PHILON, ibid. 145 (p. 185) ; De posteritate Caini, 62 (Les œuvres... 6, Paris, 1972, p. 81).

10. PHILON, De Cherubim, 41 (Les œuvres... 3, Paris, 1963, p. 39).

11. PHILON, De sobrietate, 12 (Les œuvres... 11-12, Paris, 1962, p. 135).

12. PHILON, De congressu eruditionis gratia, 25 (Les œuvres... 16, p. 123).

13. PHILON, De congressu... 26 (Les œuvres... 16, p. 125).

14. PHILON, Legum allegoriae II, 46 (Les œuvres... 2, Paris, 1962, p. 129).

n'admirant que le sensible [1], représente l'heureuse proportion du corps, sa beauté [2]. Elle est « semblable à une pierre à aiguiser... ; contre elle s'affûte, s'aiguise l'esprit qui aime luttes et exercices » [3]. Elle est aimée comme le plaisir [4].

A l'inverse, Lia est haïe comme la vertu [5]. Mais Dieu la rend féconde [6] et lui communique la semence du bien ; aussi elle peut « engendrer les belles entreprises et les belles actions » [7]. Elle est « le mouvement léger qui fait naître la santé dans le corps, la beauté morale et la justice de l'âme... Lia est donc celle qui nous permet de recueillir les biens les plus hauts et les plus souverains ; Rachel celle qui nous permet de ramasser le butin comme à la fin d'un combat » [8].

« C'est pourquoi Moïse, conformément à la nature des choses, présente Lia comme haïe (*Gen.* 29, 31) : ceux que charment les philtres des plaisirs, qui trouvent auprès de Rachel la sensation, sont des hommes que Lia, étrangère aux passions, ne loge pas chez elle, et c'est pourquoi, ignominieusement chassés, ils la haïssent. Pour elle, ce qui la fait autre par rapport au créé lui donne ressemblance par rapport à Dieu, de qui elle reçoit les semences de la Sagesse pour enfanter et mettre au monde des conceptions de la pensée belles et dignes du Père qui les a engendrées. Si donc, ô mon âme, après avoir toi aussi imité Lia, tu te détournes des choses mortelles, tu te tourneras nécessairement vers l'in-

---

1. PHILON, *De ebrietate*, 54 (*Les œuvres...* 11-12, p. 45).
2. PHILON, *De sobrietate*, 12 (*Les œuvres...* 11-12, p. 133-135).
3. PHILON, *De congressu eruditionis gratia*, 25 (*Les œuvres...* 16, p. 123).
4. PHILON, *Legum allegoriae* II, 48 (*Les œuvres...* 2, p. 131).
5. *Ibid.* et *De sobrietate*, 23 (*Les œuvres...* 11-12, p. 139) ; *De posteritate Caini*, 135 (*Les œuvres...* 6, p. 125).
6. PHILON, *De Cherubim*, 46 (*Les œuvres...* 3, p. 41).
7. PHILON, *De mutatione nominum*, 254-255 (*Les œuvres...* 18, Paris, 1964, p. 151) ; *Quis rerum diuinarum heres sit*, 50-51 (*Les œuvres...* 15, Paris, 1966, p. 191).
8. PHILON, *De congressu eruditionis gratia*, 31-32 (*Les œuvres...* 16, p. 127).

corruptible, qui fera pleuvoir sur toi toutes les sources de la beauté morale » [1].

Rachel, qui meurt dans les douleurs de l'enfantement, (*Gen.* 35, 16-19) représente « celle qui met au monde la vaine gloire ... C'est la mort de l'âme que de propager et d'engendrer la gloire sensible et vaine » [2].

La position de Philon, exceptionnellement favorable à Lia, n'exercera pas d'influence sur la pensée chrétienne.

3. Les Pères

Jean Chrysostome († 407) admire la sagesse divine qui rend féconde Lia, privée de l'amour de son mari, et stérile Rachel qui attirait Jacob par sa beauté. Mais il n'en dégage pas une interprétation allégorique [3].

Le *Liber interpretationis hebraicorum nominum* de Jérôme († 419) propose une étymologie qu'avec des adaptations on retrouve chez la plupart des auteurs. Lia est la femme laborieuse ; Rachel « est la brebis, celle qui voit le principe, ou la vision du mal, ou celle qui voit Dieu » [4].

Mais deux thèmes vont peu à peu naître et se développer à partir des figures de Lia et de Rachel : le rapport entre la Synagogue et l'Église, et celui de la vie active avec la vie contemplative.

La Synagogue et l'Église

Justin († 166) est parmi les premiers à voir en Lia l'annonce de la Synagogue et en Rachel celle de l'Église [5].

---

1. PHILON, *De posteritate Caini*, 135 (*Les œuvres...* 6, p. 125).
2. PHILON, *De mutatione nominum*, 96 (*Les œuvres...* 18, Paris, 1964, p. 75).
3. JEAN CHRYSOSTOME, *Homiliae in Genesim*, LVI, 3, *PG* 54, 489-490.
4. Éd. P. de LAGARDE, 1882, p. 8, l. 7 et 9, l. 25 ; *CCSL* 72, 1959, p. 68 et 70 : « Lia laboriosa, Rachel ouis uel uidens principium aut uisio sceleris siue uidens Deum ».
5. JUSTIN, *Dialogue avec Tryphon* 134, 3, *PG* 6, 787 A ; *La philosophie passe au Christ. L'œuvre de Justin : Apologie I et II, Dialogue avec Tryphon*, textes présentés par A. HAMMAN, Paris, 1958 (Ichtus, 3), p. 340.

Pour Irénée († 200), Rachel « la cadette aux beaux yeux » préfigure l'Église pour laquelle le Christ souffrit [1]. Selon Éphrem de Nisibe († 373), « Éléazar a fiancé Rébecca près de l'eau du puits ; Jacob fit de même pour Rachel, et Moïse pour Séphora. Tous furent les types de notre Seigneur, qui s'est fiancé à son Église dans l'eau du Jourdain » [2].

En Lia qui est l'aînée, « nous comprenons, dit Jérôme, l'aveuglement de la Synagogue, en Rachel la beauté de l'Église » [3]. Comme Lia, la Synagogue a les yeux malades, elle ne reconnaît pas le Christ, elle n'est pas aimée de Jacob, et Rachel lui succède [4].

Avec Césaire d'Arles († 543), il n'y a pas opposition, mais rapprochement : « Les deux femmes, c'est-à-dire Lia et Rachel, qui s'unirent à Jacob, figurent les deux peuples : Lia, celui des Juifs, Rachel celui des Gentils. Tels deux murs qui se croisent, ces deux peuples sont réunis par le Christ comme par une pierre d'angle : en lui, ils s'embrassent ; en lui, ils méritent de trouver la paix éternelle » [5].

Isidore de Séville († 636) reste fidèle à l'exégèse traditionnelle : « Lia figure la Synagogue qui, à cause de la faiblesse des yeux du cœur, ne peut contempler les mystères de Dieu. Rachel, à la belle apparence, est le type de l'Église qui scrute de son regard contemplatif les mystères du Christ » [6].

---

1. IRÉNÉE DE LYON, *Contre les hérésies* IV, 21, 3 (*SC* 100, p. 685).

2. ÉPHREM DE NISIBE, *Commentaire de l'évangile concordant ou Diatesseron* III, 17 (*SC* 121, p. 91). Voir ORIGÈNE, *Homélies sur la Genèse*, X, 5 (*SC* 7bis, p. 271-275).

3. JÉRÔME, *Commentarii in prophetas. In Osee* III, 11, 1-2 ; *CCSL* 76, 1969, p. 122 ; *PL* 25, 916 A.

4. JÉRÔME... *In Sophoniam* III, 19, 20 ; *CCSL* 76 A, 1970, p. 709 ; *PL* 25, 1385 B. — *Scripta ariana latina. Collectio Veronensis* VII, 5, *CCSL* 87, 1982, p. 104.

5. CÉSAIRE D'ARLES, *Sermones, De beato Iacob et Laban* LXXXVIII, 3, *CCSL* 103, 1953, p. 360.

6. ISIDORE DE SÉVILLE, *Allegoriae quaedam Scripturae sacrae*, 28-29, *PL* 83, 105.

Selon Paschase Radbert († 865), le fait que Rachel soit morte près de Bethléem, *sur le chemin d'Éphrata* (*Gen.* 35, 16), a une profonde signification : Rachel figure l'Église qui n'est pas encore dans la patrie, mais sur le chemin qu'est le Christ [1].

Rupert de Deutz († 1135) inverse les rôles : Rachel est la Synagogue, Lia l'Église. « Qu'est donc Rachel, sinon l'Église primitive issue des Hébreux ? Qu'est Lia, sinon l'Église rassemblée du milieu des païens » ? Si la Genèse mentionne la mort de Rachel, alors qu'elle passe sous silence celle de Lia, c'est que la Synagogue s'est ouvertement séparée de la grâce de la vie par son refus de croire (*infidelitas*), tandis que l'Église des Gentils vit par la foi jusqu'à la fin des siècles. Rachel meurt en enfantant : de même la Synagogue quand elle donne le Christ et les apôtres [2].

Cependant, dans le commentaire qu'il fait du massacre des Innocents, Rupert voit dans Rachel pleurant ses enfants l'image de l'Église-Mère qui souffre pour ses enfants [3].

La vie active et la vie contemplative

Certes, la péricope sur Marthe et Marie (*Luc* 10, 38-42) a joui d'une faveur exceptionnelle chez les Pères et à l'époque médiévale pour symboliser les deux types de vie [4], mais, à ces deux figures évangéliques, Augustin († 430) puis Grégoire le Grand († 604) n'hésitent pas à joindre celles de Lia et de Rachel.

C'est dans le *Contra Faustum* qu'Augustin développe le plus longuement son interprétation. Lia aux yeux malades

---

1. PASCHASE RADBERT, *Expositio in Mattheo* II, 2, 18, *CCCM* 56, 1984, p. 176.

2. RUPERT DE DEUTZ, *In Genesim*, VIII, 15, *CCCM* 21, 1971, p. 500.

3. RUPERT DE DEUTZ, *Super Matthaeum* II, *PL* 168, 1343 D.

4. Voir A. SOLIGNAC et L. DONNAT, « Marthe et Marie », *DSp* 10, 1980, c. 664-673.

évoque « la timidité des pensées, l'incertitude des pré-
voyances », alors que Rachel, « à la figure agréable et d'une
grande beauté » est l'espoir de l'éternelle contemplation de
Dieu, renfermant l'intelligence et la jouissance assurée de la
vérité. L'homme voudrait parvenir immédiatement aux
délices de la sagesse, « sans le travail de l'action, sans
l'épreuve de la souffrance », mais cela n'est pas possible ici-
bas. D'où le sens des paroles adressées à Jacob : *Ce n'est pas
l'usage dans notre pays de donner en mariage la plus jeune
avant l'aînée* (*Gen.* 29, 26). Lia, l'aînée représente donc ce
qui est premier dans l'ordre du temps : l'observance des
commandements, la peine de faire ce qui est juste passent
« avant le plaisir de comprendre ce qui est vrai » [1].

Des deux femmes de Jacob, l'une est aimée, l'autre supportée. Mais « celle qui est supportée est féconde la première
et plus féconde que l'autre, en sorte que si elle n'est pas
aimée pour elle-même, elle l'est au moins pour ses enfants ».
Ainsi le travail des justes produit de grands fruits dans ceux
qu'ils enfantent pour le royaume de Dieu en prêchant
l'évangile. Rachel enfante elle aussi, mais tard et avec peine,
ce qui signifie que la contemplation est difficile, qu'elle
nécessite du temps et une réflexion souvent pénible [2].

L'interprétation de Grégoire le Grand n'est guère différente de celle esquissée par Augustin. Il faut toutefois souligner que le thème, plus ou moins développé, est présent
dans quatre œuvres. Comme Augustin, Grégoire s'appuie
sur l'étymologie des deux noms : Lia, la laborieuse ; Rachel,
celle qui voit. Il souligne la beauté mais aussi la relative sté-
rilité de Rachel, car « la vie contemplative est séduisante

---

1. Augustin, *Contra Faustum* XXII, 52-53, *PL* 42, 432-434.
2. *Contra Faustum* XXII, 54, *PL* 42, 434. Dans le *De consensu euange-
listarum* I, 5, Augustin fait allusion à ce qu'il a dit des épouses de Jacob
dans le *Contra Faustum* ; il rappelle seulement le sens basé sur l'étymologie : « Lia quippe interpretatur laborans ; Rachel autem uisum principium » ; *PL* 34, 1046.

pour le cœur ; mais désireuse de se reposer en silence, elle ne procrée pas de fils par la prédication. Elle voit et elle n'enfante pas ; attachée à son repos, elle n'a pas la passion de rassembler les autres et se sent impuissante à leur découvrir, en prêchant, tout ce qu'elle aperçoit au dedans ». A l'inverse Lia est féconde. Occupée au travail, elle voit mal, mais elle fait naître dans le cœur du prochain, par la parole ou l'exemple, le désir de l'imiter ; elle engendre de nombreux fils [1].

Jacob doit attendre sept ans avant d'épouser Rachel qu'il aime : celui qui aspire à la vie contemplative désire l'obtenir bien vite, alors que l'Esprit ne se hâte pas de lui accorder ce bien, car, une fois reçu, il pourrait le mépriser, s'il l'avait reçu sans peine comme il le souhaitait [2]. Enfin, il ne faut pas oublier que Jacob lui-même « est revenu des embrassements de Rachel à ceux de Lia » : la vie laborieuse ne doit jamais être complètement abandonnée ; la vie contemplative doit ramener parfois à une vie active « que rendra meilleure ce que l'âme a saisi au dedans » [3].

4. Le Moyen Age

Les commentaires médiévaux s'inspirent généralement d'Augustin et de Grégoire le Grand.

Selon Paschase Radbert († vers 859) l'union de Jacob et de Lia figure l'amour du prochain, qui doit précéder l'amour

---

1. GRÉGOIRE LE GRAND, *Homélies sur Ézéchiel* II, 2, 10 (*SC* 360, 1990, p. 112-113). Cf. *Moralia in Iob* VI, 37, 61 (*CCSL* 143, 1979, p. 330). *Registre des Lettres*, I, 5 (*SC* 370, 1991, p. 81). Voir V. PARONETTO, « Rachele e Lia nei Moralia in Iob di S. Gregorio Magno », *Studium* 62 (1966), p. 734-740 : en fait une étude sur Grégoire le Grand et la double tendance de son tempérament, à l'image de Rachel et de Lia.

2. GRÉGOIRE LE GRAND, *Commentaire sur le premier livre des Rois* I, 64, 6, *SC* 351, p. 295.

3. GRÉGOIRE LE GRAND, *Homélies sur Ézéchiel* II, 2, 11, *SC* 360, 1990, p. 113.

envers Dieu, symbolisé par celui de Jacob pour Rachel [1]. Bruno le Chartreux († 1101) note que « les fils de la contemplation sont plus rares que les fils de l'action » ; toutefois, Joseph et Benjamin sont chéris par leur père plus que leurs autres frères [2].

Guibert de Nogent († 1124) rassemble les enseignements de ses devanciers : Lia symbolise la vie active, la science morale, l'amour du prochain ; Rachel, c'est la vie contemplative, la sagesse tournée vers l'unité divine, l'amour de Dieu. Le délai de sept ans imposé à Jacob avant l'union avec Rachel signifie que, pour atteindre à la plénitude de la contemplation, il faut y consacrer longuement toutes les forces du corps, composé des quatre éléments, et celles de l'âme, à savoir l'intelligence, la mémoire et la volonté [3]. Guibert de Nogent s'intéresse non seulement à Lia et à Rachel, mais aussi à leurs servantes et aux enfants des unes et des autres [4], ce qui annonce plus directement Richard de Saint-Victor. Cependant l'enseignement spirituel et moral est différent, bien qu'il s'appuie dans les deux cas sur l'étymologie des noms propres.

Rupert de Deutz († 1129) compare les sept années d'attente de Jacob à la semaine de la création qui s'achève par le repos de Dieu, le septième jour [5]. Bernard de Clairvaux († 1153) plaide pour l'exercice de l'action avant le repos de la contemplation ; on ne saurait « négliger la fécondité de Lia pour ne jouir que des embrassements de Rachel » [6].

---

1. PASCHASE RADBERT, *Expositio in Matheo* I, 17, *CCCM* 56, 1984, p. 82-84.

2. *Lettres des premiers chartreux*, I, 6, *SC* 88, 1962, p. 71-73.

3. GUIBERT DE NOGENT, *Moralia in Genesim* VIII, 29, *PL* 156, c. 218-219.

4. *Moralia... PL* 156, c. 219-238.

5. RUPERT DE DEUTZ, *In Genesim* VII, 31, *CCCM* 21, 1971, p. 467.

6. BERNARD DE CLAIRVAUX, *Sermones in Cantica canticorum* XLVI, 5, dans *S. Bernardi Opera*, II, éd. J. LECLERCQ, C.H. TALBOT, H. ROCHAIS, Rome, 1958, p. 58.

Guerric d'Igny († 1157) exprime, sans la développer, la même idée [1].

b. Les douze patriarches

1. La Bible

Actuellement sous le terme patriarche on désigne trois groupes :
— Abraham, Isaac et Jacob ;
— l'ensemble des ancêtres du peuple juif, c'est-à-dire, outre les personnages déjà cités, les douze fils de Jacob qui ont donné leur nom aux douze tribus d'Israël ;
— enfin, les dix descendants d'Adam, dont parle *Genèse* 5 [2].

Mais dans l'Ancien Testament le mot n'est employé que par la Vulgate (*patriarchae*). Elle appelle ainsi les chefs de famille groupées selon leur parenté (1 *Chr.* 8, 28), ou les ancêtres des tribus dont il est question dans la Genèse (*Tob.* 6, 20). Le Nouveau Testament nomme de cette manière Abraham (*Hébr.* 7, 4), les douze fils de Jacob (*Act.* 7, 8-9), David (*Act.* 2, 29) [3].

Les patriarches dont parle la tradition patristique et médiévale sont les douze fils de Jacob.

Le texte biblique qui, à leur propos, a particulièrement retenu l'attention des commentateurs est *Genèse* 49, où Jacob s'adresse à ses fils ; on a souvent appelé ce chapitre les *Bénédictions de Jacob* : dénomination quelque peu impropre,

---

1. GUERRIC D'IGNY, *Quatrième sermon pour l'Assomption*, 4, SC 202, 1973, p. 469.

2. H. CAZELLES, « Patriarches », *Dictionnaire de la Bible. Supplément*, 7, 1966, c. 81-156.

3. H. LESÊTRE, « Patriarches », *Dictionnaire de la Bible*, 4, 1908, c. 2184.

quand on pense aux menaces qu'adresse Jacob à certains de ses fils, tels Ruben, Siméon et Lévi.

On a toujours regardé comme particulièrement importantes les paroles de louange dites par Jacob à son fils Juda et la prédiction faite à ses descendants d'exercer la suprématie en Israël (*Gen.* 49, 8-12). Les Juifs y voyaient déjà une annonce explicite du Messie, et deux textes du Nouveau Testament appliquent précisément au Christ la bénédiction de Juda : *Il a remporté la victoire, le Lion de la tribu de Juda, le Rejeton de David* (*Apoc.* 5, 5). *Il est notoire que notre Seigneur est issu de Juda* (*Hébr.* 7, 14) [1]. Les commentaires sont nombreux à partir du IIᵉ siècle ; les explications de détails parfois divergentes n'enlèvent rien aux lignes générales de l'affirmation : le Christ est le Messie, né de la tribu de Juda ; le sommeil et le réveil du lion (*Gen.* 49, 9) préfigurent la mort et la résurrection du Christ.

En milieu chrétien, l'interprétation messianique s'étendra rapidement de la bénédiction de Juda à celle d'autres fils de Jacob : l'auteur des interpolations chrétiennes dans le *Testament des Douze Patriarches* (IIᵉ siècle) comprend de manière typologique les paroles adressées à Siméon et Lévi, à Dan, à Joseph et à Benjamin.

Il est probable d'ailleurs que l'ensemble du chapitre 49 a été peu à peu regardé comme annonce du Christ et de l'Église, de l'opposition entre Juifs et chrétiens et de la transmission à ceux-ci des promesses faites au peuple élu. Mais il a dû s'agir, là, de traditions surtout orales, soumises à des variations et à des altérations.

---

1. Voir Rufin d'Aquilée, *Les bénédictions des Patriarches.* Introduction, texte latin, notes et commentaires par M. Simonetti. Traduction de H. Rochais, revue par P. Antin, Paris, *SC* 140, 1968, p. 12.

2. Les Pères

Le premier commentaire connu sur l'ensemble des Bénédictions de Jacob est celui d'Hippolyte de Rome († 235). L'œuvre a été transmise en arménien et en géorgien. Sous une attribution à Irénée de Lyon, on a retrouvé le texte grec dans le manuscrit Météores, Monast. de la Métamorphose 573 (Xᵉ s.), fᵒ 119-155v. On dispose maintenant d'une édition trilingue avec traduction française [1]. Ce traité assez long veut éclairer l'ensemble du texte biblique jusque dans ses détails ; l'explication est toujours typologique : ainsi les paroles dures adressées à Ruben, Siméon et Lévi ne sont pas justifiées par les fautes antérieurement commises, mais parce qu'elles préfigurent l'hostilité d'Israël envers le Christ et son Église [2].

Grégoire d'Elvire († après 392) est l'auteur du plus ancien traité sur les Bénédictions des Patriarches écrit en latin. Celui-ci fait partie d'une série de vingt exposés connus sous le nom de *Tractatus Origenis,* qui ont pu être écrits entre 360 et 380. Dans la préface de son œuvre, l'auteur se propose, semble-t-il, d'expliquer la totalité du ch. 49 ; mais, bien que se réservant la possibilité d'y revenir, il n'envisage que les quatre premières bénédictions adressées à Ruben, Siméon, Lévi et Juda. S'il rapporte le sens historique d'un texte, il ne manque pas de la repousser pour lui préférer un sens spirituel [3].

Plus encore que Grégoire d'Elvire, Ambroise de Milan († 397) utilise l'ouvrage d'Hippolyte de Rome. Sans nier la possibilité d'un sens littéral et en lui donnant parfois une

---

1. Hippolyte de Rome, *Sur les bénédictions d'Isaac, de Jacob et de Moïse*, par M. Brière, L. Mariès, B. Ch. Mercier, *Patrologia orientalis*, 27, 1954, p. 1-115.

2. Hippolyte de Rome, *Sur les bénédictions ...* XIII-XIV, p. 53-69.

3. *Tractatus XX Origenis de libris S.S. Scripturarum* VI ; *PLS* 1, 1958, c. 389-400 et *CCSL* 69, 1967, p. 43-55.

petite place, il s'attache surtout au sens prophétique du discours de Jacob, où il voit l'annonce du Christ, de l'apôtre Paul, voire de l'Antéchrist [1].

Hebraicae quaestiones in libro Geneseos de Jérôme a été composé à Bethléem entre 389 et 392 [2]. En comparant le texte latin reçu à l'hébreu et aux Septante, Jérôme veut éclairer le sens, proposer une nouvelle traduction si le latin s'écarte de la langue originale, expliquer aux Occidentaux les mots hébreux et les noms propres. Le commentaire est sobre et littéral ; la partie typologique est intentionnellement réduite : « Je n'ignore pas les nombreux mystères contenus dans les bénédictions des patriarches, mais ils ne relèvent pas du présent opuscule ». De peu antérieur à l'ouvrage sur la Genèse, le *Liber interpretationis hebraicorum nominum* [3] se propose de donner une explication de chaque nom propre biblique, basée sur l'étymologie. L'ouvrage est classé par livres bibliques et par ordre alphabétique des noms. C'est dans la partie consacrée à la Genèse qu'on trouvera le sens donné aux noms portés par les patriarches, fils de Jacob. Le *Liber interpretationis* dont le contenu a pu être partiellement emprunté, eut une singulière fortune tout au long du Moyen Age, et Richard de Saint-Victor, entre autres, l'utilisera tout au long du *Beniamin minor*.

L'intérêt porté par Jérôme au sens littéral tranche par rapport aux commentaires presque exclusivement allégorisants de Grégoire d'Elvire ou d'Ambroise. Mais quelques auteurs, surtout en Orient, ont, comme Jérôme, accordé une grande attention au sens littéral de *Genèse* 49, sans exclure le sens

---

1. AMBROISE, *De patriarchis*, éd. C. SCHENKL, *CSEL* 32, 2, 1897, p. 123-160.
2. Édition P. de LAGARDE, Leipzig, 1868, reprise dans *CCSL* 72, 1969, p. 1-56.
3. Édition P. de LAGARDE, Göttingen, 1887, reprise dans *CCSL* 72, 1969, p. 57-161.

spirituel : ainsi Eusèbe de Césarée († 339) [1], Diodore de Tarse († vers 391) [2], Jean Chrysostome († 407) [3] et Théodoret († vers 466) [4].

En 407, Rufin d'Aquilée, alors à Rome, expliqua, à la demande de Paulin de Nole (lettre 46), la bénédiction de Juda par Jacob. Durant l'hiver 408, Paulin lui demanda (lettre 47) un second exposé sur les bénédictions reçues par les autres Patriarches. Rufin s'exécuta durant le Carême 408. Les lettres de Paulin et les deux réponses de Rufin constituent un ensemble édité sous le nom de Rufin et sous le titre *Les Bénédictions des Patriarches* [5]. Dans cet ouvrage, Rufin donne de *Genèse* 49 une triple interprétation : littérale, mystique et morale. Vers la fin du livre I, il s'explique sur les rapports de ces divers sens et sur la finalité propre à chacun :

« Il est vrai que l'Écriture divine doit contenir la science des mystères. Il est vrai aussi qu'elle doit informer les habitudes et les actions de ceux qui l'apprennent. Car ainsi dit la Sagesse par la bouche de Salomon : *Écris pour toi ces choses deux et trois fois dans ton cœur (Prov. 22, 20)* ; et l'arche construite par Noé, on ordonne de la faire à deux et trois étages (cf. *Gen.* 6, 16). Efforçons-nous donc, nous aussi, après avoir, autant que nous pouvions les comprendre, disserté deux fois sur ces choses, selon l'histoire et selon le sens mystique, de discerner encore le sens moral, pour autant que le passage s'y prête, afin que les fervents des Écri-

1. EUSÈBE DE CÉSARÉE, *Démonstration évangélique* VIII, 1, *PG* 22, 573-595 ; Ivar A. HEIKEL, *Eusebius Werke*. Sechster Band. *Die Demonstratio euangelica*, *GCS* 6, Leipzig, 1913, p. 352-366.

2. J. DECONINCK, *Essai sur la chaîne de l'Octateuque avec une édition des Commentaires de Diodore de Tarse qui s'y trouvent contenus*, Paris, 1912, n. 56-59, p. 128-133.

3. *Homilia* 67 *in Genesim*, 1-3, *PG* 54, 571-576.

4. *Quaestiones in Genesim*, CX, *PG* 80, 216-226, (éd. *Fernandez-Marcos* et *Saenz-Badillos*, Madrid 1979, CXII, p. 91-99).

5. Cf. *supra*, n. 52 et *CCSL* 20, 1961, p. 183-228.

tures soient instruits non seulement de ce qui a été fait chez les autres et par les autres, mais aussi de ce qu'ils doivent faire eux-mêmes dans leur for intérieur » [1].

Le premier sens reliera donc le texte des Bénédictions aux événements de la vie des Patriarches ou des tribus qui en sont issues. Le sens mystique ou spirituel rattache les Bénédictions à la vie de Jésus, à l'histoire de l'Église naissante, aux rapports souvent conflictuels avec les Juifs. Le sens moral interprète *Genèse* 49 en fonction de la conduite du chrétien : lutte contre le péché, ascèse, recherche de la perfection.

Les principes d'exégèse que suit Rufin sont ceux d'Origène, mais, alors qu'Origène se bornait parfois à ne distinguer que le sens littéral et le sens allégorique, Rufin propose toujours une triple signification. On notera surtout que Rufin est le premier, semble-t-il, à donner une interprétation morale de *Genèse* 49. Il la fonde sur l'étymologie des noms propres, en particulier de ceux portés par les Patriarches.

Au fil des bénédictions qui vont de Ruben à Benjamin, Rufin voit les différentes étapes que parcourt l'âme humaine pour se libérer du péché et accéder à la perfection.

Il n'est pas facile d'identifier les sources qu'il utilise. Les convergences sont peu nombreuses avec le traité d'Hippolyte sur les Bénédictions ou celui d'Ambroise de Milan. Il pourrait avoir connu le commentaire d'Eusèbe sur *Genèse* 49, 8-9. Les étymologies sont empruntées à plusieurs sources, mais il faut privilégier Origène et le *Liber interpretationis hebraicorum nominum* de Jérôme [2].

Saint Augustin ne s'est intéressé qu'à la bénédiction de Juda, où il a vu une annonce de la mort et de la résurrection

---

1. RUFIN D'AQUILÉE, *Les bénédictions* ... I, 11, *SC* 140, p. 63-65.
2. RUFIN D'AQUILÉE, *Les bénédictions* ... I, 11, *SC* 140, p. 25-31.

de Jésus. Dans les *Moralia in Iob*, Grégoire le Grand a commenté en trois passages différents les bénédictions reçues par Issachar [2], Dan [3] et Benjamin [4] ; mais Paterius a regroupé les propos bibliques épars de Grégoire selon l'ordre des livres inspirés [5].

Isidore de Séville a consacré aux bénédictions des patriarches le chapitre XXXI et dernier des *Quaestiones in Genesim* [6]. Là, comme ailleurs, il a beaucoup utilisé ses devanciers et il s'est fort peu préoccupé de faire œuvre originale. Il cite surtout Ambroise, Rufin, et intégralement les trois exposés de Grégoire relatifs au sujet. Grégoire d'Elvire, Jérôme, Augustin l'ont moins inspiré. Il n'est pas intéressé par les explications de Jérôme basées sur le sens littéral, ou par celles à tendance parénétique de Rufin. Il retient essentiellement les commentaires allégoriques ou prophétiques que suscitent l'étymologie ou le rapprochement des circonstances. Comme ses sources ne sont pas toujours d'accord entre elles sur le sens mystique des figures, il donne à la suite les différentes opinions sans se prononcer : ainsi Dan peut personnifier Judas ou l'Antéchrist [7], et l'ânesse, la Synagogue ou l'Église [8].

---

1. *Contra Faustum* XII, 42, *PL* 42, 275-277. *De ciuitate Dei* XVI, 41, *CCSL* 43, 1955, p. 546-548. Voir H. MORETUS, « Les bénédictions des patriarches dans la littérature du IVᵉ au VIIIᵉ siècle », *Bulletin de littérature ecclésiastique*, 1910, p. 40.
2. *Moralia in Iob* I, 16, 24, *CCSL* 143, 1979, p. 38. Pour Grégoire, voir H. MORETUS, « Les bénédictions des patriarches... », *BLE*, 1910, p. 83-84.
3. *Moralia in Iob* XXXI, 24, 43, *CCSL* 143 B, 1985, p. 1579-1581.
4. *Moralia in Iob* XVII, 46, 25, *CCSL* 143 A, 1979, p. 901.
5. PATERIUS, *Liber de expositione Veteris ac Noui Testamenti. Super Genesim* 76, 77, 80, *PL* 79, c. 721-722.
6. *Mysticorum expositiones sacramentorum seu quaestiones in Vetus Testamentum*, *PL* 83, c. 276-288. Voir H. MORETUS, « Les bénédictions des patriarches... », *BLE*, 1910, p. 84-86.
7. *In Genesim*, XXXI, 35-37, *PL* 83, c. 282.
8. *In Genesim*, XXXI, 24-27, *PL* 83, c. 280.

3. Le Moyen Age

Deux commentaires de la Genèse, très semblables, ont été attribués, l'un à Eucher de Lyon († vers 450), l'autre à Bède le Vénérable († 735). En fait, le premier appartient à Claude de Turin († 827) [1] ; l'auteur du second n'est pas encore identifié, semble-t-il [2]. Bien qu'écrits indépendamment l'un de l'autre, ces deux ouvrages sont divisés de la même manière et puisent aux mêmes sources : Jérôme pour le sens littéral, Isidore pour le sens allégorique ; mais le Pseudo-Eucher les copie moins servilement et il joint Ambroise à Isidore pour l'interprétation spirituelle de la bénédiction de Zabulon.

On ne croit plus aujourd'hui que Bède soit l'auteur d'un autre traité sur la Genèse, qui figure parmi ses œuvres imprimées [3]. Comme les deux commentaires précédents, cet ouvrage dépend de Jérôme et d'Isidore. Il devait inspirer, à son tour, un *De benedictionibus patriarcharum*, qui clôt les *Interrogationes et responsiones in Genesim* dédiées par Alcuin au prêtre Sigulfe, entre 793 et 796 [4]. Dernière d'une longue liste (n. 281), et de loin la plus développée, cette question s'attache à éclairer le sens allégorique, alors que, jusque là, Alcuin ne s'est intéressé qu'au sens littéral. Différence de contenu qui pourrait s'expliquer par une précédente lettre de l'auteur sur *Genèse* 49 au même destinataire [5].

1. *Commentarii in Genesim*, PL 50, c. 893-1048 (bénédiction de Jacob : c. 1038-1048) ; P. BELLET, « Claudio de Turin, autor de los commentarios *In Genesim et Regum* », *Estudios biblicos*, 9, 1950, p. 209-223.

2. *Quaestiones super Genesim*, PL 93, c. 233-364 (bénédiction de Jacob : c. 355-364) ; voir G. MORIN « Notes sur plusieurs écrits attribués à Bède le Vénérable », *R. bén.*, t. 11, 1894, p. 293-295.

3. *In Pentateuchum Commentarii*, PL 91, 189-394 (bénédiction de Jacob : c. 273-286) ; voir F.J.E. RABY, « Bède le Vénérable », *DHGE*, 7, 1934, c. 400.

4. PL 100, 515-566 (bénédiction de Jacob : c. 558-566).

5. *MGH, Epistolae Karolini Aevi*, t. II, rec. E. DUEMMLER, Berlin 1895, réimpr. Munich 1978, Epist. 88 (793-796), p. 133.

Il apparaît qu'Alcuin n'a eu recours à Jérôme ou à Isidore qu'indirectement, à travers les citations qu'en avait déjà faites le second Pseudo-Bède. Cela ressort de diverses constatations : mêmes omissions par rapport à Jérôme (à la fin des bénédictions de Siméon et de Lévi, de Nephtali et de Joseph), mêmes ajouts au texte de Jérôme (bénédictions de Ruben et de Juda), paraphrases d'Isidore communes aux deux traités [1].

Sous des titres divers, un *De benedictionibus patriarcha-rum* a été attribué à Jérôme, Raban Maur, Remi d'Auxerre et plus souvent à Paulin, diacre de Milan (fin IVe-début Ve siècle) [2]. Il a été publié sous ce dernier nom [3] et, de manière partielle, sous celui de Jérôme [4]. A. Wilmart a montré que le véritable auteur était Adrevald, moine de Fleury-sur-Loire († vers 879) [5]. Cet ouvrage explique chaque bénédiction, selon l'ordre biblique, d'après le sens historique et allégorique, deux interprétations que, dans sa préface, l'auteur juge également nécessaires. Il s'inspire de Jérôme et d'Isidore ; cependant, il ne les copie pas servilement.

Au début du XXe siècle, P. Blanchard découvrit dans un manuscrit de l'évêché de Portsmouth un *De benedictionibus* qu'il attribua à Paschase Radbert († 859) ; il en publia le prologue et le début [6]. Cette paternité a depuis été confirmée, et le traité bénéficie aujourd'hui d'une édition critique, à

---

1. H. MORETUS, « Les bénédictions des patriarches... », *BLE*, 1910, p. 93-100.

2. Voir « ADREVALDUS FLORIACENSIS », dans *Clavis des auteurs latins du Moyen Age. Territoire français 735-987*. T. I *Abdon de Saint-Germain. Ernold le Noir*, édité par M.-H. JULLIEN et Fr. PERELMAN, Turnhout, 1994 (*CCCM*), p. 36-42.

3. *PL* 20, c. 715-732.

4. *PL* 23, c. 1315-1318.

5. A. WILMART, « Le commentaire des bénédictions de Jacob attribué à Paulin de Milan », *R. bén.*, t. 32, 1920, p. 57-63.

6. P. BLANCHARD, « Un traité inédit *De benedictionibus patriarcharum* de Paschase Radbert », *R. bén.*, t. 28, 1911, p. 425-432.

partir du manuscrit de Porstmouth, aujourd'hui à Reading, Museum and Art Gallery [1]. Cas unique semble-t-il ; en effet, Paschase Radbert commente, là, deux bénédictions : les paroles prononcées par Jacob, mais également celles qu'avant sa mort Moïse prononça sur les tribus issues des patriarches, selon *Deutéronome* 33, 1-29. Généralement, les commentaires sont séparés et portent sur Jacob puis sur Moïse, avec un développement plus long pour le premier ; à partir du livre II, Paschase Radbert n'a pas toujours distingué : on trouvera donc réunis les exposés sur Jacob et Moïse à propos de Dan, de Nephtali, et de Joseph ; on notera toutefois que la bénédiction de Jacob sur Joseph a été commentée auparavant et fort longuement.

Si l'on se réfère à la table des auteurs, on constate que le *De patriarchis* d'Ambroise et le *De benedictionibus* de Rufin d'Aquilée sont les ouvrages les plus cités (environ 65 et 62 fois). On compte vingt-huit renvois à Jérôme, dont seize pour le *Liber interpretationis hebraicorum nominum* et sept pour les *Hebraicae Quaestiones in Vetus Testamentum*. Une référence aux *Etymologiae* d'Isidore de Séville et treize à ses *Quaestiones in Genesim*. Paschase Radbert ne néglige pas entièrement le sens littéral, mais, on le voit à la lecture des sources utilisées, il préfère l'interprétation allégorique.

Comme le titre le suggère, Guibert de Nogent († 1126) privilégie dans les *Moralia in Genesim* le sens moral des bénédictions accordées par Jacob [2] ; on peut noter toutefois une référence au Christ et au baptême à propos du vêtement lavé dans le vin (*Gen.* 49, 11).

*

1. PASCASII RADBERTI, *De benedictionibus patriarcharum Iacob et Moysi*, cura et studio B. PAULUS, *CCCM* 96, 1993, XVI-141 p.

2. GUIBERT DE NOGENT, *Moralia in Genesim*, X, 49, *PL* 156, c. 321-331.

En résumé, Lia, Rachel et les douze Patriarches ont suscité un nombre limité mais significatif de commentaires patristiques et médiévaux.

Lia figure généralement la Synagogue ou la vie active, Rachel symbolisant l'Église ou la vie contemplative. Lia n'est pas dépréciée : déjà Philon voit en elle la beauté de l'âme, sa partie rationnelle, celle à qui Dieu communique la semence du bien.

Augustin et surtout Grégoire le Grand insistent sur la nécessité d'observer les commandements et de ne jamais abandonner complètement la vie active qu'elle figure et qui permet, par l'exemple et la parole, de susciter de nouveaux fils de Dieu. Le délai imposé à Jacob pour épouser Rachel, les enfantements retardés et difficiles de celle-ci montrent qu'il faut temps, persévérance et opiniatreté pour parvenir à la vie contemplative. Bernard de Clairvaux et Guerric d'Igny plaident également pour l'exercice de l'action avant le repos de la contemplation. Pour Guibert de Nogent, Lia c'est l'amour du prochain, Rachel l'amour de Dieu.

La bénédiction des douze Patriarches a donné lieu à des interprétations le plus souvent typologiques. Cependant quelques auteurs orientaux, Jérôme dans les *Hebraicae quaestiones*, Rufin d'Aquilée, fidèle aux trois sens de l'Écriture, Paschase Radbert enfin, n'ignorent pas le sens littéral de *Genèse* 49.

Jérôme lui-même, par le *Liber interpretationis hebraicorum nominum*, inspirera des commentaires nombreux, à tendance spirituelle ou morale, qui s'appuieront sur l'étymologie des noms bibliques. Un autre auteur est à citer, Isidore, non pour son originalité, mais parce qu'il réunit les enseignements antérieurs d'Ambroise, de Rufin, de Grégoire le Grand, compilations qui vont inspirer le Pseudo-Eucher, les Pseudo-Bède et Adrevald de Fleury.

B. L'ENSEIGNEMENT SPIRITUEL

Formé par Hugues de Saint-Victor à la lecture de l'Écriture, c'est à partir d'elle que Richard structure son enseignement spirituel : la plupart des titres portés primitivement par ses traités et opuscules soulignaient d'emblée ce caractère biblique [1]. Plus qu'un livre où il trouverait un enseignement, des exemples ou des maximes propres à diriger ou à stimuler immédiatement le conduite du chrétien, Richard voit dans l'Écriture « comme un miroir », qui lui permet de connaître en profondeur l'être spirituel, car si la Bible parle de Dieu, elle parle aussi de l'homme, de l'âme, des autres ; elle propose un vocabulaire, un système de symboles et d'images, une analyse des sentiments qui permettent l'investigation intérieure.

Ainsi l'histoire d'Israël devient celle de chacun : les infidélités du peuple de Dieu, ses repentirs, ses victoires et ses défaites symbolisent la chute et les étapes du retour vers Dieu, les combats et l'ascension spirituelle de l'homme. Les personnages de l'Ancien Testament (les Patriarches du *Beniamin minor*), ses édifices (l'arche du *Beniamin maior*) figurent les vertus à pratiquer, les sentiments à maîtriser, les activités à exercer.

1. L'image et la ressemblance de Dieu

L'anthropologie de Richard a son point de départ dans les récits du début de la Genèse : créé à l'image et à la ressemblance de Dieu (*Gen.* 1, 27), l'homme a été déchu de sa

1. Cette partie de l'introduction s'inspire de J. CHÂTILLON, *Les degrés de la contemplation et de l'amour dans l'œuvre de Richard de Saint-Victor.* Thèse présentée à la Faculté de théologie de l'Institut catholique de Toulouse pour l'obtention du doctorat, 1939, 277 pages, dactylographiée, inédite ; et « Richard de Saint-Victor », *DSp.* 13, 1988, c. 631-653.

dignité première par le péché ; comment va-t-il la retrouver ? Le *Liber exceptionum* distingue nettement image et ressemblance [1]. L'homme est image de Dieu par la raison ou l'intellect, principes de connaissance ; il est ressemblance, par l'*affectio*, c'est-à-dire l'ensemble des puissances de désir, et par l'amour. Connaissance et amour qui permettaient à l'homme d'atteindre Dieu et de jouir du bonheur auquel il était destiné. Primitivement s'ajoutait un troisième don, celui de l'immortalité corporelle [2].

Par le péché, l'homme est tombé dans l'ignorance et la concupiscence, et il est privé de l'immortalité [3]. Mais contre ces trois maux, trois remèdes sont proposés : la sagesse permettra à l'homme de guérir de son ignorance ; par la vertu il pourra dominer la concupiscence ; la « nécessité » à laquelle il est dorénavant soumis l'incitera à surmonter partiellement son infirmité par lui-même, par les arts et les techniques [4].

L'accent est d'abord mis sur les efforts à accomplir par l'homme pour retrouver sa dignité. Richard décrit ensuite « l'œuvre de restauration », accomplie par le Verbe incarné agissant par ses sacrements durant les six âges du monde ; puis il en vient aux « Écritures divines », don révélé, elles-mêmes « sacrement » [5]. Elles doivent être interprétées à

---

1. *Liber exceptionum* I, 1, 1 (éd. J. CHÂTILLON, p. 104) ; *Sermones centum*, s. 70, *PL* 177, 1119 C-D. Voir déjà HUGUES DE SAINT-VICTOR, *De sacramentis* I, 6, 2, *PL* 176, 264 D.

2. *Liber exceptionum* I, 1, 2 (p. 104-105).

3. *Liber exceptionum* I, 2, 3 (p. 105).

4. *Liber exceptionum* I, 2, 4 (p. 105) ; cf. HUGUES DE SAINT-VICTOR, *Didascalicon. De studio legendi.* A critical Text by C.H. BUTTIMER, Washington, 1939, p. 109-112 ; *L'art de lire. Didascalicon.* Introduction, traduction et notes par M. LEMOINE, Paris, 1991, p. 204-207. L'édition critique du *Didascalicon* et sa traduction française seront désormais citées sous les seuls noms de leurs auteurs.

5. *Liber exceptionum* I, 2, 1 (p. 114) ; cf. HUGUES DE SAINT-VICTOR, *De sacramentis* I, Prol. c. 1, *PL* 176, 183 C.

l'aide des disciplines profanes, présentées par Hugues [1] et résumées par le *Liber exceptionum* [2] ; mais surtout il faut les scruter à la lumière de la grâce, pratiquer la *lectio* et la *meditatio* [3]. Alors, elles pourront enseigner comment connaître les réalités divines, surmonter les désordres de la concupiscence, restaurer l'image et la ressemblance divines. On voit la place centrale de l'Écriture dans la pensée de Richard et l'importance que prend l'exposé de ses divers sens, notamment celui du sens tropologique ou moral.

2. Les puissances de l'âme

Le *Liber exceptionum* distingue, on l'a vu, la raison (*ratio*) et les puissances ou facultés (*affectio* ou *affectus*), qui se rapportent d'une manière générale à l'amour et à la vie affective (passions, émotions) [4]. *Ratio* et *affectio* constituent la double force (*gemina uis*) « donnée à tout esprit raisonnable par le Père des lumières..., les deux sœurs que le Seigneur a choisies pour fiancées, Oola et Ooliba, Jérusalem et Samarie. Ce sont les deux épouses de l'esprit raisonnable ; elles sont à l'origine d'une noble postérité ; elles sont les héritières du royaume des cieux » [5]. « Lia est l'affection (*affectio*) qu'un souffle divin enflamme, Rachel est la raison qu'une révélation divine illumine. Lia est l'affection qui se conforme elle-

---

1. *Didascalicon* VI, 1-13, (éd. C.H. BUTTIMER, p. 113-130 ; M. LEMOINE, p. 209-232).

2. *Liber exceptionum* I, 2-5 (p. 114-117).

3. *Liber exceptionum* I, Prol. (p. 97, l. 7) ; II, Prol. (p. 213, l. 2) ; *Beniamin maior* I, 4, *PL* 196, 67D. Voir déjà HUGUES, *Didascalicon* V, 9-10 (éd. C.H. BUTTIMER, p. 109-112 ; M. LEMOINE, p. 204-207).

4. Voir J. EBNER, *Die Erkenntnislehre Richards von St. Viktor* (BGPTM, XIX, 4) Münster, 1917 ; C. OTTAVIANO, *Riccardo di S. Vittore, la vita, le opere, il pensiero* (Memorie della Reale Accademia nazionale dei Lincei. Classe di Scienze morali, storiche et filologiche. VI, 4, 5), Rome, 1933, p. 453-501.

5. *Beniamin minor* III.

même aux règles de la justice, Rachel la raison qui s'élève jusqu'à la contemplation de la sagesse céleste » [1].

La *ratio*

Les activités de connaissance liées à la *ratio* se subdivisent, selon qu'elles relèvent des sens ou de l'imagination, de la raison proprement dite, enfin de l'intelligence appelée parfois intellect [2].

Les sens ont pour objet « les réalités corporelles » (*corporalia* ou *sensibilia*), « l'extérieur ». Sans eux, l'esprit ne peut accéder à la connaissance de lui-même ou des réalités invisibles [3].

Figurée par Bala, la servante de Rachel, l'imagination est au service de la raison ; elle lui présente ce qu'elle tire de l'extérieur grâce aux sens. Jamais elle ne se dérobe à son office, « même si le sens vient à défaillir, elle ne cesse pas pour autant de servir ; si je me trouve dans les ténèbres et que je ne vois rien, je puis cependant imaginer, là, n'importe quoi, si je le veux » [4]. L'imagination peut être bestiale (*bestialis*), si elle s'abandonne sans contrôle à ses divagations. Elle est rationnelle (*rationalis*), lorsque, par un effort de l'esprit, elle forme des images nouvelles à partir de ce qu'elle a connu par les sens : « Nous avons vu de l'or, mais nous n'avons jamais vu de maison en or, nous pouvons cependant imaginer une maison d'or, si nous le voulons » [5].

Bala, la servante de Rachel, avait deux fils : Dan et Nephtali. De même l'imagination rationnelle a une double

---

1. *Beniamin minor* IV.
2. Voir déjà HUGUES, *Didascalicon* II, 3 (éd. C.H. BUTTIMER, p. 25-27 ; M. LEMOINE, p. 94-96).
3. *Beniamin minor* V ; *Beniamin maior* II, 17 et IV, 5, *PL* 196, 96 B-C, 139 A.
4. *Beniamin minor* V et XVII.
5. *Beniamin minor* XVI.

activité : à partir des réalités corporelles, elle considère les maux à venir, les peines de l'au-delà (*consideratio*) [1], mais aussi les biens du monde invisible (*speculatio*) [2].

La raison est figurée par Rachel, on l'a dit. Au sens restreint, elle atteint les réalités intelligibles (*intelligibilia*), notamment l'âme elle-même. Plus que sur son objet, Richard insiste sur sa fonction : exercer le discernement. Joseph était le premier fils de Rachel et la *discretio* est la première-née de la raison. Joseph est venu au monde bien tard « et nous ne méritons que tardivement de recevoir un tel enfant, car on ne peut être formé à la parfaite discrétion que par une longue pratique et une grande expérience » [3].

Comme on l'a justement écrit, la *discretio* est « l'un des éléments caractéristiques de la spiritualité de Richard » [4]. De fait, il en parle souvent et parfois longuement. Il lui assigne un rôle de jugement de valeur, aussi bien dans l'ordre spéculatif que dans le domaine moral. Selon le *Beniamin minor*, c'est elle « qui montre la direction à suivre à ce soleil de l'intelligence, à cet œil intérieur du cœur qu'est l'intention de l'esprit ; c'est par la discrétion, d'où elle tire son origine, que la subtilité de l'esprit elle-même s'aiguise ; c'est par la discrétion qu'une règle est imposée à la communauté fraternelle des vertus tout entière comme à chacune d'entre

---

1. *Beniamin minor* XIX-XXI.
2. *Beniamin minor* XXII.
3. *Beniamin minor* LXVII.
4. A. CABASSUT, « Discrétion », *DSp* 3, 1957, c. 1323. Cet article commence par une importante précision de vocabulaire : « Dans le vocabulaire ascétique chrétien le mot *discretio* traduit deux mots grecs, qui expriment deux notions différentes : *diakrisis* = discernement, *metron* = mesure. Il dérive de *discernere* dont le sens premier est, comme celui de *diakrinein*, séparer, diviser, distinguer. Il signifie tout d'abord : séparation, division, distinction, différence. Il désigne ensuite le pouvoir de distinguer, la faculté de distinguer » (c. 1311). Voir également : Fr. DINGJAN, *Discretio. Les origines patristiques et monastiques de la doctrine sur la prudence chez saint Thomas d'Aquin*, Assen, 1967, p. 162-182.

elles » [1]. La discrétion mérite d'être particulièrement aimée, car sans elle aucun bien de l'esprit, aucune vertu ne peuvent être ni acquis, ni conservés [2]. A elle de connaître « les défauts du cœur », « les infirmités du corps », de chercher les remèdes appropriés. Elle a à distinguer les biens de la nature et les dons de la grâce.

« Connaissant parfaitement, autant que cela est possible, l'état et les dispositions de l'homme intérieur et extérieur pris dans sa totalité, notre Joseph doit chercher avec subtilité, se demander avec soin, non seulement quel il est, mais quel il doit être » [3]. Ainsi la *discretio* coïncide souvent avec la connaissance de soi, une étape indispensable pour l'ascension de l'âme vers Dieu, selon Richard de Saint-Victor et d'autres représentants médiévaux du « socratisme chrétien » [4]. Au-delà de la raison, l'intelligence ou intellect (*intelligentia* ou *intellectus*) a pour fonction de saisir ce qui est purement « intellectible » (*intellectibilia*), ainsi la nature divine ou le mystère de la Trinité [5]. S'il est toujours nuancé, le vocabulaire de Richard ne manque pas parfois d'ambiguïté. Quand il traite des activités de l'intelligence sous sa forme la plus haute, il parle d'intelligence « pure » et de « sens », « d'œil » ou d'« habitus » intellectuels [6]. Plus atteinte par le péché que l'imagination ou la raison, l'intelligence a besoin de la grâce divine pour exercer son activité.

Aux trois puissances de la *ratio* correspondent trois formes d'activité que Richard nomme *cogitatio, meditatio,*

---

1. *Beniamin minor* LXIX.
2. *Beniamin minor* LXVII.
3. *Beniamin minor* LXX.
4. Voir *Beniamin minor* LXXI et LXXVIII, note 2.
5. *Beniamin maior* I, 7 et V, 9, *PL* 196, 72 C et 178 C-D ; J. EBNER, *Die Erkenntnislehre*, p. 105 ; C. OTTAVIANO, *Ricardo di S. Vittore*, p. 471 (*supra*, p. 42, n. 4).
6. *Beniamin maior* III, 9, *PL* 196, 119 A ; *Nonnullae allegoriae, ibid.* 191 D ; J. EBNER, p. 40-41 ; C. OTTAVIANO, p. 471.

contemplatio. Certes, elles peuvent avoir le même objet :
« C'est une seule et même matière, que nous regardons
d'une certaine manière par la pensée (*cogitatio*), que nous
scrutons autrement par la méditation, que nous admirons
différemment par la contemplation » [1]. Cependant, du point
de vue psychologique auquel se situe principalement
Richard dans sa comparaison, elles se distinguent. De l'imagination relève la *cogitatio*, sorte de divagation de l'esprit,
peu soucieuse du terme à atteindre et qui ne portera pas de
fruit. Liée à la raison, la méditation avance dans une direction déterminée par des chemins difficiles ; elle produit de
bons fruits. En rapport avec l'intelligence, la contemplation
prend librement son vol et elle s'élève avec une aisance
admirable vers les sommets. Elle porte sans effort un fruit
qui demeure.

L'*affectio*

La seconde force qui anime l'homme est l'*affectio*. De
même que le terme *ratio* englobait toutes les puissances se
rapportant à la connaissance (imagination, raison, intelligence), de même celui d'*affectio* recouvre tout ce qui a trait
à la vie affective.

Tout d'abord, Richard met en parallèle, d'une part,
Rachel (la raison) et sa servante Bala (l'imagination) et,
d'autre part, Lia (l'*affectio*) et sa servante Zelpha (sensibilité, *sensualitas*). La sensibilité est indispensable, car sans elle
« l'affection n'aurait de goût pour rien ». Mais il faut la
contrôler, davantage encore que l'imagination, car « elle
s'agite et se dépense de façon continue ». Elle risque d'entraîner sa maîtresse à aimer ce qu'elle devrait mépriser, à lui
faire mépriser ce qu'elle devrait aimer. Elle l'invite à suivre
sans rougir les désirs de la chair [2]. Ainsi la sensibilité peut

1. *Beniamin maior* I, 3, *PL* 196, 66 D.
2. *Beniamin maior* V.

avoir, chez Richard, une connotation morale qui la fait se rapprocher de la sensualité proprement dite, toujours prête à offrir à l'*affectio* « l'aliment de ses délices charnelles » [1].

L'*affectio* est le siège des *affectus*, terme difficile à traduire, mais proche des passions selon les Stoïciens [2] et qui implique une certaine passivité : l'homme obéit aux forces des *affectus* plus qu'il ne leur commande.

La classification des *affectus* n'est pas toujours la même. Dans le *De statu interioris hominis* Richard parle des quatre *affectus* qui « sont dans le cœur » comme « les quatre humeurs dans le corps » : l'amour et la haine, la joie et la douleur [3]. Le sermon *Misit Herodes* observe que l'ordre n'est pas toujours le même et que ces quatre *pertubationes* doivent plutôt être appelées *affectiones*, lorsqu'elles atteignent l'âme du sage [4].

Le *Beniamin minor* propose une liste de sept *affectus* : l'espérance et la crainte, la joie et la douleur, la haine, l'amour, la pudeur. Ces sept *affectus* principaux peuvent être « tantôt ordonnés et en ce cas, ils sont bons, tantôt désordonnés et, en ce cas, ils sont mauvais ». Ils ne méritent d'être mis au nombre des fils de Jacob que s'ils sont ordonnés [5].

En s'appuyant sur l'étymologie des noms propres, le *Beniamin minor* établit et développe longuement des cor-

1. *Beniamin maior* VI.
2. Voir A. SOLIGNAC, « Passion et vie spirituelle », *DSp* 12[1], 1984, c. 339-348.
3. J. RIBAILLIER, « Richard de Saint-Victor, *De statu interioris hominis* », AHDLMA, t. 34, 1968, cap. 34, p. 102 : « Amor itaque et odium, gaudium et dolor quatuor principales affectiones sunt ex quibus cetera omnia desideriorum, uoluntatum, uotorum, affectionumque originem trahunt » ; cf. *PL* 196, 1141 C-D.
4. *PL* 141, 284 A-B ; voir J. CHÂTILLON, « *Misit Herodes rex manus.* Un opuscule de Richard de Saint-Victor égaré parmi les œuvres de Fulbert de Chartres », *Revue du Moyen Age latin*, 6, 1950, p. 289, n. 7.
5. *Beniamin minor* VII.

respondances entre les enfants de Jacob et de Lia et les *affectus* principaux.

« Les sept enfants de Lia sont sept vertus, car la vertu n'est pas autre chose qu'un *affectus* ordonné et mesuré : ordonné, en vérité, lorsqu'il tend à ce vers quoi il doit tendre, mesuré lorsqu'il est aussi grand et aussi fort qu'il doit l'être » [1]. C'est la *ratio* qui intervient pour la transformation des *affectus* en vertus ; elle le fait par l'intermédiaire du discernement (*discretio*), dont le rôle est capital pour le contrôle et l'équilibre des *affectus*. Sans discernement, les *affectus* ne sont plus ni ordonnés, ni modérés : « Une crainte excessive devient souvent désespoir, une douleur trop vive amertume, une espérance sans mesure présomption, un amour exagéré adulation, une joie inutile dissipation, une colère non contenue fureur. Ainsi donc les vertus se transforment en vices si elle ne sont pas contrôlées par la discrétion » [2].

Postérieur au *Beniamin minor*, le *De exterminatione mali et promotione boni* rappelle, sans le développer, le rapport entre les fils de Jacob et les puissances issues de la *ratio* ou de l'*affectio* [3].

3. L'ascension spirituelle de l'âme

Les douze fils et la fille que donnèrent à Jacob Rachel et Lia, Bala et Zelpha leurs servantes, permettent à Richard d'établir une sorte de généalogie des démarches rationnelles et des comportements vertueux où interviennent conjointement *ratio* et *affectio*. Si dans l'*Adnotatio in Psalmum 118* [4], Richard avait affirmé l'antériorité de la connaissance sur

---

1. *Beniamin minor* VII.
2. *Beniamin minor* LXVI.
3. *De exterminatione* III, 6, PL 196, 1106 D.
4. PL 196, 363 B-C : « Prius est discernere, postea amare ».

l'amour, il semble qu'au début du *Beniamin minor*, il donne plutôt la priorité à l'amour : il faut aimer la sagesse pour la rechercher. En fait, dans cete œuvre, amour et connaissance sont indissociables, et Richard explique l'ascension de l'âme en décrivant alternativement des étapes, les unes marquées par la *ratio*, les autres plutôt par l'*affectio*, mais où la *ratio* est loin d'être absente par le biais notamment du discernement, nécessaire, on l'a vu, au passage de l'*affectus* à la vertu proprement dite.

Ainsi les quatre premiers *affectus* symbolisés par les quatre premiers fils de Lia : la crainte (Ruben, c. VIII) dont les causes peuvent être multiples recevra sa motivation des châtiments éternels ; la douleur (Siméon, c. IX) se transformera en pleurs pour les péchés commis ; l'espérance (Lévi, c. X) deviendra celle du pardon promis ; l'amour (Juda, c. XI-XIII) sera confession de louange envers la bonté du Seigneur, amour de la justice et du bien. Puis la *ratio* (Rachel, c. XIV) intervient par l'imagination (Bala, c. XV-XVII), qui engendre la considération des maux susceptibles de frapper le pécheur (Dan, c. XVIII-XXI) et celle des récompenses destinées aux justes (Nephtali, c. XVIII et XXI-XXIV).

Nouveau passage à l'*affectio* par l'exposé des périls que doit affronter l'âme confrontée à la sensibilité (*sensualitas*), figurée par Zelpha la servante de Lia (XXV) : la pratique d'une abstinence rigoureuse (Gad, c. XXVI-XXVIII) et une patience tenace (Aser, c. XXVI-XXVIII) permettront de surmonter les dangers potentiels de la *sensualitas*.

Suit un jugement d'ensemble sur l'action eficace des fils des deux servantes ; ils consolident la paix intérieure de l'âme et lui permettent de repousser l'ennemi (c. XXIX-XXXV). Ainsi pleinement maîtresse d'elle-même, celle-ci pourra transformer en vertus les trois derniers *affectus* représentés par les trois enfants de Lia : la joie et la douceur intérieures dont bénéficie l'âme purifiée et qui lui donnent d'accomplir également les grandes et les petites choses

(Issachar, c. XXXVI-XXXIX) ; la haine des vices qui la remplit de zèle dans le combat implacable et incessant à mener contre le mal (Zabulon, c. XL-XLV). Après six fils, Lia donna naissance à une fille, Dina, symbole de la pudeur et de la honte efficace du péché (c. XLV-LI).

La démesure avec laquelle Siméon et Lévi ont vengé le viol de leur sœur Dina illustre pour Richard la nécessité de la *discretio* ; elle est indispensable pour que les *affectus* signifiés par les enfants de Jacob et de Lia deviennent vertus « ordonnées et modérées » (c. LI) et que l'imagination, elle-même fille de la raison, ne soit pas entraînée à quelque excès (c. LII-LXX). Grâce à la *discretio* figurée par Joseph, l'esprit ne cesse de se perfectionner, et ainsi « il parvient, parfois, jusqu'à la pleine connaissance de soi » (c. LXXI).

Quand l'homme « connaît les réalités invisibles de son esprit, il peut connaître les réalités invisibles de Dieu », et il est prêt à accueillir la grâce de la contemplation, personnifiée par Benjamin, le deuxième fils de Rachel. Benjamin naît de la même mère que Joseph, « car c'est par la raison que l'on parvient à la connaissance de Dieu et à celle de soi » (c. LXXI).

4. La contemplation

Richard de Saint-Victor a beaucoup parlé de la contemplation, et ses analyses et commentaires lui ont parfois valu le titre de docteur de la contemplation [1].

Dans le *Beniamin maior*, il en a proposé la définition suivante : « La contemplation est le regard libre et pénétrant de l'esprit porté sur les spectacles de la sagesse et demeurant suspendu dans l'admiration » [2].

---

1. J. CHÂTILLON, « Richard de Saint-Victor », *DSp.* 13, 1988, c. 640.
2. *Beniamin maior* I, 4, *PL* 196, 67 D. Voir une autre traduction de cette définition et son commentaire par J.-M. DÉCHANET, « Contemplation au XIIᵉ siècle », *DSp* 2², 1953, c. 1962-1963.

Cette définition, donnée en parallèle avec celles de la *cogitatio* et de la *meditatio*, a été parfois critiquée, à cause de son caractère général et trop intellectuel et de son manque de référence à la grâce ou à l'amour qui doivent animer la chrétien [1]. Deux points que met cependant en évidence la suite du *Beniamin maior*, et sur lesquels les *Nonnullae allegoriae tabernaculi foederis* sont encore plus explicites [2].

Classification par genres

Partant de sa définition liminaire, Richard distingue six genres de contemplation. Sa division est fondée sur la nature des objets atteints (*sensibilia*, 1er et 2e genres ; *intelligibilia*, 3e et 4e ; *intellectibilia*, 5e et 6e), et sur les facultés de connaissance chaque fois mises en œuvre : imagination pour les réalités sensibles ; raison pour les intelligibles ; intelligence ou intellect pour ce qui est purement « intellectible » [3]. Cette classification a été souvent étudiée [4], et on a notamment mis en valeur l'influence de Platon et celle de Boèce [5].

Le *Beniamin minor* parle de la même façon des deux derniers genres de contemplation (LXXII-LXXXVII) ; cependant, le *Beniamin maior* en traite plus longuement [6]. Ils dépassent de loin les quatre genres précédents, que l'esprit humain pouvait atteindre « avec l'aide de Dieu, mais par sa propre industrie », alors que le cinquième et le sixième ne

---

1. Voir J. DÉCHANET, « Contemplation... », c. 1962.

2. « La grâce de la contemplation qui est comme un gage d'amour donné par le Seigneur à ceux qui l'aiment », *PL* 196, 193 B.

3. *Beniamin maior*, lib. I-IV, *PL* 196, c. 63-168.

4. J. EBNER, *Die Erkenntnislehre*, p. 106-119 ; C. OTTAVIANO, *Ricardo di S. Vittore*, p. 475-489 (*supra*, p. 42, n. 4).

5. J. ROBILLIARD, « Les six genres de contemplation chez Richard de Saint-Victor et leur origine platonicienne », *Revue des sciences philosophiques et théologiques*, 28, 1939, p. 229-233.

6. *Beniamin maior* IV, 1-23, *PL* 196, 135-168.

dépendent que de la grâce [1]. Tous deux sont « au-dessus de la raison ». « Les choses qui sont au-dessus de la raison sont celles dont la raison admet l'existence, sans qu'aucune raison humaine ne soit pour autant capable de la scruter ou de la démontrer » [2].

Le cinquième genre de contemplation n'est pas « contre la raison ». Déjà l'esprit avait une certaine connaissance, par la foi, des réalités inaccessibles aux seules forces humaines, mais quand « la pointe de son intelligence » les a atteintes, grâce à une révélation intérieure gratuite, il n'a aucune difficulté à y adhérer profondément ; il y découvre même des comparaisons ou des arguments qui fortifieront sa croyance. Ainsi des vérités relatives à la nature de Dieu, à son unité, à sa puissance, à son infinité, à son omniprésence [3].

Le sixième genre de contemplation est non seulement « au-dessus » de la raison, mais « au-delà » (*praeter rationem*) et même « contre la raison » (*contra rationem*). Il s'agit encore de vérités en rapport avec la foi ; mais, une fois connus, ces mystères ne s'accommodent pas des exigences de la raison et ils la heurtent de front. Au lieu d'éclairer les esprits, les tentatives d'explication font plutôt ressortir l'opposition de la raison et de la foi [4]. Deux exemples donnés dans le *Beniamin minor* illustrent la pensée de Richard : l'unité de la Trinité et l'Eucharistie. « Qu'il y ait, en effet, trois personnes dans une essence pure et simple, ou qu'un seul et même corps puisse être au même instant en des lieux différents, aucune raison humaine ne l'admet, et tout raisonnement, sans aucun doute, semble devoir protester contre de pareilles assertions » [5].

---

1. *Beniamin maior* I, 12 et IV, 1, *PL* 196, 78 A-B et 135 D.
2. *Beniamin minor* LXXXVI.
3. *Beniamin maior* IV, 17, *PL* 196, 156-158.
4. *Beniamin maior* IV, 18, *PL* 196, 158-160.
5. *Beniamin minor* LXXXVI.

Ce que dit Richard à propos du sixième genre de contemplation peut surprendre, et lui même a atténué la vigueur de sa prise de position. Tout d'abord quand il précise qu'il parle de la raison humaine et non de la raison divine dans ses propos sur la contradiction entre la réalité contemplée et la raison [1]. Ensuite un significatif « il semble » (uidetur) vient çà et là tempérer ce que ses affirmations ont de trop absolu [2]. Enfin, à l'exemple de saint Augustin, il explique comment l'esprit doit chercher dans la création et l'âme humaine des « vestiges » de la Trinité, sans doute éloignés des mystères qu'on voudrait éclairer, mais qu'il ne faut pourtant pas dédaigner [3]. « Ainsi il y a place pour une recherche profonde et subtile qui, sans prétendre épuiser toute la richesse du mystère, empêche cependant que la raison livrée à ses seules forces désespère d'obtenir une certaine intelligence de la réalité à laquelle elle s'applique » [4].

Classification par modes

Richard propose une seconde classification de la contemplation, par « modes » cette fois [5]. Si la division par genres se fonde sur la nature des objets contemplés, celle par « modes » étudie comment l'esprit se comporte aux divers stades de la vie spirituelle ; elle se préoccupe également d'analyser les rôles respectifs de l'homme et de la grâce divine dans l'acte contemplatif [6].

1. *Beniamin maior* IV, 3, *PL* 196, 137 A.
2. *Beniamin maior* IV, 3, *PL* 196, 137 B.
3. *Beniamin maior* IV, 20, *PL* 196, 162 C ; RICHARD DE SAINT-VICTOR, *La Trinité*, I, 1-4, éd. G. SALET, *SC* 63, 1959, p. 64-72.
4. J. CHÂTILLON, *Les degrés de la contemplation...* Thèse, Toulouse, 1937, p. 157.
5. *Beniamin maior* V, 1-19, *PL* 196, 167 D-192 C.
6. Outre les ouvrages cités ci-dessus (p. 42, n. 4), voir : J. CHÂTILLON, « Les trois modes de la contemplation selon Richard de Saint-Victor », *Bulletin de littérature ecclésiastique*, t. 41, 1940, p. 3-26 (partie publiée de la thèse indiquée *supra*, p. 40, n. 1) ; R. JAVELET, « Extase chez les spirituels du XIIᵉ siècle », *DSp* 4², 1961, c. 2113-2120.

Ces trois modes sont : la dilatation d'esprit (*dilatatio mentis*), le soulèvement de l'esprit (*subleuatio* ou *eleuatio mentis*), l'aliénation de l'esprit (*alienatio* ou *excessus mentis*). Une hiérarchie ascendante apparaît entre ces trois modes, au point que Richard parle parfois de degrés [1].

Le premier mode, celui de la « dilatation de l'esprit », est le plus simple et le plus fréquent. L'âme y parvient au terme de la méditation ; grâce à l'effort fourni, son regard plus pénétrant et plus perspicace peut saisir d'une seule fois une multitude d'objets, ce qui correspond à la contemplation au sens plus général du terme. L'âme demeure, là, dans son état naturel. Richard indique les trois moyens qui permettront la dilatation de l'esprit. Par « l'art », l'âme apprend d'un maître ou de l'étude les règles de la contemplation. Ce qu'elle a appris de manière théorique, elle le met en pratique dans l'exercice. Éduquée et entraînée, l'âme se fixe sur ce qui fait l'objet de sa contemplation, avec une capacité d'attention et de pénétration toujours plus grande [2].

Le deuxième mode, « soulèvement de l'esprit », est plus complexe. L'esprit y atteint des objets qui dépassent ses propres limites et sont au-dessus de lui, sans parvenir encore à l'extase (*excessus mentis*). L'âme y accède de trois manières. Elle est élevée « au-dessus de sa science », lorsque, par révélation divine, elle atteint une vérité de soi accessible à l'intelligence humaine, mais à laquelle elle n'est pas encore parvenue. Elle est élevée « au-dessus de son industrie », lorsque, toujours par révélation divine, elle perçoit des réalités qui ne sont pas en elles-mêmes au-dessus des capacités de l'intelligence humaine, mais qui demeurent, cependant, en dehors de ses capacités à elle, quel que soit l'effort fourni. Elle est élevée « au dessus de sa nature », lorsque la contem-

---

1. *Beniamin maior* V, 2, *PL* 196, 170 B : « In primo gradu... in secundo gradu... in tertio gradu... Primus itaque gradus ».
2. *Beniamin maior* V, 3, *PL* 196, 171 D-172 D.

modes sont : la dilatation d'esprit (*dilata[...]*
[...]ulèvement de l'esprit (*subleuatio* ou *eleua[...]*
[...]énation de l'esprit (*alienatio* ou *excessus me[...]*
[...]érarchie ascendante apparaît entre ces tr[...]
[...]int que Richard parle parfois de degrés [1].

[...] mode, celui de la « dilatation de l'esprit », [...]
[...] et le plus fréquent. L'âme y parvient au ter[...]
[...]tion ; grâce à l'effort fourni, son regard pl[...]
[...]lus perspicace peut saisir d'une seule fois u[...]
[...]bjets, ce qui correspond à la contemplation [...]
[...]éral du terme. L'âme demeure, là, dans son é[...]
[...]ard indique les trois moyens qui permettro[...]
[...] de l'esprit. Par « l'art », l'âme apprend d'[...]
[...] l'étude les règles de la contemplation. [...]
[...]is de manière théorique, elle le met en pratiq[...]
[...] Éduquée et entraînée, l'âme se fixe sur ce q[...]
[...] sa contemplation, avec une capacité d'atte[...]
[...]étration toujours plus grande [2].

[...]e mode, « soulèvement de l'esprit », est pl[...]
[...]esprit y atteint des objets qui dépassent s[...]
[...]s et sont au-dessus de lui, sans parvenir enc[...]
[...]xcessus mentis). L'âme y accède de tro[...]
[...] est élevée « au-dessus de sa science », lorsqu[...]
[...] divine, elle atteint une vérité de soi accessib[...]
[...] humaine, mais à laquelle elle n'est pas enc[...]
[...] est élevée « au-dessus de son industrie [...]
[...]urs par révélation divine, elle perçoit des ré[...]
[...]nt pas en elles-mêmes au-dessus des capacité[...]
[...]ce humaine, mais qui demeurent, cependan[...]
[...]es capacités à elle, quel que soit l'effort fourn[...]
[...] « au dessus de sa nature », lorsque la contem[...]

[...]aior V, 2, *PL* 196, 170 B : « In primo gradu... in secund[...]
[...]gradu... Primus itaque gradus ».
[...]aior V, 3, *PL* 196, 171 D-172 D.

Cette définition, donnée en parallèle avec celles de la *cogitatio* et de la *meditatio*, a été parfois critiquée, à cause de son caractère général et trop intellectuel et de son manque de référence à la grâce ou à l'amour qui doivent animer la chrétien [1]. Deux points que met cependant en évidence la suite du *Beniamin maior*, et sur lesquels les *Nonnullae allegoriae tabernaculi foederis* sont encore plus explicites [2].

Classification par genres

Partant de sa définition liminaire, Richard distingue six genres de contemplation. Sa division est fondée sur la nature des objets atteints (*sensibilia*, 1er et 2e genres ; *intelligibilia*, 3e et 4e ; *intellectibilia*, 5e et 6e), et sur les facultés de connaissance chaque fois mises en œuvre : imagination pour les réalités sensibles ; raison pour les intelligibles ; intelligence ou intellect pour ce qui est purement « intellectible » [3]. Cette classification a été souvent étudiée [4], et on a notamment mis en valeur l'influence de Platon et celle de Boèce [5].

Le *Beniamin minor* parle de la même façon des deux derniers genres de contemplation (LXXII-LXXXVII) ; cependant, le *Beniamin maior* en traite plus longuement [6]. Ils dépassent de loin les quatre genres précédents, que l'esprit humain pouvait atteindre « avec l'aide de Dieu, mais par sa propre industrie », alors que le cinquième et le sixième ne

1. Voir J. DÉCHANET, « Contemplation... », c. 1962.
2. « La grâce de la contemplation qui est comme un gage d'amour donné par le Seigneur à ceux qui l'aiment », *PL* 196, 193 B.
3. *Beniamin maior*, lib. I-IV, *PL* 196, c. 63-168.
4. J. EBNER, *Die Erkenntnislehre*, p. 106-119 ; C. OTTAVIANO, *Ricardo di S. Vittore*, p. 475-489 (*supra*, p. 42, n. 4).
5. J. ROBILLIARD, « Les six genres de contemplation chez Richard de Saint-Victor et leur origine platonicienne », *Revue des sciences philosophiques et théologiques*, 28, 1939, p. 229-233.
6. *Beniamin maior* IV, 1-23, *PL* 196, 135-168.

dépendent que de la grâce [1]. Tous deux sont « au-dessus de la raison ». « Les choses qui sont au-dessus de la raison sont celles dont la raison admet l'existence, sans qu'aucune raison humaine ne soit pour autant capable de la scruter ou de la démontrer » [2].

Le cinquième genre de contemplation n'est pas « contre la raison ». Déjà l'esprit avait une certaine connaissance, par la foi, des réalités inaccessibles aux seules forces humaines, mais quand « la pointe de son intelligence » les a atteintes, grâce à une révélation intérieure gratuite, il n'a aucune difficulté à y adhérer profondément ; il y découvre même des comparaisons ou des arguments qui fortifieront sa croyance. Ainsi des vérités relatives à la nature de Dieu, à son unité, à sa puissance, à son infinité, à son omniprésence [3].

Le sixième genre de contemplation est non seulement « au-dessus » de la raison, mais « au-delà » (*praeter rationem*) et même « contre la raison » (*contra rationem*). Il s'agit encore de vérités en rapport avec la foi ; mais, une fois connus, ces mystères ne s'accommodent pas des exigences de la raison et ils la heurtent de front. Au lieu d'éclairer les esprits, les tentatives d'explication font plutôt ressortir l'opposition de la raison et de la foi [4]. Deux exemples donnés dans le *Beniamin minor* illustrent la pensée de Richard : l'unité de la Trinité et l'Eucharistie. « Qu'il y ait, en effet, trois personnes dans une essence pure et simple, ou qu'un seul et même corps puisse être au même instant en des lieux différents, aucune raison humaine ne l'admet, et tout raisonnement, sans aucun doute, semble devoir protester contre de pareilles assertions » [5].

---

1. *Beniamin maior* I, 12 et IV, 1, *PL* 196, 78 A-B et 135 D.
2. *Beniamin minor* LXXXVI.
3. *Beniamin maior* IV, 17, *PL* 196, 156-158.
4. *Beniamin maior* IV, 18, *PL* 196, 158-160.
5. *Beniamin minor* LXXXVI.

Ce que dit Richard...
plation peut surpren...
sa prise de position...
parle de la raison hu...
ses propos sur la con...
la raison [1]. Ensuite...
vient çà et là tempér...
absolu [2]. Enfin, à l'e...
comment l'esprit do...
humaine des « vestig...
des mystères qu'on...
pourtant pas dédaig...
recherche profonde...
toute la richesse du n...
son livrée à ses seul...
taine intelligence de...

Classification par m...

Richard propose u...
plation, par « modes...
se fonde sur la nat...
« modes » étudie co...
stades de la vie spi...
d'analyser les rôles...
divine dans l'acte co...

1. *Beniamin maior* IV...
2. *Beniamin maior* IV...
3. *Beniamin maior* IV...
La Trinité, I, 1-4, éd. G...
4. J. CHÂTILLON, *Les*...
1937, p. 157.
5. *Beniamin maior* V,...
6. Outre les ouvrages...
« Les trois modes de la...
Bulletin de littérature ec...
la thèse indiquée *supra*, p...
du XIIe siècle », *DSp* 4²,...

Ces trois...
mentis), le s...
mentis), l'a...
tis). Une h...
modes, au p...

Le premi...
le plus simp...
de la médit...
pénétrant et...
multitude d'...
sens plus gé...
naturel. Ricl...
la dilatation...
maître ou c...
qu'elle a app...
dans l'exerci...
fait l'objet c...
tion et de p...

Le deuxiè...
complexe. I...
propres limi...
à l'extase (...
manières. El...
par révélatio...
à l'intellige...
parvenue. E...
lorsque, tou...
lités qui ne s...
de l'intellige...
en dehors de...
Elle est élevé...

1. *Beniamin*...
gradu... in tertic...
2. *Beniamin*...

plation dépasse toutes les possibilités de l'esprit humain. Un tel « soulèvement » est le résultat de l'action simultanée de la grâce et de l'effort humain, qui, ici, consiste surtout à être accueillant et disponible au secours divin [1].

Le troisième mode de contemplation est « l'aliénation de l'esprit » ou *excessus mentis* [2], que traite déjà le *Beniamin minor* [3], mais sur lequel le *Beniamin maior* revient de manière plus méthodique [4]. Dans cet état auquel seule la grâce peut conduire, l'âme, saisie par l'objet de sa contemplation, sent ses facultés défaillir et perd conscience du monde et d'elle-même :

« Rachel ne meurt pas encore, Benjamin ne naît pas encore. Mais aussitôt que la voix du Père a éclaté, elle a jeté à terre les disciples (*Matth*. 17, 6). Ainsi au coup de tonnerre de la voix divine, celui qui l'entend tombe à terre, car, en présence de ce qui lui est divinement inspiré, l'esprit humain perd tous ses moyens, et, s'il ne s'évade pas des étroites limites du raisonnement humain, il ne peut élargir la capacité de son intelligence, afin d'y recevoir les enseignements

---

1. *Beniamin maior* V, 4, *PL* 196, 172 D-174 A.

2. *Excessus* est employé huit fois par la Vulgate. Le mot a le sens de fuite (*Ps* 115, 11), ou associé à *uitae* celui de fin de la vie, de mort (*2 Macc*. 4, 7 et 10, 9). *Excessus* est le terme utilisé pour désigner « la sortie du monde », la mort du Christ qui devait se produire à Jérusalem et dont s'entretenaient avec Jésus, Moïse et Élie à la Transfiguration (*dicebant excessum eius*, *Lc* 9, 31). *Excessus* est joint quatre fois à *mentis* (*Ps* 30, 23 ; 67, 28 : *Beniamin adolescentulus in mentis excessu ; Act*. 10, 10 et 11, 5) : on peut traduire alors par transport d'esprit, extase. Voir A. BLAISE, *Le vocabulaire latin des principaux thèmes liturgiques*. Ouvrage revu par Dom A. DUMAS, Turnhout, 1966, n. 507, p. 632. Pour *excessus mentis*, le *DSp* renvoie à « Extase », 4[2], 1961, c. 2059-2189 : religions non chrétiennes, mystique chrétienne, problème de psychologie. Sur le sens du mot *excessus*, voir : É. GILSON, *La théologie mystique de saint Bernard*, Paris, 1947, p. 132, n. 1 ; G. DUMEIGE, *Richard de Saint-Victor et l'idée chrétienne de l'amour*, Paris, 1952, p. 144, n. 1.

3. *Beniamin minor* LXXXII-LXXXVII.

4. *Beniamin maior* V, 5-19, *PL* 196, 174 A-192 C.

secrets de l'inspiration divine. Celui qui écoute tombe à terre, là où l'humaine raison défaille. Rachel meurt afin que Benjamin vienne au monde (*Gen.* 35, 17-19). La mort de Rachel et la prosternation des disciples figurent la triple défaillance des sens, de la mémoire et de la raison. Là où les sens corporels, le souvenir des choses extérieures et la raison humaine s'évanouissent, en effet, c'est là que l'esprit, ravi au dessus de lui-même, est enlevé vers les hauteurs » [1].

L'oubli total des réalités visibles, le passage hors de lui-même, la sortie (*excessus*) de l'esprit peuvent s'expliquer par trois causes selon Richard : la grandeur de la dévotion, de l'admiration ou de l'exaltation [2].

L'esprit peut tout d'abord être ravi par « la grandeur de la dévotion », c'est-à-dire par un amour de Dieu, accompagné ou non de révélation, mais humble, confiant, parvenu à un tel degré d'intensité qu'il transforme l'âme, l'embrase et l'élève au-delà du voile qui l'empêchait de voir Dieu [3].

L'*excessus* pourra être provoqué par « la grandeur de l'admiration », un sentiment d'étonnement et de stupeur suscité par une révélation subite et inattendue. L'amour des réalités surnaturelles qu'il contemple transforme l'esprit ; il est ébloui, arraché à tout autre sentiment, à toute autre pensée. Désirant avec ardeur ce qu'il voit, il est entraîné hors de lui-même [4].

La troisième manière d'atteindre l'*excessus* est « la grandeur de l'exultation ». La cause de l'*excessus* n'est donc pas ici l'admiration devant la vérité révélée, mais l'abondance, l'intensité d'allégresse que provoque un don exceptionnel de

---

1. *Beniamin minor* LXXXII.
2. *Beniamin maior* V, 5, *PL* 196, 174 A : « Tribus de causis, ut mihi uidetur, in mentis alienationem adducimur. Nam modo, prae magnitudine deuotionis, modo prae magnitudine admirationis, modo uero prae magnitudine exsultationis fit, ut semetipsam mens omnino non capiat et supra semetipsam eleuata in abalienationem transeat ».
3. *Beniamin maior* V, 6-8, *PL* 196, 175 A-178 A.
4. *Beniamin maior* V, 9-13, *PL* 196, 178 A-184D.

la grâce. La joie a sa place dans la doctrine de Richard ; elle accompagne les diverses étapes de la vie spirituelle et fait ainsi contrepoids aux plaintes exhalées ailleurs. Mais ici la joie devient si forte que l'esprit ne se sent plus lui-même et qu'il est incapable de résister à cet enlèvement au-dessus de lui-même, à cet *excessus* [1].

5. Les quatre degrés de la charité

Il n'est pas inutile d'évoquer ici une dernière classification de Richard, celle des degrés de la charité. Ni le *Beniamin minor*, ni le *Beniamin maior* ne s'y réfèrent, mais, comme on tentera de la montrer, il y a quelques correspondances possibles entre toutes les distinctions qu'opère Richard en ses divers traités. De plus, ce regard sur *Les quatre degrés de la violente charité* [2] permet de compléter l'étude de la théologie spirituelle de Richard et de mieux situer la place, l'originalité et peut-être les limites du *Beniamin minor* [3].

Le premier degré est celui de « l'amour qui blesse » (*caritas uulnerans*, cf. *Cant.* 4, 9). « L'âme est envahie par une douceur enivrante, une suavité intérieure », certes don du Seigneur, mais qui ne s'accomplit pas sans décision ni effort de la volonté. Le désir de Dieu conduit l'âme à renoncer au monde, au sensible. Dieu aide à ce détachement par un certain sentiment de sa présence qui n'est ni vision, ni illumi-

---

1. *Beniamin maior* V, 14-17, *PL* 196, 184 D-190B. Sur la place de la *iucunditas* et de l'*exultatio* dans la doctrine de Richard, voir E. KULESZA, « La doctrine mystique de Richard de Saint-Victor », *Vie spirituelle. Supplément*, t. 10, 1924, p. (274)-(288).
2. Voir RICHARD DE SAINT-VICTOR, *Les quatre degrés de la violente charité*. Texte critique avec introd., trad. et notes publié par G. DUMEIGE (Textes philosophiques du Moyen Age, 3), Paris, 1955 ; cf. *PL* 196, 1207-1224.
3. J. CHÂTILLON, « Les quatre degrés de la charité d'après Richard de Saint-Victor », *Revue d'ascétique et de mystique*, 20, 1939, p. 3-30 ; G. DUMEIGE, *Richard de Saint-Victor et l'idée chrétienne de l'amour*, Paris, 1952, p. 133-153.

nation mais perception d'une clarté confuse ; ce qui encourage l'âme à la persévérance et l'invite à de plus grandes audaces [1]. On est ici au départ de la vie contemplative, que décrivent, en d'autres termes, le début du *Beniamin minor* et le *Beniamin maior* à propos de la « dilatation de l'esprit », premier mode de contemplation [2].

Au deuxième degré, l'« amour lie » (*caritas ligans*, cf. *Cant.* 11, 4) la pensée et occupe la mémoire de manière durable. L'élément spéculatif de la contemplation l'emporte ici sur l'élément affectif. L'âme entrevoit les mystères de Dieu dans lesquels on ne pénètre que par révélation : essence de Dieu, Trinité, Eucharistie. Cette vision remplit l'âme d'admiration ; elle l'élève au-dessus d'elle-même et lui procure une joie inoubliable [3]. On retrouve ici « le soulèvement de l'esprit », second mode de contemplation du *Beniamin maior* [4].

Au troisième degré, celui de « l'amour qui fait languir » (*caritas languens*, cf. *Cant.* 5, 8), la force possessive de l'amour pousse à un exclusivisme radical. La recherche et l'activité de l'esprit « ne tendent qu'à posséder l'objet de l'amour ». Oubli radical de tout et de soi, ravissement devant les mystères divins : l'âme pénétrée de la lumière de Dieu et enflammée par son amour passe tout entière en Dieu, ne fait plus « qu'un seul esprit avec lui », selon la formule de saint Paul (1 *Cor.* 6, 17) [5], souvent reprise par Richard [6]. C'est l'*excessus mentis* dont parlent le *Beniamin minor* et le *Beniamin maior* [7].

1. RICHARD DE SAINT-VICTOR, *Les quatre degrés de la violente charité...* éd. G. DUMEIGE, n. 6, p. 130 ; *PL* 196, 1209.

2. *Beniamin minor* I ; *Beniamin maior* V, 3, *PL* 196, 171 D-172 D.

3. Éd. G. DUMEIGE, n. 7-9, p. 130-132 ; *PL* 196, 1209 D-1211 A.

4. *Beniamin maior* V, 4, *PL* 196, 172 D-174 A.

5. Éd. G. DUMEIGE, n. 10-13, p. 134-138 ; *PL* 196, 1211 A-1212 C.

6. *Beniamin maior* IV, 15, *PL* 196, 153 D ; *Adnotatio in psalmum XXX*, *ibid.*, 273 D ; *Sermons et opuscules spirituels inédits*, t. 1, *L'édit d'Alexandre...* p. 70-71, et Introd. p. LXXIV, n. 2.

7. Cf. *supra*, p. 55, n. 2-4 ; p. 56, n. 1-4.

Le quatrième degré est celui de l'amour qui fait défaillir (*caritas deficiens*, cf. *Ps.* 118, 81). Il n'est plus question ici de vision, de révélation, ou des manifestations de la grâce qui peuvent accompagner l'*excessus mentis*. Ce degré de charité n'a rien de commun avec ceux qui l'ont précédé et il n'a guère d'équivalent, non plus, avec les genres ou modes de contemplation précédemment distingués. Transformée par l'Esprit saint et par la flamme de la charité, l'âme est accordée à la volonté divine et centrée, cette fois, sur le don. S'entendant proposer comme modèle la configuration au Christ dans l'obéissance et les anéantissements qu'évoque Paul (*Phil.* 2, 5-8), elle vit dans l'imitation du Christ pour la gloire de Dieu et le salut des hommes [1]. Son ascension spirituelle ne s'achève pas « dans un exquis cœur à cœur avec Dieu, mais dans un service des autres hommes » [2], auquel la pousse cette union qui l'a transformée. Ainsi l'amour effectif du prochain, quatrième et plus haut degré de la charité, fait partie de l'enseignement spirituel de Richard et en constitue le couronnement [3].

*

Le *Beniamin minor* s'insère dans une longue tradition de commentaires des épisodes bibliques relatifs à Jacob, à Lia et Rachel ses épouses, et à ses douze fils. Comme la plupart de ses devanciers, Richard de Saint-Victor s'est moins intéressé aux faits rapportés par la Genèse qu'à leur interprétation symbolique. Il est curieux de constater que Jérôme, un des Pères les plus attachés au sens littéral, a fourni par le *Liber interpretationis hebraicorum nominum* la matière à

---

1. Éd. G. Dumeige, n. 14-16, p. 138-142 ; *PL* 196, 1212 C-1213 C.
2. Éd. G. Dumeige, intr. p. 115.
3. G. Dumeige, *Richard de Saint-Victor et l'idée chrétienne de l'amour*, p. 148-153.

d'amples considérations spirituelles ou morales basées sur l'étymologie des noms propres.

L'originalité de Richard est double, semble-t-il. Tout d'abord, il n'a pas isolé Lia et Rachel d'une part, les douze Patriarches de l'autre. Il propose un traité sur l'ensemble de la famille de Jacob, y compris ses servantes, Zelpha et Bala. Par la typologie autant que par l'histoire, tous s'insèrent dans un vaste projet : chacun des personnages y a une fonction ; leur signification tropologique se base un peu sur leur rôle historique, beaucoup plus sur la place de chacun dans la hiérarchie familiale et sur l'étymologie traditionnelle de leur nom.

Comme épouses et mères, Rachel et Lia figurent l'une la *ratio*, principe de connaissance, et l'autre, l'*affectio*, c'est-à-dire tout ce qui se rapporte à la vie affective. Bala était servante de Rachel ; de même l'imagination qu'elle représente est au service de la raison. L'ordre de naissance des fils de Jacob inspire une hiérarchie plus ou moins inversée des *affectus* ou des facultés, avec son sommet atteint par les derniers fils de Jacob : Joseph (le discernement) et Benjamin (la contemplation).

En deuxième lieu, cet ensemble très organisé veut délivrer un message global, celui du cheminement ou de l'itinéraire de l'âme vers Dieu. Pour certains Pères et auteurs médiévaux, Rachel et Lia offraient déjà la possibilité d'un tableau de la vie chrétienne, mais sous l'aspect du rapport entre l'action et la contemplation ; quant aux Patriarches, leur interprétation était pour chacun ponctuelle, sans lien très étroit de l'un à l'autre. Il n'en va pas de même chez Richard : avec le *Beniamin minor*, tous les personnages de la geste de Jacob, masculins ou féminins, s'intègrent dans une vision d'ensemble de la vie morale et spirituelle, où prennent place de manière très organisée intelligence et vie affective, combat contre les vices et apprentissage de la conduite vertueuse, notamment par la *discretio*, rapports de la raison et de la foi, étapes de l'ascension contemplative jusqu'à l'extase (*excessus mentis*).

Le lecteur d'aujourd'hui peut juger une telle construction parfaitement arbitraire ; le recours systématique aux épouses ou aux fils de Jacob pour symboliser les aspects ou les temps forts de la vie chrétienne gênent peut-être sa compréhension du message de Richard de Saint-Victor plus qu'il ne la favorisent. Il ne faut pas se dissimuler cette difficulté [1].

Mais en lisant Richard, il faut sans cesse se souvenir d'un aspect central de sa pensée déjà signalé : pour lui, l'Écriture est, plus qu'une histoire d'événements passés, une réflexion sur Dieu et sur l'homme ; elle est « le miroir » qui permet à l'être spirituel de se voir et de se connaître en vérité ; elle prélude à l'action et l'accompagne. A la limite, l'épisode de Jacob et de ses fils ne garde son intérêt que parce qu'à travers une lecture tropologique, il permet à l'homme intérieur de savoir qui il est et d'entrevoir la vie de contemplation à laquelle Dieu l'appelle.

III. L'HISTOIRE DU TEXTE

A. LA TRADITION MANUSCRITE

On l'a dit, le *Beniamin minor* figure parmi les traités de Richard de Saint-Victor qui ont connu le plus de succès : environ cent cinquante manuscrits en ont transmis le texte ;

---

1. A Saint-Victor, outre l'*exhortatio* du matin et la *collatio* du soir, un entretien de style plus dialogal (*hora locutionis*) pouvait donner lieu, l'après-midi, à des schémas et dessins qui permettaient de visualiser et de synthétiser l'enseignement exposé à travers des figures et des symboles. Voir P. SICARD, *Diagrammes médiévaux et exégèse visuelle : « le Libellus de formatione arche » de Hugues de Saint-Victor*, Paris-Turnhout, 1993 (Bibliotheca victorina 4), p. 21-69, 261-270.

pour un peu plus de la moitié d'entre eux, on dispose d'une bonne description [1].

L'examen de la tradition manuscrite a permis de constater que le *Beniamin minor* avait été diffusé sous deux formes différentes. Des témoins, les plus nombreux au XIIe siècle et même au XIIIe siècle, divisent l'ouvrage en *paragraphes* de longueur très inégale, généralement au nombre de vingt et un. Aucun titre ne les précède. Dans la présente édition, ils sont numérotés en chiffres arabes précédés du sigle §.

D'autres, rares au XIIe siècle mais dominants ensuite, divisent le *Beniamin minor* en quatre-vingt-sept ou quatre-vingt-six *chapitres*. Chacun d'eux est précédé d'un titre qui en précise le contenu ; de plus, dans beaucoup de manuscrits, le traité s'ouvre par une table générale donnant les titres des chapitres. Cette division, numérotée en chiffres romains, structure le texte et la traduction ici offerts.

Selon J. Châtillon, les deux éditions sont l'œuvre de Richard lui-même : celle en paragraphes est la plus ancienne. Certains manuscrits ont mêlé les deux états textuels : on a parfois ajouté à la première version (en paragraphes) des titres ou au moins des numéros de chapitres qui proviennent de la seconde version. D'autres manuscrits de la première version portent, au début, la table générale, qui figure normalement dans les seuls témoins divisés en chapitres.

---

1. Ces pages sur *La tradition manuscrite* reproduisent ou résument les indications de l'article, en voie d'achèvement, que nous avons trouvé dans la documentation laissée par le Père J. Châtillon, et que nous avons pu publier : J. CHÂTILLON, « Le *De duodecim patriarchis* ou *Beniamin minor* de Richard de Saint-Victor. Description et essai de classification des manuscrits ». Avant-propos de J. LONGÈRE, *Revue d'histoire des textes*, 21, 1991, p. 159-236. On trouvera dans cette étude, la liste et une analyse plus ou moins détaillée de 150 manuscrits proposant le *Beniamin minor*. Les microfilms ou agrandissements sur papier du *Beniamin minor* ou d'autres traités de Richard, ont été déposés à l'I.R.H.T., section latine ; ils y sont consultables, selon les conditions habituelles de prêt. De même pour des notes ou des descriptions plus approfondies de manuscrits laissées par Jean Châtillon.

Un second critère de classement est fourni par les leçons et les variantes qu'on relève dans les manuscrits. Ces variantes sont nombreuses et, la plupart du temps, trop diverses ou trop insignifiantes pour permettre un regroupement sûr. Cependant, seize d'entre elles méritent une attention particulière : leur fréquence et leur répartition dans les manuscrits permettent d'observer des ressemblances ou des différences qui rapprochent ou séparent les témoins examinés. A noter que la présence (rare) ou l'absence (fréquente), en LXXIV, 3, de *secunda cum ratione* n'est pas significative de l'appartenance à un groupe précis.

Voici une répartition des manuscrits en fonction des variantes les plus significatives.

1. Groupe a

Le premier groupe se caractérise par les trois omissions suivantes :

LXVI, 1 : *laetitia superuacua in dissolutionem*

LXXVI, 4 : *o quanta qualisque*

LXXXII, 5 : *estimationem et praeter omnem humanam*

On remarque ces omissions dans onze manuscrits du XIIᵉ siècle et neuf manuscrits de la fin du XIIᵉ siècle ou du XIIIᵉ siècle.

C'est par des manuscrits de ce groupe *a* (tous divisés en paragraphes) que sont proposées, mais de façon plus dispersée, les variantes suivantes :

XXXIX, 3 : *istam* au lieu de *ista*

XL, 5 : *uiginti tria milia* au lieu de *tria milia*

LXVIII, 1 : omission d'une phrase : *Hic est ille Ioseph qui a patre plus cunctis fratribus amatur.*

MANUSCRITS DU XIIᵉ SIÈCLE

CHARLEVILLE, BM 35, 119 folios, 188 x 137 mm. Provenance : abbaye des Prémontrés de Belval, diocèse de Reims.

f° 46r : De XII ^{cim} patriarchis. Liber beati Effrem. Beniamin adolescentulus...

f° 107v : ... humana ratio applaudit. Explicit.

CHARLEVILLE, BM 159, 320 x 210 mm. Provenance : abbaye cistercienne de Signy, fille d'Igny, ligne de Clairvaux, diocèse de Reims. Texte divisé en paragraphes. Beaucoup de fautes.

f° 71r : Incipit liber magistri Richardi de patriarchis. Beniamin adolescentulus...

f° 111vb : ... humana ratio applaudit. Finit liber magistri Richardi de patriarchis.

DIJON, BM 39, 221 folios, 143 x 163 mm. A appartenu à l'abbaye de Cîteaux (voir f° 3r, 71r, 177v). Texte divisé en paragraphes.

f° 46v-47v : Incipit liber magistri Richardi moraliter editus de patriarchis. Beniamin adolescentulus in mentis excessu ...

f° 118v : ... humana ratio applaudit.

HEILIGENKREUZ, Stiftsbibliothek 209, 127 folios, 283 x 185 mm. Ce manuscrit appartient à l'abbaye cistercienne de Heiligenkreuz, ligne de Morimond, où il est conservé depuis le XIIe siècle. Texte divisé en paragraphes (1-23), avec numérotation partielle et plus tardive en chapitres, dans les marges. S'arrête à la fin du ch. 83.

f° 38r : Tractatus de duodecim patriarchis. Beniamin adolescentulus in mentis excessu ...

f° 71r : ... quibus obsequiis Deum placare oporteat. Amen.

PARIS, BN lat. 1919, I + 152 folios, 265 x 165 mm. Origine inconnue. Texte divisé en paragraphes avec indication par trois petits points en marge des endroits où s'opèrent les changements de chapitres.

f° 82r : Uxorum Iacob et filiorum eius moralis expositio. Beniamin adolescentulus ...

f° 148r : ... humana ratio applaudit.

PARIS, BN lat. 15692, 161 + 1 folios, 325 x 230 mm. Ce manuscrit a appartenu à l'abbaye Notre-Dame de Morimond, puis au collège de Sorbonne dont il porte la marque. Texte divisé en paragraphes.

f° 45vb : Incipit liber de patriarchis. Beniamin adolescentulus ...

f° 77vbv : ... humana ratio applaudit.

PARIS, BN lat. 17467, 105 folios, 310 x 215 mm. Provenance : abbaye Saint-Martin des Champs, Paris. Texte divisé en paragraphes, primitivement dépourvu de titre, mais une seconde main, ancienne, a écrit, f° 70r, marge supérieure : Incipit liber magistri Richardi canonici sancti Victoris de patriarchis.

f° 70ra : Beniamin adolescentulus ...

f° 97rb : humana ratio applaudit.

PARIS, BN nouv. acquis. lat. 886, 185 folios, 160 x 110 mm. Provient de la bibliothèque de Nicolas Camuzat à Troyes. Texte divisé en paragraphes.

f° 1r : Incipit liber Ricardi de patriarchis. Beniamin adolescentulus ...

f° 54v :... humana ratio applaudit. Explicit.

TOULOUSE, BM 183, 155 folios, 330 x 230 mm. Provenance : Ermites de Saint-Augustin à Toulouse (f° 1). Texte divisé en paragraphes.

f° 113ra : Incipit liber Richardi de patriarchis ex doctrina magistri Hugonis. Beniamin adolescentulus ...

f° 138rb : ... humana ratio applaudit. Explicit liber Richardi de patriarchis.

TROYES, BM 558, 154 folios, 308 x 225 mm. Origine inconnue. Texte divisé en paragraphes.

f° 65vb : Incipit liber magistri Richardi de patriarchis. Beniamin adolescentulus ...

f° 89va : ... humana ratio applaudit. Explicit liber Richardi de patriarchis.

TROYES, BM 1433, 94 folios, 242 x 155 mm. Provenance : abbaye de Clairvaux. Texte divisé en paragraphes.

f° 63r : Summa magistri Ricardi Parisiensis canonici. Beniamin adolescentulus ...

f° 93r : ... humana ratio applaudit. Explicit.

MANUSCRITS DU XIIᵉ OU DU XIIIᵉ SIÈCLE

BERLIN, Staatsbibliothek 70 (Phillips 1696). Recueil composite de cinq manuscrits, 159 folios. Dans le second, daté du XIIIᵉ siècle, figure à la suite du *De gradibus humilitatis* de saint Bernard, le *De duodecim patriarchis*, divisé en paragraphes.

f° 32ra : De benedictionibus XII patriarcharum. Beniamin adolescentulus ...

f⁰ 46rb : ... humana ratio applaudit. Explicit exposicio allegorica super benedictiones quas dedit Iacob filiis suis futura eis adnuncians a Bernardo edita.

BRUXELLES, Bibliothèque royale 8425-27 (Van den Gheyn 1061), 125 folios, 238 x 165 mm, XIIIᵉ siècle. Plusieurs possesseurs, dont l'abbaye cistercienne d'Adwert, ligne de Clairvaux, au diocèse de Groningue (f⁰ 125v), et les Bollandistes (ex libris MS 118, plat intérieur). Texte divisé en paragraphes.

f⁰ 77r : Beniamin adolescentulus in mentis excessu. Audiant adolescentuli sermonem de adolescente ...

f⁰ 122r : ... humana ratio applaudit.

DURHAM, Cathedral B IV quarto, XIIIᵉ siècle. Texte divisé en paragraphes.

f⁰ 56v, marge supérieure, peut-être d'une autre main : Incipit Ricardus de contemplatione siue de 12 patriarchis.

f⁰ 56va : Beniamin adolescentulus ...

f⁰ 87rb : ... humana ratio applaudit.

LISBONNE, Biblioteca Nacional, Alcobaça, CCXVI/170, 149 folios, 295 x 197 mm, XIIIᵉ siècle. Écriture française ; texte divisé en paragraphes.

f⁰ 1r : Incipit liber Richardi de patriarchis. Beniamin adolescentulus ...

f⁰ 42v : ... humana ratio applaudit. Explicit liber Ricardi de patriarchis.

OXFORD, Bodleian Library, Laud. misc. 409, 126 folios, in quarto, XIIIᵉ siècle. A appartenu à l'abbaye de St. Albans (f⁰ 1 : Hunc librum dedit Dominus Willelmus Abbas Deo et ecclesie Sancti Albani). Texte divisé en paragraphes, sans titre ni nom d'auteur.

f⁰ 64r : Beniamin adolescentulus ...

f⁰ 95r : ... humana ratio applaudit.

PARIS, BN lat. 10629. 140 folios, 170 x 115 mm, XIIIᵉ siècle. Le De duodecim patriarchis est dépourvu de titre et de divisions régulières, mais quelques alinéas pourraient attester d'une survivance de la division en paragraphes.

f. 43v : Beniamin adolescentulus ...

f⁰ 86r : ... humana ratio applaudit. Explicit liber Richardi de patriarchis.

PARIS, BN lat. 3013, 37 folios, 180 x 120 mm, XIIᵉ-XIIIᵉ siècles. Origine inconnue. Ce manuscrit ne contient que De duodecim patriarchis, divisé en paragraphes.

f° 1r : Incipit liber de XII patriarchis magistri Richardi de Sancto Victore. Beniamin adolescentulus ...

f° 37r : ... humana ratio applaudit. Explicit liber Ricardi de patriarchis.

STUTTGART, Landesbibliothek HB VII 56, 102 folios, 200 x 135 mm, XIIIᵉ siècle. Provenance : abbaye de moines noirs de Weingarten. Ce manuscrit figure dans la liste de ceux qui furent copiés sous l'abbatiat de Berthold (1200-1231). Texte divisé en paragraphes et dépourvu de titre, d'incipit et d'explicit.

f° 1r : Beniamin adolescentulus ...

f° 30v : ... humana ratio applaudit. Amen.

TROYES, BM 637, 1 + 195 folios. 310 x 220 mm, fin XIIᵉ siècle. Provenance : abbaye cistercienne de Clairvaux (H 63 dans catalogue de 1472). Texte divisé en paragraphes.

f° 108ra : Incipit liber magistri Ricardi de patriarchis. Beniamin adolescentulus in mentis excessu ...

f° 145ra : ... humana ratio applaudit. Explicit liber Ricardi de patriarchis.

2. Groupe b

Ce deuxième groupe se caractérise par neuf leçons ou variantes qui lui sont propres :

IV, 1 : *celestium* au lieu de *celestem*

XXXIX, 5 : *excessus* au lieu de *excursus*

XL, 2 : omission du mot *Dei*

XL, 4 : omission des deux mots *et hominum*

XLII, 2 : *Vigilare* au lieu de *uigilet*

XLII, 3 : omission du mot *subiectis*

LXX, 1 : *ipse Ioseph* au lieu de *ipse*

LXXVIII, 2 : omission de la phrase : *Vis audire paterni secreti archanum ? Ascende in montem ipsum, disce cognoscere teipsum*

LXXXV, 2 : omission du mot *cause*

Sont retenus ici les huit manuscrits, du XIIᵉ ou du XIIIᵉ siècle pour la plupart, tous divisés en chapitres, qui présentent, au moins avant correction, les neuf variantes signalées ci-dessus (sauf Paris BN lat. 2527 qui, en LXXXV, 2, a maintenu *cause*) et, en commun, beaucoup d'autres variantes mineures. D'autres manuscrits, plus tardifs, peuvent être rapprochés de ce groupe : ils comportent quelques-unes seulement des leçons proposées par les huit témoins précédents ; ils n'ont aucune variante commune avec les manuscrits du groupe *a*.

AVRANCHES, BM 118. Manuscrit composite de 157 folios (1-120, 121-157) 273 x 207 mm, XIIe-XIIIe siècles. Provenance probable : abbaye du Mont-Saint-Michel. Le traité de Richard est précédé d'une table (f° 20vb-22ra) et divisé en 87 chapitres.
f° 22ra : Eiusdem tractatus de preparatione animi ad contemplationem dictus Beniamin minor. De studio sapientie et eius commendatione. Beniamin adolescentulus in mentis excessu ...
f° 49va : ... humana ratio adplaudit.

CAMBRAI, BM 259, 314 folios, auxquels il faut ajouter 10 folios dont les chiffres ont été répétés par erreur ; 208 x 152 mm. Première moitié du XIIIe siècle. Ce manuscrit a d'abord appartenu à un couvent de franciscains (f° 3), puis au chanoine Pierre Preudhomme (f° 1), qui en fit don à la cathédrale de Cambrai. Texte précédé d'une table (f° 242r) et divisé en chapitres.
f° 242rb. Incipit liber de XII patriarchis. Cap. I : De studio sapientie et eius commendatione. Beniamin adolescentulus ...
f° 254ra. ... humana ratio applaudit. Explicit liber qui dicitur Beniamin magistri Richardi prioris de Sancto Victore de XII patriarchis.

CHÂLONS-SUR-MARNE, BM 48, 239 folios, 188 x 132 mm, XIIe-XIIIe siècles. Manuscrit composite, dont les quatre parties sont d'origine et de date différentes. La troisième partie (f° 125-169), qui correspond au traité de Richard, a pu être copiée à l'abbaye cistercienne de N.D. à Montier-en-Argonne, fille de Troisfontaines, lignée de Clairvaux. Précédé d'une table des 86 chapitres (f° 125r-126v), l'ouvrage respecte cette division, mais sans reproduire les titres des chapitres, dont les débuts ne sont signalés que par une majuscule initiale.
f° 126v : Beniamin adolescentulus in mentis excessu ...
f° 169r : ... humana ratio applaudit.

FLORENCE, Biblioteca Medicea Laurenziana, S. Croce, Plut. XXII, dextr. 5. 149 folios, 268 x 185 mm, XIIe-XIIIe siècles. Ce manuscrit a appartenu aux Franciscains de Sainte-Croix, à Florence. Précédé d'une table des 87 chapitres (fo 55ra-va), l'ouvrage de Richard est divisé en chapitres.

fo 55r, marge supérieure, une main ancienne a écrit : Ricc. de contemplatione.

fo 55va : De studio sapientie et eius commendatione. Beniamin adolescentulus in mentis excessu ...

fo 74ra : ... humana ratio applaudit.

FLORENCE, Biblioteca Medicea Laurenziana, S. Marco 621, IV + 430 + 1 folios. Copié en 1331 à Avignon (fo 399r et 422r), donné au couvent Saint-Marc des Dominicains à Florence par Côme Jean de Médicis. fo 247r-v. Table des chapitres, précédée du titre suivant, d'une main plus récente : Opusculum Ricardi de Sancto Victore de duodecim patriarchis.

fo 247vb : De studio sapientie et eius commendatione. I. Beniamin adolescentulus ...

fo 264vb : ... humana ratio applaudit.

PARIS, BN lat. 2527, 110 folios, 320 x 215 mm, XIIe siècle. Provenance : abbaye cistercienne de Foucarmont, lignée de Clairvaux, au diocèse de Rouen. Texte du De patriarchis précédé d'une table et divisé en 86 chapitres, non numérotés.

fo 86v : Magister Ricardus de patriarchis

fo 87ra : De studio sapientie et eius commendatione. I. Beniamin adolescentulus ...

fo 109va : ... humana ratio applaudit. Explicit liber magistri Ricardi de patriarchis.

PARIS, BN lat. 14516, 242 folios, 340 x 235 mm. Provenance : abbaye Saint-Victor de Paris. Dans la table des matières de son catalogue, Claude de Grandrue (HH16) a donné le titre de Beniamin minor à l'ouvrage de Richard.

fo 81va-82rb : table des 87 chapitres

fo 81rb : De studio sapientie et eius commendatione. fo 81ra : Beniamin adolescentulus in mentis excessu ...

fo 117 rb : ... humana ratio applaudit.

ROME, Biblioteca Casanatense 81 (c.v. 44). Papier. II + 244 + 1 folios, 208 x 146 mm, XVe siècle. Le De patriarchis est précédé d'une table et divisé en chapitres.

f⁰ 150rb : Incipit tabula utilis que est tocius libri subsequentis scilicet de patriarchis recapitulatio qui liber est de XII cim uirtutibus seu habitibus qui oriuntur in anima.
f⁰ 151ra : Incipit liber Rychardi de patriarchis. De studio sapientie et eius commendatione. C.I. Beniamin adolescentulus ...
f⁰ 184va : ... humana ratio applaudit. Explicit liber Rychardi de patriarchis.

3. Les inclassables

Les manuscrits ainsi désignés ont pour caractéristique de ne pas présenter les fautes, omissions, et leçons contestables des groupes précédents, ou de ne proposer que, de façon isolée, l'une ou l'autre. Certains sont divisés en paragraphes, d'autres en chapitres (la seconde division s'est parfois superposée à la première). Même s'ils ne sont pas exempts d'autres erreurs, leur intérêt est de montrer qu'il a existé une tradition manuscrite qui n'a jamais commis ou n'a commis qu'exceptionnellement l'une ou l'autre des fautes affectant si constamment les témoins rapprochés les uns des autres dans les deux groupes précédents.

AMIENS, BM 226. 130 folios, 245 x 165 mm, XII⁰-XIII⁰ siècles. A appartenu à l'abbaye des Prémontrés de Selincourt, diocèse d'Amiens. Le *De patriarchis* est ici anonyme, sans titre, ni division, sauf alinéas, commençant par une lettre ornée au ch. XXV : *Videns itaque Lia* (= 10 de la division en paragraphes), et ch. XXVIII : *Exit ergo Ruben*..
f⁰ 1r : Beniamin adolescentulus ...
f⁰ 27v : ... humana ratio applaudit.

BRUGES, Stadsbibliotheek 152, 139 folios, 228 x 160 mm, XII⁰ siècle. Provient de l'abbaye des Dunes (f⁰ 1r), lignée de Clairvaux. Le *De XII patriarchis* (f⁰ 79r-139r) n'avait à l'origine aucune division. La table des 87 chapitres a été ajoutée postérieurement sur deux feuillets intercalaires (f⁰ 79 et 80) ; la même main, sans doute, a reproduit en marge les titres des cinq premiers chapitres, puis seulement les numéros des chapitres suivants.

f° 81v : Incipit liber magistri Ricardi cantoris de XII patriarchis. Beniamin adolescentulus ...

f° 139r : ... humana ratio applaudit. Explicit liber (magistri Ricardi *ras.*) de duodecim patriarchis.

BRUXELLES, Bibl. royale II. 951 (Van den Gheyn 1317). 139 folios, 262 x 174 mm, XIII⁰ siècle. A appartenu à l'abbaye cistercienne de Cambron, lignée de Clairvaux. Le *De Patriarchis* ouvre par une table et il est divisé en chapitres.

f° 90r : Incipiunt capitula operis sequentis. I. De studio sapientie
f° 92r : Incipit liber magistri Ricardi de duodecim patriarchis. De studio sapientie et eius commendatione. Beniamin adolescentulus ...
f° 138v : ... humana ratio applaudit. Explicit liber magistri Ricardi de duodecim patriarchis.

CAMBRIDGE, Corpus Christi College 309. 86 folios, 254 x 165 mm, XII⁰ siècle. A appartenu à l'abbaye de moines noirs Sainte-Marie à York. Texte divisé en chapitres, mais dépourvu de table.

f° 1r : Incipit liber magistri Ricardi Anglici subprioris S. Victoris Parisius de patriarchis. De studio sapientie et eius commendatione. Beniamin adolescentulus ...
f° 36r : ... humana ratio applaudit.

DURHAM, Cathedral A. III folio, XII⁰-XIII⁰ siècles. On lit, f° 1 : Liber sancti Cuthberti Dunelmensis. Le *De patriarchis,* dépourvu de titre et de nom d'auteur, est divisé en 87 chapitres.

f° 136ra : Caput I ᵐ. De studio sapiencie et eius commendatione. Beniamin adolescentulus ...
f° 154vb : ... humana ratio applaudit. Explicit.

DUBLIN, Marsh's Library, 24.5.17, Vélin, début XIII⁰ siècle. Vient de l'abbaye cistercienne Sainte-Marie de Rievaulx. Texte divisé en chapitres dépourvus de titres.

f° 49v, marge sup. : Expositio domni Richardi prioris Sancti Victoris Parisius de Beniamin et eius fratribus.
f° 49v : Beniamin adolescentulus ...
f° 99r : ... humana ratio applaudit. Explicit.

MILAN, Biblioteca Ambrosiana A 49. sup. 159 folios, 147 x 100 mm. XIV⁰ siècle. Le texte est divisé en chapitres, mais il a conservé des traces de la division en paragraphes.

f⁰ 77r : De studio sapiencie et eius commendatione. Incipit liber Rikardi de patriarchis. Beniamin adolescentulus ...

f⁰ 128r : ... humana ratio applaudit.

MILAN, Biblioteca Ambrosiana C. 36. sup., papier, 136 folios XIVᵉ siècle. Ce manuscrit a appartenu au monastère des Ermites de Saint-Augustin, Santa Maria Incoronata, Milan. Le *De patriarchis* est divisé en chapitres.

f⁰ 85v : Opus magistri Ricardi de Sancto Victore de patriarchis. Beniamin adolescentulus ...

f⁰ 136v : ... humana ratio applaudit. Explicit tractatus de XII patriarchis.

OXFORD, Bodleian Library, Digby 200. In folio, 107 folios, début XIIIᵉ siècle. Provenance : abbaye Sainte-Marie de Reading. Texte divisé en 87 chapitres, mais dépourvu de tables.

f⁰ 77vb : De studio sapientie et eius commendatione. Beniamin adolescentulus in mentis excessu ...

f⁰ 101 r : ... humana ratio applaudit. Explicit liber Beniamin.

PARIS, Arsenal 364. Manuscrit composite de 103 folios (1-55, 56-103), 271 x 194 mm, XIIᵉ siècle. D'origine inconnue, mais a appartenu au collège de Navarre. Dépourvu de titre et d'explicit, le *De duodecim patriarchis* est divisé en paragraphes.

f⁰ 14rb : Beniamin adolescentulus in mentis excessu ...

f⁰ 55rb : ... humana ratio applaudit.

PARIS, BN lat. 3274. Manuscrit composite : f⁰ 1-99 (XIVᵉ s.) et f⁰ 100-213 (XIIᵉ s.). Texte précédé d'une table (f⁰ 100v-102v) et divisé en chapitres non numérotés.

f⁰ 103r : Incipit tractatus magistri Ricardi canonici Sancti Victoris de duodecim patriarchis. De studio sapientie et eius commendatione. Beniamin adolescentulus ...

f⁰ 149r : ... humana ratio applaudit.

PARIS, BN lat. 12020, 1 + 141 folios, 305 x 210 mm. Ancien fonds de Saint-Germain-des-Prés, mais a dû appartenir tout d'abord à l'abbaye cistercienne N.D. des Louanges, à Loos, Nord (f⁰ 141r), puis à l'abbaye de Corbie (f⁰ 1r). Texte divisé en paragraphes.

f⁰ 104ra : Incipit liber Richardi de patriarchis. Beniamin adolescentulus ...

f⁰ 129va : ... humana ratio applaudit.

PARIS, BN lat. 16368, 173 folios, 172 x 120 mm, XIIᵉ siècle. Légué au collège de Sorbonne par Géraud d'Abbeville. Le traité de Richard est attribué à Hugues de Saint-Victor par la table des matières du recueil. Il est dépourvu de titre et, bien que divisé en paragraphes, il est précédé d'une table des chapitres (fᵒ 42r-43v), dont les numéros ont été reportés dans les marges du texte.

fᵒ 42r : De studio sapientie ...

fᵒ 44 :Beniamin adolescentulus ...

fᵒ 88r : ... humana ratio applaudit.

B. ÉDITIONS ET TRADUCTIONS

Éditions

Le *Beniamin minor* n'a pas connu d'édition particulière, mais figure dans toutes les éditions des *Opera omnia* de Richard indiquées ci-dessus (p. 5). Rappelons qu'il est donné par les *Opera omnia* de 1650 aux pages 124-146, sous le titre suivant :*De praeparatione animi ad contemplationem. Liber dictus Beniamin minor,* et que cette édition a été reproduite sous le même titre par la *Patrologia Latina* de Migne au t. 196 (1ʳᵉ éd. 1855 ; 2ᵉ éd. 1880).

Traductions

RICHARD of SAINT VICTOR, *Benjamin minor.* Translated from Latin by S.V. YANKOWSKI, Ansbax, 1960, 100 p.

RICHARD of SAINT VICTOR, *The Mystical Ark Book three of the Trinity. Translation and Introduction,* by GROVER A. ZINN. Preface by Jean CHÂTILLON, New York, Ramsey-Toronto, 1979, 425 p.

Riccardo di San Vittore, *La preparazione dell'anima alla contemplazione. Beniamino minore*. Introduzione, traduzione e note di Claudio Nardini, Firenze, 1991, 165 p.

C. LA PRÉSENTE ÉDITION

Nous avons indiqué ci-dessus l'important travail accompli par J. Châtillon pour l'établissement du texte du *Beniamin minor*. La collation faite par lui des variantes n'était pourtant pas suffisamment avancée pour que nous puissions la publier, ou la reprendre et la poursuivre. D'ailleurs, lui-même y avait renoncé, devant l'ampleur de la tâche à accomplir et sa démesure par rapport au résultat final. Car la plupart de ces variantes sont dues à des erreurs ou à des négligences de copistes ; elles n'affectent guère l'intelligibilité du texte, y compris les plus significatives, utilisées pour la classification des manuscrits.

Ces « variantes significatives » sont reprises dans le léger apparat critique du texte latin, et expliquées en notes. Cet apparat indique également les passages ou mots du texte de la Patrologie latine, t. 196 (édition de 1855) qui ont été remplacés, compte tenu du témoignage des manuscrits les plus anciens. Ainsi le texte proposé et traduit est celui qui intègre les corrections ; les versions fautives de la Patrologie, y compris les inversions de mots, figurent en apparat.

L'apparat scripturaire mentionne les leçons de la Vulgate, là où elles diffèrent de celles qu'utilise Richard.

NOTE BIBLIOGRAPHIQUE

Nous ne reprenons pas ici les nombreuses indications bibliographiques données au cours de l'introduction.

Indiquons seulement que deux bibliographies d'ensemble sont à privilégier :

— G. DUMEIGE, *Richard de Saint-Victor et l'idée chrétienne de l'amour* (Bibliothèque de philosophie contemporaine), Paris, P.U.F., 1952, p. 171-185.

— J. CHÂTILLON, « Richard de Saint-Victor », *DSp* 13, 1988, c. 652-654.

TEXTE
ET
TRADUCTION

\<CAPITULA\>

CHAPITRES

CAPVT I

De studio sapientiae et eius commendatione

[§ 1] *Beniamin adolescentulus in mentis excessu* [a].
Audiant adolescentuli sermonem de adolescente, euigilent
ad uocem Prophetae : *Beniamin adolescentulus in mentis
excessu.* Quis sit Beniamin iste, multi nouerunt, alii per
5 scientiam, alii per experientiam. Qui per doctrinam nouerunt audiant patienter, qui per experientiam didicerunt
audiant libenter. Qui enim eum experientiae magisterio
semel nosse potuit, fidenter loquor, sermo de eo, quamuis
prolixus, illum satiare non poterit. Sed quis de eo digne
10 loqui sufficiat ? Est enim *speciosus forma prae* omnibus
filiis [b] Iacob, et qualem Rachel generare decuit. Nam Lia quidem, quamuis plures, pulchriores tamen liberos habere non
potuit. Duas namque, ut legitis [c], uxores Iacob habuisse
cognoscitur ; una Lia, altera Rachel dicebatur. Lia fecundior,
15 Rachel formosior. Lia fecunda, sed lippa ; Rachel fere steri-
lis, sed formae singularis.

Sed nunc quae sint istae duae uxores Iacob uideamus, ut
qui sint earum filii facilius intelligamus. Rachel doctrina
ueritatis, Lia disciplina uirtutis ; Rachel studium sapientiae,
20 Lia desiderium iustitiae. Sed scimus *septem annis Iacob pro*

I, 16 forma ‖ 20 Iacob septem annis

a. Ps. 67, 28 ‖ b. Cf. Ps. 44, 3 ‖ c. Cf. Gen. 29, 16-17

CHAPITRE I

Le désir de la sagesse et son prix

[§ 1] *Benjamin, jeune adolescent, dans le transport de l'esprit* [a]. Que les jeunes adolescents prêtent l'oreille à ce qui est dit d'un adolescent, qu'ils s'éveillent à la voix du Prophète : *Benjamin, jeune adolescent, dans le transport de l'esprit.* Qui est ce Benjamin ? Beaucoup l'ont appris, les uns par science, les autres par expérience. Que ceux qui l'ont connu par science écoutent avec patience, que ceux qu'a instruits l'expérience écoutent avec complaisance, car quiconque l'a une fois connu à l'école de l'expérience ne peut plus se lasser d'en entendre parler, fût-ce longuement : je le dis avec assurance. Mais qui donc est capable d'en parler comme il faut ? *Sa beauté éclatante surpasse* en effet *celle de* tous *les fils* [b] de Jacob, et c'est bien à lui que Rachel devait donner le jour, car si Lia, il est vrai, eut plus d'enfants, elle ne put en avoir pour autant de plus beaux. On sait bien, vous l'avez lu dans l'Écriture [c], que Jacob eut deux femmes. La première s'appelait Lia, la seconde Rachel. Lia était plus féconde, Rachel était plus belle. Lia était féconde, mais ses yeux étaient malades ; Rachel était presque stérile, mais d'une beauté singulière.

Voyons donc maintenant ce que sont ces deux épouses de Jacob, et nous comprendrons mieux ce que sont leurs fils. Rachel représente l'enseignement de la vérité, Lia l'apprentissage de la vertu ; Rachel l'amour de la sagesse, Lia le désir de la justice. Or nous savons que *Jacob servit sept ans pour*

Rachel seruisse, et tamen *uidebantur ei dies pauci prae amoris magnitudine* [d]. Quid miraris ? Secundum magnitudinem pulchritudinis erat magnitudo dilectionis. Certe si in laudem sapientiae aliquid temptare uoluero, minus erit quantum-

25 cumque dixero. Quid enim sapientia ardentius diligitur, dulcius possidetur ? Eius decor omnem superat pulchritudinem, eius dulcor omnem excedit suauitatem. *Est enim*, ut ait quidam, *speciosior sole, et super omnem stellarum dispositionem ; luci comparata, inuenitur prior. Illi enim succedit nox,*

30 *sapientiam autem non uincit malitia. Adtingit ergo a fine usque ad finem fortiter, et disponit omnia suauiter.* Hanc amaui, inquit, *et exquisiui a iuuentute mea, et quaesiui sponsam michi eam assumere, et amator factus sum formae illius* [e]. Quid ergo mirum si Iacob in huiusmodi sponsae

35 amore flagrabat, si talis ignis, si tantae dilectionis flammas temperare non poterat ? O quantum amabat, o qualiter in eius amore flagrabat, qui dixit : *Super salutem et omnem pulchritudinem dilexi sapientiam* [f]. Nichil enim hac, ut diximus, sapientia ardentius diligitur, nil dulcius possidetur. Hinc est

40 enim quod sapientes omnes esse uolunt, pauci tamen admodum esse sapientes possunt.

CAPVT II

De desiderio iustitiae et eius proprietate

Numquid de iustitia similiter dicimus ? Numquid aeque iusti omnes esse uolumus, sed iusti forte esse non possumus ? Immo omnes utique iusti esse potuissent, si esse iusti perfecte uoluissent. Iustitiam enim perfecte amare, est iam

---

41 sapientes esse ǁ **II,** 4 amare : diligere

d. Cf. Gen. 29, 20 ǁ e. Sag. 7, 29 - 8, 2 ǁ f. Cf. Sag. 7, 10

mériter Rachel, et pourtant *ce temps lui parut court, tant son amour était grand* [d]. Comment s'en étonner ? L'ardeur de son amour était à la mesure de la beauté de celle qu'il aimait. Sans aucun doute, si je voulais tenter quelque chose pour célébrer les louanges de la sagesse, tout ce que je pourrais dire serait indigne d'elle. Qu'aime-t-on avec plus d'ardeur que la sagesse, en effet ? Que possède-t-on avec plus de douceur ? Sa grâce est au-delà de toute beauté, sa douceur au-delà de toute suavité. *Elle est en effet*, dit le Sage, *plus belle que le soleil, et elle surpasse tout l'arrangement des étoiles ; si on la compare à la lumière elle l'emporte, car la nuit succède à la lumière, mais la méchanceté ne prévaut pas contre la sagesse. Elle va donc avec force d'un bout du monde à l'autre, et elle dispose toutes choses avec suavité. Je l'ai aimée*, dit-il encore, *et je l'ai recherchée dès ma jeunesse ; j'ai désiré la prendre pour épouse, et je me suis épris de sa beauté* [e]. Comment s'étonner, dès lors, que Jacob ait brûlé d'amour pour une telle épouse ? qu'il n'ait pu contenir les flammes d'un si grand feu et d'une si grande dilection ? Combien ne l'aimait-il pas, de quel amour ne brûlait-il pas pour elle, celui qui a dit : *Plus que la santé et plus que la beauté, j'ai aimé la sagesse* ? [f] On ne peut rien aimer avec plus d'ardeur que cette sagesse, avons-nous dit, ni rien posséder avec plus de douceur. Voilà pourquoi tous veulent être sages, bien peu cependant parviennent à l'être tout à fait.

CHAPITRE II

Le désir de la justice et ses propriétés

En dirons-nous autant de la justice ? Ne voulons-nous pas tous, également être justes ? Mais peut-être n'en sommes-nous pas capables ? Eh bien non ! Tous auraient pu être justes, en réalité, s'ils avaient vraiment voulu l'être. Aimer vraiment la

5　iustum esse. Sapientiam et multum diligere potes, et ipsa
carere potes. Omnino et absque dubio quanto amplius iustitiam dilexeris, tanto iustior eris.

Sed uideamus nunc quae sint instituta uerae iustitiae, et
inueniemus cur homines tantum detestantur connubia Liae.
10　Quaerendum namque est cur fere omnes coniugia Liae tan-
topere abhorreant, qui amplexus Rachel tantum suspirant.
Perfecta iustitia iubet inimicos diligere, parentes, propria
quaeque relinquere, illata mala patienter ferre, oblatam gloriam ubique declinare. Sed ab huius mundi amatoribus quid
15　stultius, quid laboriosius esse reputatur ? Hinc est quod ab
eis Lia et lippa creditur, et laboriosa uocatur. Lia namque
laboriosa interpretatur. Magnus namque labor, sed non
minor error uidetur eis esse, in tribulatione gaudere ᵃ, prospera mundi quasi pestem fugere. Sed quia copiam mundi ad
20　necessitatem non respuit, et ad uoluptatem non admittit,
Liam lippam, non caecam uocant, quam in rerum iudicio
errare putant.

Si igitur per Liam desiderium iustitiae, per Rachel uero
studium sapientiae intelligitur, patet ratio quare uel ab
25　omnibus fere Lia contemnitur, uel Rachel tantum diligitur.

CAPVT III

De gemino totius boni fonte, ratione uidelicet et affectione

Sed libet adhuc de his duabus uxoribus Iacob diligentius
inquirere, et quicquid inde animus suggerit manifestius ape-

---

5 diligere : amare ‖ 11 amplexus : in amplexus ‖ 24 Lia ab omnibus fere

a. Cf. II Cor. 7, 4

---

1. JÉRÔME, *Liber interpr. hebr. nom.*, Gen., éd. P. de LAGARDE, p. 8, l. 7
(*CCSL* 72, p. 68) : « Lia laboriosa ».

justice, en effet, c'est déjà être juste, alors qu'on peut beaucoup aimer la sagesse, sans pourtant être sage. Pour tout dire, et sans aucun doute, plus tu aimeras la justice, plus juste tu seras.

Voyons d'ailleurs, sans attendre, quels sont les caractères de la véritable justice, et nous découvrirons pourquoi les hommes répugnent tant à épouser Lia. Car il faut chercher pourquoi presque tous ceux qui aspirent si ardemment à étreindre Rachel ont tant de répulsion à s'unir à Lia. C'est que la justice parfaite commande d'aimer ses ennemis, de quitter ses parents et ses biens, de supporter avec patience les malheurs qui nous frappent, d'éviter en tout lieu la gloire qui s'offre à nous. Quoi de plus sot, en vérité, quoi de plus laborieux, aux yeux de ceux qui aiment ce monde ? Voilà pourquoi ils croient que Lia a les yeux malades, et pourquoi ils l'appellent « laborieuse » [1] car Lia signifie « laborieuse ». Se réjouir dans les tribulations [a], fuir comme la peste les avantages de ce monde, cela leur semble un grand labeur, et une non moins grande erreur. Mais comme la justice ne rejette pas les biens de ce monde lorsqu'ils sont nécessaires, sans admettre pourtant qu'on les cherche pour le plaisir, ils disent de Lia, non pas qu'elle est aveugle, mais qu'elle a de mauvais yeux parce qu'elle porte, pensent-ils, un jugement erroné sur les choses.

Si donc on voit en Lia le désir de la justice et en Rachel l'amour de la sagesse, on comprend aisément que Lia soit méprisée de presque tous les hommes, alors que Rachel est l'objet de tant d'amour.

CHAPITRE III

Les deux sources de tout bien : la raison et l'affection

Mais on a plaisir à s'enquérir avec plus de soin de ces deux épouses de Jacob et à développer plus explicitement ce que

rire. Omni spiritui rationali gemina quaedam uis data est ab
illo Patre luminum, a quo est *omne datum optimum, et*
5 *omne donum perfectum* [a]. Una est ratio, altera est affectio ;
ratio qua discernamus, affectio qua diligamus ; ratio ad ueritatem, affectio ad uirtutem. Hae sunt sorores illae duae a
Domino desponsatae, Oolla et Ooliba, Iherusalem et
Samaria [b]. Hae sunt spiritus rationalis geminae uxores, ex
10 quibus oritur generosa proles, et regni coelestis heredes. Ex
ratione oriuntur consilia recta, ex affectione desideria sancta.
Ex illa spirituales sensus, ex ista ordinati affectus. Ex ista
denique omnis uirtus, ex illa uero ueritas omnis. Sciendum
itaque est quod affectio tunc ueraciter incipit Lia esse,
15 quando satagit seipsam ad normam iustitiae componere. Et
ratio Rachel esse indubitanter asseritur, quando illius summae et uerae sapientiae luce illustratur. Sed quis ignorat
quam sit illud laboriosum, quam sit istud iocundum ?
Vtique non sine magno labore animi affectio a libitis ad licita
20 restringitur, et recte talis uxor Lia, hoc est laboriosa uocatur. Quid uero dulcius, quidue iocundius potest esse, quam
oculum mentis ad summae sapientiae contemplationem erigere ? Ad hanc itaque contemplandam cum ratio dilatatur,
merito Rachelis nomine honoratur.

25 [§ 2] Rachel uisum principium uel ouis interpretatur. Vt
ergo tali nomine digna sit, impleat quod scriptum inuenit :
Sentite de Domino in bonitate, et in simplicitate cordis quae-
rite illum [c]. Vtique, qui de Domino in bonitate sentit, iam
illum qui est principium omnium fidei oculo cernit. Sed et

III, 19 labore magno ‖ a libitis : ab illicitis ‖ 25 uisum : uidens ‖ 28 sentit in bonitate

---

a. Jac. 1, 17 ‖ b. Cf. Éz. 23, 4 , ‖ c. Sag. 1, 1

---

1. Cf. II, n. 1.
2. Jérôme, *Liber interpr.*, Gen., éd. P. de Lagarde, p. 9, l. 25 (*CCSL*
72, p. 70) : « Rachel ouis uel uidens principium aut uisio sceleris siue uidens
Deum ».

l'esprit suggère à leur propos. Deux puissances ont été données à tout esprit raisonnable par le Père des lumières, *de qui procède tout don excellent et toute grâce parfaite* ª. L'une est la raison, l'autre l'affection ; la raison par laquelle nous jugeons, l'affection par laquelle nous aimons ; la raison faite pour la vérité, l'affection pour la vertu. Ce sont là les deux sœurs que le Seigneur a choisies pour fiancées, Oola et Ooliba, Jérusalem et Samarie ᵇ. Ce sont là les deux épouses de l'esprit raisonnable ; elles sont à l'origine d'une noble postérité ; elles sont les héritières du royaume des cieux. De la raison naissent les jugements droits, de l'affection les saints désirs ; de celle-là les sens spirituels, de celle-ci les affections ordonnées ; de la seconde enfin toute vertu, de la première toute vérité. Ainsi faut-il savoir que l'affection commence vraiment à devenir Lia, lorsqu'elle s'efforce d'accorder sa conduite avec les lois de la justice. Et l'on peut affirmer sans hésitation que la raison est devenue Rachel, lorsque la sagesse suprême et véritable l'éclaire de sa lumière. Mais qui donc ignore à quel point cela est laborieux, à quel point ceci est agréable ? De fait, ce n'est pas sans un grand effort de l'esprit que l'affection renonce à ses caprices pour ne plus faire que ce qui est permis, aussi est-ce avec raison qu'une telle épouse est appelée Lia, c'est-à-dire « laborieuse » ¹. Élever l'œil de l'esprit jusqu'à la contemplation de la suprême sagesse, en revanche, que peut-il y avoir de plus doux, ou de plus agréable ? Et lorsque la raison se dilate de la sorte pour contempler la sagesse, elle mérite bien qu'on l'honore du nom de Rachel.

[§ 2] Rachel signifie « vision du principe » ou « brebis » ². Pour être digne d'un tel nom, il faut donc qu'elle accomplisse ce qu'on lit dans l'Écriture : *Pensez au Seigneur en sa bonté, et cherchez-le dans la simplicité de votre cœur* ᶜ. De fait, quiconque pense au Seigneur en sa bonté voit déjà, avec l'œil de la foi, celui qui est le principe de toutes choses. Mais s'il le

30 ouis est ueraciter, si in simplicitate quaerit. Videsne quemadmodum non quaelibet, sed summa sapientia simpliciter
quaesita facit esse Rachel ? Iam, ut arbitror, non miraris
quod Rachel tantum diligitur, cum eius etiam pedissequa,
sapientiam mundi loquor, quae in dominae suae compara-
35 tione stultitia reputatur, tanto, ut cernimus, a mundi philosophis amore requiratur.

CAPVT IV

Quomodo per studium sapientiae animus latenter
saepe inducitur ad exercitia iustitiae

Quemadmodum autem Lia supponitur, dum Rachel spe-
ratur ᵃ, facile recognoscunt qui hoc, quam saepe contingat,
non tam audiendo quam experiendo didicerunt. Saepe
contingit ut animus antiquae conuersationis sordibus minus
5 mundatus, et ad coelestem contemplationem nondum idoneus, dum se in cubiculo Rachel collocat, dum totum se in
eius amplexus parat, dum illam iam sese tenere putat, subito
et inopinate inter amplexus Liae se esse deprehendat.

Quid enim Scripturam sacram, nisi Rachel cubiculum
10 dicimus, in qua sapientiam diuinam sub decenti allegoria-
rum uelamine latitare non dubitamus ? In tali cubiculo
Rachel totiens quaeritur, quotiens in lectione sacra spiritua-

---

30 ueraciter est ‖ 35 amore a mundi philosophis
IV, 5 coelestium ‖ 6 se in eius amplexus totum

a. Cf. Gen. 29, 23-25

cherche dans la simplicité, il est vraiment « brebis ». Tu vois bien que ce n'est pas n'importe quelle sagesse, mais seulement la suprême sagesse, cherchée avec simplicité, qui fait exister Rachel. Tu ne t'étonneras donc pas, je pense, que Rachel soit l'objet de tant d'amour, puisque sa suivante elle-même, je veux dire la sagesse de ce monde qui n'est que sottise si on la compare à sa maîtresse, est elle-même cherchée avec tant d'amour, on le voit bien, par les philosophes de ce monde.

CHAPITRE IV

Comment le désir de la sagesse conduit souvent l'esprit,
d'une manière subreptice, aux exercices de la justice

Mais Lia est substituée à Rachel, alors que c'est celle-ci qu'on attend [a]. Comment cela peut-il se faire ? Ceux qui en ont été instruits, non pour en avoir entendu parler, mais pour en avoir fait l'expérience, reconnaissent aisément que cela se produit fréquemment. Il arrive souvent que l'esprit, insuffisamment purifié des souillures de sa vie passée et encore incapable de s'élever à la contemplation céleste [1], pénètre dans la chambre de Rachel, se prépare à l'étreindre et croie déjà l'embrasser, mais se retrouve tout à coup, sans s'y être attendu, dans les bras de Lia.

Qu'est-ce donc en effet que la sainte Écriture, sinon ce que nous appelons la chambre de Rachel, où la sagesse divine, nous n'en pouvons douter, se dissimule sous les voiles pudiques de l'allégorie ? C'est Rachel que l'on cherche dans cette chambre, chaque fois que l'on veut parvenir, dans

---

1. La leçon retenue « coelestem » a été adoptée par la plupart des anciens manuscrits et semble être, de ce fait, originale, bien que la leçon opposée « coelestium » soit apparemment plus heureuse.

lis intelligentia indagatur. Sed quamdiu adhuc ad sublimia
penetranda minime sufficimus, diu cupitam, diligenter quae-
15 sitam Rachel nondum inuenimus. Incipimus ergo gemere,
suspirare, nostram caecitatem non solum plangere, sed et
erubescere. Dolentibus ergo nobis et quaerentibus unde
hanc caecitatem meruimus, occurrunt mala quae fecimus.
Quinimmo, ipsa diuina lectio, nobis nolentibus et aliud
20 quiddam in ea molientibus, foeditatem nostram frequenter
ingerit, et corda nostra in eius consideratione compungit.

Quotiens ergo in lectione diuina pro contemplatione
compunctionem reperimus, in cubiculo Rachel, non ipsam,
sed Liam, nos inuenisse non dubitemus. Nam sicut Rachelis
25 est meditari, contemplari, discernere, intelligere, sic profecto
pertinet ad Liam flere, dolere, gemere, suspirare. Nam Lia,
ut dictum est, affectio est diuina inspiratione inflammata,
Rachel est ratio diuina reuelatione illuminata. Lia affectio ad
normam iustitiae seipsam componens, Rachel ratio se in
30 coelestis sapientiae contemplationem attollens. Sed de ipsis
hactenus, nunc de earum ancillis uideamus.

CAPVT V

Quomodo imaginatio subseruiat rationi,
sensualitas affectioni

[§ 3] Accepit ergo utraque illarum ancillam suam.
Affectio sensualitatem, ratio imaginationem. Obsequitur
sensualitas affectioni, imaginatio famulatur rationi. In tan-

22 diuina lectione ‖ 26 gemere, dolere ‖ 30 ipsis : his

la lecture sacrée, à l'intelligence spirituelle. Mais aussi long-temps que nous n'avons pas réussi à pénétrer ces sublimes réalités, nous n'avons pas encore trouvé Rachel, longtemps convoitée, attentivement recherchée. Nous nous mettons alors à gémir, à soupirer, à ne pas seulement pleurer notre aveuglement, mais aussi à en rougir. Tandis que nous nous affligeons de la sorte et que nous nous demandons ce qui nous a valu un tel aveuglement, le mal que nous avons accompli nous revient à l'esprit. Bien plus, contre notre gré et alors que nous y cherchions tout autre chose, la divine lecture elle-même nous rappelle constamment nos souillures et leur considération frappe nos cœurs de componction.

Chaque fois donc que dans la divine lecture, au lieu de la contemplation, nous rencontrons la componction, soyons certains que dans la chambre de Rachel, ce n'est pas elle que nous avons trouvée, mais Lia. Car s'il appartient à Rachel de méditer, de contempler, de discerner et de comprendre, c'est à Lia qu'il revient, sans contredit, de pleurer, de s'af-fliger, de gémir et de soupirer. Comme on l'a dit, en effet, Lia est l'affection qu'un souffle divin enflamme, Rachel est la raison qu'une révélation divine illumine. Lia est l'affec-tion qui se conforme elle-même aux règles de la justice, Rachel la raison qui s'élève jusqu'à la contemplation de la sagesse céleste. Mais assez parlé de ces deux sœurs, occu-pons-nous maintenant de leurs servantes.

CHAPITRE V

Comment l'imagination est au service de la raison, la sensibilité au service de l'affection

[§ 3] Chacune de ces deux sœurs a donc reçu une ser-vante. L'affection dispose de la sensibilité, la raison de l'ima-gination. La sensibilité est au service de l'affection, l'imagi-

tum unaquaeque ancillarum dominae suae necessaria esse
5   cognoscitur, ut sine illis mundus totus nil eis posse conferre
uideretur. Nam sine imaginatione ratio nichil sciret, sine
sensualitate affectio nil saperet. Vt quid enim Lia circa
labentium rerum amorem tam uehementer afficitur, nisi
quia in eis per ancillae suae, hoc est sensualitatis, obsequium
10   multiformiter delectatur ? Item, cum scriptum sit quia *inui-*
sibilia Dei, *a creatura mundi, per ea quae facta sunt, intel-*
lecta conspiciuntur [a], inde manifeste colligitur quia ad inuisibilium cognitionem nunquam ratio assurgeret, nisi ei
ancilla sua, imaginatio uidelicet, rerum uisibilium formam
15   repraesentaret.

Per rerum enim uisibilium speciem surgit ad rerum inuisibilium cognitionem, quotiens ex his ad illa quandam trahit similitudinem. Sed constat quia sine imaginatione corporalia nesciret, sine quorum cognitione ad coelestium
20   contemplationem non ascenderet. Visibilia enim solus intuetur sensus carnis, inuisibilia uero solus uidet oculus cordis.
Est ergo sensus carnis totus extrinsecus, sensus uero cordis
totus intrinsecus. Ratio foras exire non potest, sensus corporeus ad illam intrare non potest. Non enim decebat filiam
25   delicatam et teneram, et singulariter formosam foris per plateas discurrere, sed nec seruum conueniebat dominae suae
penetralia secretiora irreuerenter irrumpere. Discurrit ergo
imaginatio, utpote ancilla, inter dominam et seruum, inter
rationem et sensum, et quicquid extrinsecus haurit per sen-
30   sum carnis, intus repraesentat ad obsequium rationis.

V, 5 totus mundus ‖ 17 illa : illam ‖ 21 oculus uidet ‖ 23 potest : ualet
‖ 27 secretiora : secretoria

---

a. Rom. 1, 20

nation au service de la raison. Ces servantes, on le sait, sont si nécessaires, l'une et l'autre, à leurs maîtresses, que le monde tout entier, sans elles, ne pourrait apparemment rien leur donner : sans l'imagination, la raison ne saurait rien ; sans la sensibilité, l'affection n'aurait de goût pour rien. Pourquoi donc Lia est-elle en effet saisie d'un amour si violent pour des choses périssables, sinon parce que la complaisance de sa servante, la sensibilité, lui permet d'y jouir des délices les plus variées ? De même, puisqu'il est écrit que *les réalités invisibles* de Dieu, *depuis la création du monde, sont rendues visibles à l'intelligence par le moyen de ses œuvres* [a], on peut en conclure avec évidence que la raison ne pourrait jamais s'élever jusqu'à la connaissance des réalités invisibles si sa servante, l'imagination, ne lui présentait la forme des choses visibles.

De fait, la raison se hausse jusqu'à la connaissance des réalités invisibles, grâce à l'apparence des choses visibles, chaque fois qu'elle parvient à tirer de celles-ci quelque similitude de celles-là. Mais il est clair que sans l'imagination elle ne saurait rien des réalités corporelles dont la connaissance lui est indispensable pour s'élever jusqu'à la contemplation des choses célestes. Seul le sens corporel voit en effet les choses visibles, mais seul l'œil du cœur voit les choses invisibles. Le sens corporel est donc tout entier tourné vers l'extérieur, le sens du cœur tout entier vers l'intérieur. La raison ne peut s'en aller au dehors, le sens du corps ne peut entrer chez elle. Il ne convenait pas, en effet, que cette fille délicate et tendre, d'une beauté singulière, s'en fût au dehors, courir les places publiques, mais il ne convenait pas davantage que le serviteur pût faire irruption, avec irrévérence, dans les appartements secrets de sa maîtresse. L'imagination, en qualité de servante, court donc de la maîtresse au serviteur, de la raison au sens, et tout ce qu'elle tire de l'extérieur, grâce au sens corporel, elle le représente à l'intérieur et le met au service de la raison. L'imagination

Semper ergo imaginatio rationi assistit, nec ad momentum quidem ab eius famulatu se subtrahit, nam sensu etiam deficiente ipsa ministrare non desinit. Nam in tenebris positus nil uideo, sed quaelibet illic imaginari possum si uolo.

35 Sic semper et in omnibus imaginatio praesto est, et eius obsequio ubique ratio uti potest. Sed et sensualitas nichilominus satagit et *sollicita est circa frequens ministerium* [b], utique et ipsa semper et ubique ad dominae suae Liae parata obsequium. Haec est quae illi solet carnalium delectationum
40 cibos condire et apponere, et ad earum usum ante horam inuitare, et ultra mensuram prouocare. Quae enim alia est quam sensualitas quae animi affectionem carnalium uoluptatum desiderio inflammat, et earum delectatione inebriat ? Haec est quae laboriosam illam dominam suam egredientem
45 praecedit, et huc illucque circumducit. Nam quia Lia lippa est et parum uidet, illius manuductionem sequi eam non pudet. Hinc est quod Lia, animi uidelicet affectio, nunc contemnenda diligit, nunc diligenda contempnit, quia dum eius oculus in rerum iudicio caligat, carnis appetitum sequi
50 non erubescit.

[§ 4] Haec sunt duarum uxorum Iacob ancillae duae, quas Scriptura nominat Zelpham et Balam, Balam Rachelis et Zelpham Liae [c].

CAPVT VI

De uitio imaginationis et sensualitatis

Vidimus de earum obsequio, sed nec de earum uitio silendum puto. Est enim Bala garrula, Zelpha temulenta. Balae

---

38 et ipsa utique ‖ 39 delectationem
VI, 2 temulenta : tumulenta ‖ Balae : Bala

---

b. Cf. Lc 10, 40-41 ‖ c. Gen. 29, 24 et 29

apporte donc toujours son concours à la raison ; pas un seul instant elle ne se dérobe à son office, car même si le sens vient à défaillir, elle ne cesse pas pour autant de servir. Si je me trouve en effet dans les ténèbres et que je ne vois rien, je puis cependant imaginer là n'importe quoi, si je le veux.

Ainsi l'imagination est-elle toujours et en toutes choses disponible, et partout la raison peut user de ses services. Mais la sensibilité s'agite et *se dépense* tout autant, *dans un service continuel* [b] car elle est prête, elle aussi, toujours et partout, à apporter son aide à Lia, sa maîtresse. C'est elle qui a coutume de lui accommoder et de lui présenter l'aliment de ses délices charnelles, de l'inviter à y goûter avant l'heure, et de l'y provoquer au-delà de toute mesure. Y a-t-il autre chose, en effet, que la sensibilité, pour allumer en l'affection de l'esprit le désir des plaisirs de la chair et pour l'enivrer de leurs délices ? C'est elle qui marche devant cette laborieuse, sa maîtresse, lorsqu'elle sort, et qui la conduit à la ronde, ici et là. Et comme Lia a de mauvais yeux et qu'elle voit mal, elle n'a pas honte de suivre celle qui la conduit par la main. De là vient que Lia, c'est-à-dire l'affection de l'esprit, tantôt aime ce qu'elle devrait mépriser, tantôt méprise ce qu'elle devrait aimer, car tandis que l'œil de son jugement se brouille, elle ne rougit pas de suivre les désirs de sa chair.

[§ 4] Telles sont les deux servantes des deux épouses de Jacob. L'Écriture leur donne les noms de Zelpha et de Bala. Bala est la servante de Rachel, Zelpha celle de Lia [c].

CHAPITRE VI

Les défauts de l'imagination et de la sensibilité

Nous avons vu les services que rendaient Bala et Zelpha, mais je ne pense pas qu'on puisse taire leurs défauts, car la première est bavarde, la seconde portée à s'enivrer. De Bala,

namque loquacitatem nec ipsa eius domina Rachel compescere potest, sed et Zelphae quidem sitim dominae suae copia
5 tanta omnino extinguere non potest.

Vinum quod Zelpha sitit, gaudium est uoluptatis. De quo quanto plus bibit, tanto amplius sitit, nam ad satiandum sensualitatis appetitum totus mundus non sufficit. Quia ergo quantumcunque bibat, semper ad bibendum inhiat, recte
10 Zelpha, hoc est os inhians, uocatur, sitis cuius nunquam extinguitur. Imaginatio autem cum tanta importunitate in auribus cordis perstrepit, quatinus eius clamorem, ut diximus, ipsa Rachel uix uel omnino cohibere non possit. Hinc est quod saepe dum psallimus uel oramus, fantasias cogita-
15 tionum uel quaslibet imagines rerum ab oculis cordis amouere uolumus, nec ualemus. Quoniam ergo huiusmodi perstrepentium cogitationum tumultus cotidie etiam inuiti patimur, qualis uel quanta sit Balae garrulitas cotidiano experimento docemur. Quaeque etenim uisa uel audita,
20 quandoque quae ipsi gessimus uel diximus, ad memoriam reuocat, et quae ipsa iam enarrando explicauit, eadem iterum atque iterum replicare non cessat. Et saepe, cum nulla uoluntas cordis ei audiendi assensum praebeat, ipsa nichilominus, quamuis nullo quasi audiente, narrationem suam
25 explicat. Sic utique decrepiti senes uel inueteratae anus solent quaelibet absque omni auditore referre, et quasi aliquibus praesentibus cum eis sermonem conferre. Vnde non immerito Bala, hoc est inueterata dicitur, quae inueteratorum morem imitatur.
30 Sed de garrulitate Balae seu temulentia Zelphae quis nesciat, nisi forte qui seipsum ignorat ?

17 tumultus *om.* ‖ 21 explicauerit

1. JÉRÔME, *Liber interpr.*, Gen., éd. P. de LAGARDE, p. 11, l. 28-29 (*CCSL* 72, p. 73) : « Zelfan ambulans os, ab ore, non ab osse. Vel fluens os ».

2. JÉRÔME, *Liber interpr.*, Gen., *op. cit.* p. 3, l. 23 (*CCSL* 72, p. 62) : « Balla inueterata » ; Ios., *op. cit.*, p. 25, l. 18 (*CCSL* 72, p. 91) : « Bala uetustas ».

en effet, Rachel elle-même, sa maîtresse, ne peut contenir le bavardage, et les richesses de Lia, si grandes soient-elles, ne parviennent pas à éteindre complètement la soif de sa servante. Le vin dont Zelpha a soif, c'est la jouissance et le plaisir. Plus elle en boit, plus elle a soif, car le monde entier ne suffit point à satisfaire les désirs de la sensualité. C'est donc à juste titre qu'on l'appelle Zelpha, c'est-à-dire « bouche béante » [1], elle dont la soif n'est jamais étanchée, puisque, quoi qu'elle ait bu, sa bouche s'ouvre toujours pour boire. Quant à l'imagination, le bruit qu'elle fait aux oreilles du cœur est si désagréable, que Rachel elle-même, comme on l'a dit, parvient à peine ou ne parvient pas du tout à étouffer ses clameurs. De là vient que souvent, dans la psalmodie ou dans la prière, nous cherchons à éloigner des yeux de notre cœur les fantaisies de nos pensées ou je ne sais quelles images des choses, mais nous n'y parvenons pas. Et puisque nous devons supporter chaque jour, même contre notre gré, le tumulte assourdissant de nos pensées, c'est donc l'expérience quotidienne qui nous instruit de la nature ou de l'intensité du bavardage de Bala. Tout ce que nous avons vu ou entendu, en effet, parfois aussi ce que nous avons fait ou dit nous-mêmes, elle le rappelle à notre mémoire, et ce qu'elle-même a déjà développé dans ses récits, elle ne cesse de le répéter, encore et encore. Souvent d'ailleurs, alors que le cœur ne consent en aucune manière à l'écouter, de façon délibérée, elle n'en poursuit pas moins son bavardage, quoique personne pour ainsi dire ne l'entende. C'est ainsi qu'agissent les vieillards décrépits et les vieilles femmes décaties qui ont l'habitude de raconter n'importe quoi, sans que quiconque les écoute, mais comme s'il y avait des auditeurs pour entretenir avec eux la conversation. Aussi n'est-ce point à tort qu'on l'appelle Bala, c'est-à-dire « vieille femme » [2], elle qui imite les manies des vieilles gens.

Mais qui donc ignore le caquet de Bala ou l'ivrognerie de Zelpha, si ce n'est, peut-être, celui qui ne se connaît pas lui-même ?

CAPVT VII

Qui sint affectus principales, et quo ordine
uel modo redigantur in uirtutes

Nunc de earum filiis et prius de filiis Liae dicendum uidetur, nam et ipsa prior peperisse legitur. Filii Iacob ex Lia, ut
diximus, nichil aliud sunt quam ordinati affectus. Quoniam
quidem si inordinati sunt, eius utique filii dici non possunt.
5 Septenaria utique Liae proles, septem sunt uirtutes.
Siquidem, nichil aliud est uirtus quam animi affectus ordinatus et moderatus. Ordinatus, quando ad illud est ad quod
esse debet ; moderatus, quando tantus est quantus esse
debet.

10 [§ 5] Principales ergo affectus septem sunt, qui ab una
animi affectione alternatim surgunt. Spes uidelicet et timor,
gaudium et dolor, odium, amor et pudor. Isti omnes possunt esse modo ordinati, modo inordinati, sed cum ordinati
fuerint, tunc tantum inter filios Iacob deputandi. Si non
15 esset timor inordinatus, sermo diuinus minime dixisset : *Illic*

VII, 3 quoniam quidem : qui quidem ‖ 5 utique : itaque ‖ 7 quando ad :
quidem quando ‖ 13 modo *om.* ‖ cum fuerint ordinati ‖ 14 Iacob filios

---

1. Cf. *supra* III.
2. L'*affectio* (les puissances qui ont trait à la vie affective) tient une
grande place dans la psychologie spirituelle de Richard. L'*affectio* est le
siège des *affectus* que, selon les œuvres, Richard classe différemment. Ici,
dans le *Beniamin minor* (surtout VII et LX), il distingue sept *affectus* : l'espérance et la crainte, la joie et la douleur, la haine, l'amour et la pudeur.
La première étape pour que les *affectus* deviennent vertus, c'est qu'ils soient
ordonnés au bien et gouvernés avec modération (*ordinatus* et *moderatus*).

CHAPITRE VII

Quelles sont les affections principales, et en quel ordre
ou de quelle manière elles deviennent vertus

Il faut parler maintenant, semble-t-il, des fils de Rachel et
de Lia, et d'abord des fils de Lia, car il est écrit que celle-ci
fut la première à devenir mère. Les fils de Jacob et de Lia,
on l'a dit, ne sont pas autre chose que des affections ou des
sentiments ordonnés [1]. Si ceux-ci ne sont pas ordonnés, en
effet, on ne peut dire qu'ils sont vraiment fils de Jacob. Les
sept enfants de Lia sont donc sept vertus, car la vertu n'est
pas autre chose qu'une affection ordonnée et mesurée :
ordonnée, en vérité, lorsqu'elle tend à ce vers quoi elle doit
tendre, mesurée lorsqu'elle est aussi grande et aussi forte
qu'elle doit l'être.

[§ 5] Les affections principales sont au nombre de sept.
Elles naissent l'une après l'autre de l'unique puissance affective de l'esprit. Ce sont l'espérance et la crainte, la joie et la
douleur, la haine, l'amour et la pudeur. Toutes peuvent être
tantôt ordonnées, tantôt désordonnées, mais elles ne peuvent être mises au nombre des fils de Jacob que si elles sont
ordonnées [2]. S'il n'y avait pas de crainte désordonnée, telle

---

Le terme *ordinatus* qui évoque l'heureuse proportion entre l'*affectus* et son
objet a été étudié chez Richard à propos surtout de la charité, *caritas ordinata* ; cette expression se rattache à l'exégèse de Cantique des Cantiques 2,
4 : *Ordinauit in me caritatem*. Voir F. GUIMET, « Notes en marge d'un
texte de Richard de Saint-Victor », *Archives d'histoire doctrinale et littéraire du Moyen Age*, t. 14, années 1943-1945, p. 371-394 ; et *Caritas ordinata* et *amor discretus* dans « la théologie trinitaire de Richard de Saint-
Victor », *Revue du Moyen Age latin*, t. 4, 1948, p. 225-236. Dans RICHARD
DE SAINT-VICTOR, *La Trinité*, éd. G. SALET, SC 63, 1959, p. 481-483. Sur
le sens du verbe *ordino*, voir *Nouum glossarium mediae latinitatis ab anno
DCCC usque ad annum MCC*, tome O, La Haye, 1980, p. 714-729.

trepidabant timore, ubi non erat timor ᵃ. Iterum, si non esset timor ordinatus, scriptum non esset : *Timor Domini sanctus, permanens in saeculum saeculi* ᵇ. Item, si non esset amor modo ordinatus, modo inordinatus, Scriptura sacra nec
20 hunc praeciperet, nec illum prohiberet : *Diliges*, inquit, *Deum tuum ex toto corde tuo, et ex tota mente tua, et ex* omni *uirtute tua, et proximum tuum sicut teipsum* ᶜ. Et alibi : *Nolite diligere mundum, nec ea quae in mundo sunt* ᵈ. Similiter debemus et de aliis affectibus intelligere, aliquando
25 ordinatos, et iccirco bonos, aliquando inordinatos, et iccirco malos esse. De bonis autem, quos et Iacob filios esse diximus, nunc quo ordine generentur uideamus.

CAPVT VIII

Quomodo uel unde oriatur ordinatus timor

Scriptum est : *Initium sapientiae timor Domini* ᵃ. Haec ergo est prima uirtutum proles, sine qua ceteras habere non potes. Qui talem filium habere desiderat, mala quae fecit, non solum frequenter sed et diligenter attendat, hinc magni-
5 tudinem sui sceleris, illinc potentiam iudicantis. Ex tali consideratione timor nascitur, filius scilicet ille qui iure Ruben, hoc est *uisionis filius* uocatur.

---

16 trepidauerunt ‖ iterum : item ‖ 22 ex omni : ex tota
VIII, 6 scilicet filius ‖ 7 filius uisionis

---

a. Ps. 13, 5 ‖ b. Ps. 18, 10 ‖ c. Deut. 6, 5 ; Matth. 22, 37 ; Mc 12, 30 ; Lc 10, 27 ‖ d. I Jn. 2, 15
a. Ps. 110, 10

n'aurait pas été la Parole de Dieu : *Ils ont tremblé de crainte,
là où il n'y avait pas de crainte* ᵃ. De même, s'il n'y avait pas
de crainte ordonnée, il ne serait point écrit : *La crainte de
Dieu est sainte, elle demeure d'âge en âge* ᵇ. De même, si
l'amour n'était pas tantôt ordonné, tantôt désordonné, la
sainte Écriture ne prescrirait pas le premier et ne réprouve-
rait pas le second : *Tu aimeras ton Dieu de tout ton cœur,*
dit-elle, *de tout ton esprit et de toutes forces, et ton prochain
comme toi-même* ᶜ. Mais ailleurs : *N'aimez pas le monde, ni
les choses qui sont dans le monde* ᵈ. Nous devons considérer
les autres affections de la même manière. Elles sont parfois
ordonnées, et dans ce cas elles sont bonnes, parfois désordonnées, et dans ce cas elles sont mauvaises. Mais voyons
maintenant en quel ordre sont engendrées celles qui sont
bonnes et dont nous avons dit qu'elles étaient les fils de
Jacob.

CHAPITRE VIII

De quelle manière ou d'où vient la crainte ordonnée

Il est écrit : *La crainte de Dieu est le commencement de
la sagesse* ᵃ. Telle est donc la première née de toutes les vertus ; sans elle tu ne peux en avoir d'autres. Que celui qui
désire un tel fils considère le mal qu'il a commis, et qu'il ne
le considère pas seulement souvent, mais aussi, attentivement. Qu'il examine d'une part la gravité de ses crimes, de
l'autre la puissance de celui qui le juge. De cette considération naît la crainte, c'est-à-dire ce fils appelé avec raison
Ruben, ce qui signifie « fils de la vision » [1].

---

1. JÉRÔME, *Liber interpr.*, Gen., éd. P. de LAGARDE, p. 9, l. 28 (*CCSL*
72, p. 71) : « Ruben uidens filius uel uidens in medio ».

Quodammodo etenim caecus est, et minime uidet, qui
peccare non timet, qui futura mala non praeuidet, qui non
10 erubescit prauitatem suam, qui non expauescit potestatem
diuinam. Sed si incipiat ista uidere, incipiet pariter et timere,
et quanto perfectius cognouerit, tanto uehementius timebit.

Vides, ut arbitror, quam iuste Ruben uocetur, qui ex tali
uisione generatur. Recte, eo nato, mater eius exclamat : *Vidit*
15 *Deus humilitatem meam* [b], eo quod tunc ueraciter incipiat
uidere et uideri, Deum cognoscere et a Deo cognosci, uidere
Deum per intuitum formidinis, uideri a Deo per respectum
pietatis.

CAPVT IX

Quomodo oriatur uel ordinetur dolor

Primo filio nato, et paulatim crescente, secundus nascitur,
quia magnum timorem necesse est ut dolor sequatur.
Quanto enim quis uehementius metuit poenam quam
meruit, tanto acerbius plangit culpam quam fecit. Sed scien-
5   dum quia *quacumque hora peccator conuersus fuerit et inge-*
muerit, saluus erit [a], secundum illud : *Cor contritum et*

IX, 3 uehementius quis

b. Gen. 29, 32
a. Cf. Éz. 18, 21-22

1. *Quacumque hora peccator conuersus fuerit...* est un remaniement de
plusieurs uersets d'Ézéchiel : *Éz*. 18, 21-22 : *Si autem impius egerit poeni-*
tentiam ab omnibus peccatis suis quae operatus est et custodierit omnia prae-
cepta mea et fecerit iudicium et iustitiam, uita uiuet et non morietur ;
omnium iniquitatum eius quas operatus est, non recordabor ; Éz. 33, 12 :

Il est en quelque manière aveugle, en effet, et il n'y voit goutte, celui qui ne craint pas de pécher, qui ne prévoit pas les tourments auxquels il s'expose dans l'avenir, qui ne rougit pas de sa perversité, qui ne redoute pas la puissance divine. Mais s'il commence à voir tout cela, il commencera également à craindre ; plus parfaitement il connaîtra, plus vivement il craindra.

Tu comprends donc, je pense, à quel point Ruben mérite son nom, lui qui naît d'une pareille vision. Sa mère a raison de s'écrier, lorsqu'il vient au monde : *Dieu a vu mon humiliation* [b], parce qu'elle commence alors à voir vraiment et à être vue, à connaître Dieu et à être connue de lui, à voir Dieu d'un regard rempli d'effroi, à être vue de Dieu qui jette sur elle un regard plein de tendresse.

CHAPITRE IX

Comment naît la douleur ordonnée

C'est après que ce premier fils fut né et qu'il eut quelque peu grandi que le second vient au monde, parce qu'il faut beaucoup de crainte pour que la douleur ensuite apparaisse. En effet, plus forte est la terreur inspirée par la peine qu'on a méritée, plus amères sont les larmes provoquées par la faute qu'on a commise. Mais nous savons que, quelle que soit l'heure à laquelle il se sera converti [a 1] et aura pleuré son

---

Impietas impii non nocebit ei, in quacumque die conuersus fuerit ab impietate sua. Le uerset *Quacumque hora* constitue une autorité pour les théologiens du XIIᵉ siècle en faveur de l'efficacité de la contrition ; citations dans : P. ANCIAUX, *La théologie du sacrement de pénitence au XIIᵉ siècle*, Louvain, Gembloux, 1949, p. 52, n. 2 et 3.

humiliatum Deus non despiciet [b]. Quid tibi uidetur ? Nonne merito talis filius Symeon, id est exauditio, uocatur ?

Qui enim uere paenitet, qui ueraciter dolet, absque dubio
10 et absque mora indulgentiam accipiet. Oratio quae ex corde contrito et humiliato profertur, citius exauditur ; humiliato per timorem, contrito per dolorem.

Per Ruben humiliatur, per Symeonem conteritur et in fletu compungitur. Sed *beati qui lugent, quoniam ipsi conso-*
15 *labuntur* [c].

CAPVT X

Quomodo oriatur uel ordinetur spes

Sed quae, quaeso, consolatio potest esse paenitentibus uere et lugentibus amare, nisi una spes ueniae ? Hic est ille tertius filiorum Iacob, qui iccirco Leui [a], id est additus uel additio uocatur, quia duobus illis prioribus prius datis, hic
5 superadditur. Non datum, sed additum, sermo diuinus hunc filium nominat, ne ante timorem et condignum paenitentiae dolorem quis de spe ueniae praesumat. Qui enim post perpetrata scelera sine satisfactione sibi de impunitate blanditur, non tam spe erigitur, quam praesumptione eliditur.
10 Ex tali itaque nomine uoluit nos diuina Scriptura certos efficere, hunc nos uidelicet filium, nec ante illos duos priores posse habere, nec post illos praecedentes hunc tertium posse

---

7 despicies
X, 3 id : hoc ‖ 8 de *om.* ‖ 10 Scriptura diuina ‖ 11 duos illos

---

b. Ps. 50, 19 (*non despicies*, Vulg.) ‖ c. Matth. 5, 5
a. Gen. 29, 34

---

2. JÉRÔME, *Liber interpr.*, Nom., éd. P. de LAGARDE, p. 10, l. 30 (*CCSL* 72, p. 72) : « Symeon exauditio uel nomen habitaculi ».
1. JÉRÔME, *Liber interpr.*, Gen., éd. P. de LAGARDE, p. 8, l. 7 (*CCSL* 72, p. 68) : « Leui additus siue adsumptus ».

péché, le pécheur sera sauvé, selon ce qui est écrit : *Tu ne repousseras pas, ô mon Dieu, le cœur broyé et humilié* [b]. Qu'en penses-tu ? N'est-ce pas à juste titre qu'un tel fils est appelé Siméon, c'est-à-dire « action d'exaucer » [2] ?

Celui qui se repent vraiment, en effet, et qui pleure sincèrement, celui-là recevra son pardon, sans aucun doute, et sans retard, car elle est bien vite exaucée, la prière qui jaillit d'un cœur broyé et humilié, humilié par la crainte, broyé par la douleur.

C'est grâce à Ruben qu'il est humilié, grâce à Siméon qu'il est broyé et qu'il verse des larmes de componction : *Bienheureux en effet ceux qui pleurent, car ils seront consolés* [c].

CHAPITRE X

Comment naît l'espérance ordonnée

Mais, je vous le demande, quelle peut bien être la consolation de ceux qui font vraiment pénitence et qui versent des larmes amères, sinon l'espérance du pardon, et elle seule ? Tel est le troisième fils de Jacob, qui est appelé pour cette raison Lévi [a], c'est-à-dire « ajouté » ou « addition » [1], parce qu'après la naissance de ses deux aînés, celui-ci leur est ajouté. La parole de Dieu n'attribue pas à ce fils le nom de « donné », mais celui d'« ajouté », afin que nul ne s'imagine pouvoir espérer son pardon avant d'avoir éprouvé crainte et douleur dignes de sa pénitence. Il est moins relevé par l'espérance, en effet, que frappé de présomption, celui qui se flatte de demeurer impuni sans avoir satisfait pour les crimes dont il s'était rendu coupable.

Par ce nom de Lévi, la sainte Écriture a donc voulu nous assurer que ce troisième fils ne pouvait naître avant les deux premiers, et qu'après eux, cependant, il ne pouvait manquer

deesse. Vere enim et absque dubio, quanto quis frequentius, quantoque uehementius de suo reatu interno dolore affici-
15 tur, tanto certior, tanto securior de indulgentiae uenia effi- citur. *Secundum multitudinem*, inquit, *dolorum meorum in corde meo, consolationes tuae laetificauerunt animam meam* b. Hinc namque est quod Spiritus sanctus Paraclitus, hoc est consolator, dicitur, quia animam paenitentiae lacri-
20 mis afflictam, tam frequenter, quam libenter consolatur. Illam namque frequenter uisitat, illam libenter confortat et ad ueniae fiduciam plene reformat, quam sua scelera flendo damnare et damnando flere considerat.

CAPVT XI

Quomodo oriatur uel ordinetur amor

Incipit ex tunc quaedam familiaritas inter Deum et ani- mam fieri, et amicitia confoederari, eo quod haec se sentiat

15 de indulgentiae uenia : per indulgentiae ueniam ‖ 17 tuae *om.*

b. Ps. 93, 19

2. Le sens de « consolateur » donné au mot Paraclet dérive d'une fausse étymologie et n'est pas attesté dans le Nouveau Testament. Les Pères emploient, sans excès, l'expression ; ainsi saint AUGUSTIN, *Tractatus in Iohannem* XCIV, 2 (ed. R. WILLEMS, *CCSL* 36, 1954, p. 562 ; *PL* 35, 1868) : « Consolator ergo ille uel aduocatus (utrumque enim interpretatur quod est graece paracletus), Christo abscedente fuerat necessarius » ; saint JÉRÔME, *Epistula* CXX, p. 499, l. 10-11 ; *PL* 22, : « Si autem Pater consolator et Filius consolator et Spiritus sanctus consolator » ; ISIDORE, *Sententiarum libri tres* I, *PL* 83, 569 : « Spiritus sanctus, pro eo quod consolator sit, Paraclitus nuncupatur ». La liturgie utilise très rarement, semble-t-il, cette désignation. L'oraison du Missel romain pour la fête de sainte Monique (4 mai) attribue la fonction de consolateur à Dieu le Père : *Deus, maerentium consolator et in te sperantium salus* : Dom P. BRUYLANTS, *Les oraisons du Missel Romain, Texte et histoire*, II, Louvain, 1952, réimpr. 1965, n° 237, p. 73. Une bénédiction pour le 4ᵉ dimanche après Pâques, appelle cependant l'Esprit saint consolateur, n° 641c : *Quatenus et hic inter pressuras*

d'apparaître. Il est vrai, en effet, il est incontestable, que plus quelqu'un est fréquemment et plus violemment frappé d'une intime douleur à la vue de son péché, plus il est certain, plus il est assuré d'obtenir indulgence et pardon. *Les consolations dont tu as réjoui mon âme*, est-il écrit, *ont été à la mesure des innombrables douleurs qui ont accablé mon cœur* [b]. De là vient que l'Esprit saint est appelé Paraclet, c'est-à-dire Consolateur [2], car il console aussi souvent que volontiers l'âme accablée par les larmes de la pénitence. A celle qu'il voit en effet condamner ses péchés en pleurant et les pleurer en les condamnant, il rend de fréquentes visites, il apporte généreusement son réconfort et il lui rend pleine confiance en son pardon.

CHAPITRE XI

Comment naît l'amour ordonné

Une véritable intimité commence alors à s'établir entre Dieu et l'âme, une amitié commence à se nouer. L'âme se

mundi eundem Spiritum eius inuisibiliter consolatorem habeatis, dans *Corpus benedictionum pontificalium*, ed. Dom Ed. MOELLER, CCSL 162, 1971, p. 254. Sur trois proses pour la Pentecôte attribuées à Adam de Saint-Victor († vers 1140), deux parlent de l'Esprit consolateur : *Consolator, alme ueni*, dans *Œuvres poétiques d'Adam de Saint-Victor*. Texte critique par L. GAUTIER, Paris, 1881, p. 54 ; *Consolator et fundator / Habitator et amator, ibid.*, p. 58. *Consolator optime*, ainsi commence la deuxième strophe de l'hymne *Veni sancte Spiritus*, dont on pense généralement qu'elle a Étienne Langton († 1228) pour auteur. C'est au XVIe siècle que le *Veni sancte Spiritus* a remplacé dans la liturgie de la Pentecôte l'antique séquence *Sancte Spiritus assit nobis gratia*. Voir A. WILMART, « L'hymne et la séquence du Saint-Esprit », dans *La vie et les arts liturgiques*, t. 10 (1924), p. 395-401, repris dans *Auteurs spirituels et textes dévôts du Moyen Age latin. Études d'histoire littéraire*, Paris, 1932, réimpress., Paris, Études augustiniennes, 1971, p. 37-45. Sur les noms donnés au saint Esprit, voir A. BLAISE, *Le vocabulaire latin des principaux thèmes liturgiques*, ouvrage revu par Dom A. Dumas OSB, Turnhout, 1966, p. 358-365.

ab illo saepius uisitari, et ex eius aduentu non tantum iam
consolari, immo aliquotiens quodam ineffabili gaudio
5 repleri. Hanc amicitiae confoederationem, ni fallor, Lia
praesenserat, quando iam nato Leui cum magna exultatione
proclamabat : *Nunc copulabitur michi uir meus* [a].

[§ 6] Verus animae sponsus, Deus est. Quem tunc ueraciter nobis copulamus, quando ei per uerum amorem inhae-
10 remus. Immo uero tunc sibi nos ille connectit, quando nos
quibusdam internis commerciis ad suum amorem accendit,
et artius astringit. Quod est enim cor tam durum, tam fer-
reum, quod diuina pietas sua praesentia non emolliat, et sua
dulcedine non alliciat ? Vnde fit ut quem prius consueuerat
15 multum formidare, incipiat postmodum ardenter amare.
Vides iam, ut arbitror, quod quemadmodum post crescen-
tem cotidie timorem, necessario subortus est dolor, sic
utique post spem natam, et per cotidiana incrementa profi-
cientem, nascitur amor.

20 Hic itaque est ille filiorum Iacob, qui quarto loco nascitur, et Iudas, id est confitens, in Scriptura nominatur. Cuius
nominis, si rationem quaerimus, citius inuenimus. Scimus
namque quia quisque quod approbat, hoc amat, et quo plus
amat, tanto amplius approbat. Et quid est approbare, nisi
25 laudare ? Illa, illa utique est uera laudatio, illa est pura

---

XI, 5 ni : nisi ‖ 11 internis : interius ‖ 12 tam[2] : et tam

---

a. Gen. 29, 34 (*michi maritus meus*, Vulg.)

---

1. Richard de Saint-Victor s'insère ici dans le courant spirituel, pour qui
confiteri, confessio signifient à la fois aveu des péchés et louange de la miséricorde de Dieu. Voir, entre autres, AUGUSTIN, *Enarrationes*, in ps. XCIV,
4 ; in ps. XCIX, 16, *CCSL* 39, 1956, p. 1333, 1403-1404 ; GRÉGOIRE LE
GRAND, *Homélies sur Ézéchiel*, II, 4, 1, *SC* 360, 1990, p. 180 ; BERNARD DE
CLAIRVAUX, In uigilia Nativitatis, II, 1, *S. Bernardi opera* IV, 1966, p. 203-
204 ; PIERRE DE POITIERS, uictorin, *Summa de confessione* <*Compilatio
praesens*>, conclusio, *CCCM* 51, 1980, p. 85, l. 6. Voir J.-M. LE BLOND, *Les*

sent, en effet, plus souvent visitée par Dieu, et non seulement sa venue déjà la console, mais elle l'inonde parfois
d'une joie ineffable. Lia, si je ne me trompe, avait pressenti
cette alliance chargée d'amitié lorsque, à la naissance de
Lévi, avec de grands transports d'allégresse, elle s'était
écriée : *Maintenant mon époux sera plus uni à moi* [a].

[§ 6] Le véritable époux de l'âme, c'est Dieu, et il nous
est véritablement uni lorsque nous nous attachons à lui par
un véritable amour. Bien plus, c'est lui qui nous enchaîne à
lui lorsque, par d'intimes échanges, il allume en nous le feu
de son amour et nous tient plus étroitement embrassés. Quel
est en effet le cœur si dur, si insensible, que la tendresse
divine n'amollirait point par sa présence et n'atttirerait par
sa douceur ? De là vient que l'âme commence maintenant à
aimer ardemment celui qu'elle redoutait tant jusque là. Ainsi
encore, tu le constates, je pense, de même qu'à la crainte toujours croissante il fallait que succédât la douleur, de même,
assurément, après la naissance de l'espérance qui chaque
jour, elle aussi, progresse et s'accroît, succède l'amour.

Voilà donc celui des fils de Jacob, qui vient au monde le
quatrième, et que l'Écriture appelle Judas, c'est-à-dire
« confessant ». Si nous cherchons la raison de ce nom, sans
tarder nous la trouvons. Nous le savons en effet : ce que chacun approuve, il l'aime ; plus il aime, plus il approuve.
Qu'est-ce qu'approuver, si ce n'est louer ? Mais la louange,
celle qui est une véritable louange, c'est la pure confession [1]
qui naît d'un chaste amour et qui procède d'une admiration
élogieuse. Voulez-vous maintenant savoir, d'une manière

conversions de saint Augustin, Paris, 1950, p. 6-11 ; A. SOLIGNAC, dans
Œuvres de saint Augustin, t. 13. Les confessions, Paris-Bruges, 1962, p. 9-
11 ; J. LECLERCQ, « La confession, louange de Dieu », La Vie spirituelle,
n. 547, mars 1968, p. 253-265. Cf. Gen. 29, 35 ; JÉRÔME, Liber interpr.,
Gen., ed. P. de LAGARDE, p. 7, l. 19 (CCSL 72, p. 67) : « Iuda laudatio siue
confessio ».

confessio, quae ex casta dilectione surgit, quae ex laudis
admiratione procedit. Vultis nosse apertius quae sit *uox
exultationis et confessionis* [b] quam nouit Iudas solus, uel
ceteris omnibus excellentius ?

CAPVT XII

Quid sit proprium amoris

Attende nunc animum aliquem, nimium amantem, et
nimio amore feruentem. Attende quid sentiat, quid secum
loquatur de eo quem multum amat, quem ualde miratur.
Quid ergo dicit ? Quid secum tacitus loquitur ? O, inquit,
5 quam bonus, quam benignus, o quam suauis, quam dulcis,
o quam amandus, quantum amplectendus, quam totus
admirabilis, quam totus desiderabilis ! O beatum quem
amat, o felicem quem suo amore dignum iudicat ! Me felicem, si eo frui liceat, me beatum, si eum possidere contin-
10 gat ! Haec, ni fallor, est illa *uox exultationis et confessionis* [a],
quae semper ex ore Iudae resonat in auribus diuinae pietatis [b].

Quid tu dicis, Lia ? Quid tu proclamas pro Iuda ? Quid
tu reddis Domino ? Quid retribuis pro tali puero ? *Nunc,*
15 inquit, *confitebor Domino* [c]. *Confitebor*, inquit, *Domino
nimis in ore meo* [d].

Vere utique et absque dubio, non solum frequenter, sed
etiam indesinenter Domino confiteris, si tamen perfecte dili-
gis : *Benedicam*, inquit, *Dominum in omni tempore, semper
20 laus eius in ore meo* [e]. Semper quidem laudas, si semper amas

---

28 quam : quae
XII, 10 ni : nisi ‖ 11 quae : qui

---

b. Ps. 41, 5 (*in uoce,* Vulg.)
a. Ps. 41, 5 ‖ b. Cf. Cant. 2, 14 (*sonet uox tua in auribus meis,* Vulg.) ‖
c. Gen. 29, 35 (*modo confiteor Domino,* Vulg.) ‖ d. Ps. 108, 30 ‖ e. Ps. 33, 2

plus explicite, ce que sont *les paroles d'exultation et de louange* [b] que Judas est seul à connaître, ou qu'il connaît mieux que tout autre ?

CHAPITRE XII

Quel est le propre de l'amour

Considérez alors avec attention les sentiments de quelqu'un qui aime d'une manière excessive et qui brûle d'un amour trop ardent. Prêtez attention à ce qu'il ressent, à ce qu'il se dit à lui-même de l'objet de son fervent amour et de sa vive admiration. Que dit-il donc ? Que se dit-il à lui-même en silence ? « O, dit-il, qu'il est bon, qu'il est affectueux, qu'il est agréable, qu'il est doux ! qu'il est digne d'être aimé, d'être embrassé ! Qu'il est tout entier admirable, tout entier désirable ! Heureux celui qu'il aime, bienheureux celui qu'il juge digne de son amour ! Quelle félicité ce serait pour moi s'il m'était permis de jouir de lui, quel bonheur s'il m'arrivait de le posséder ! » Tels sont, si je ne me trompe, *les paroles de joie et de louange* [a] qui sans cesse, de la bouche de Judas, parviennent jusqu'aux oreilles de la tendresse divine [b].

Et toi, que dis-tu donc, Lia ? Quels cris pousses-tu en l'honneur de Judas ? Quelles actions de grâces rends-tu au Seigneur ? Que lui donnes-tu pour le remercier d'un tel enfant ? *Maintenant*, dit-elle, *je louerai le Seigneur* [c]. *Ma bouche*, dit l'Écriture, *ne cessera de confesser le Seigneur* [d].

Vraiment, et sans aucun doute, tu ne confesses pas seulement le Seigneur fréquemment, mais aussi sans arrêt, si du moins tu l'aimes parfaitement, car il est écrit : *Je bénirai le Seigneur en tout temps, sa louange sera toujours sur mes lèvres* [e]. En réalité, tu le loues toujours si tu l'aimes toujours

et semper desideras, nam non amares si non approbares.
Quid est enim, ut dictum est, approbare, nisi laudare ? Et
ipsa laudatio, ipsa est confessio. Nec putes quod sufficiat
Iudae confiteri tantum corde, nisi etiam confiteatur et ore.
25 Cupit enim Iudas et aliis commendare, et ad eius amorem
accendere, quem omnium amore dignum iudicat, et ab
omnibus amari desiderat. Haec omnia dicta sunt de confessione laudis. Sed quid dicemus de confessione criminis ? An
forte Iudas istam ignorat, quamuis illam tam excellenter
30 agnoscat ? Ego non sic existimo, quia et hanc et illam ad
honorem Dei multum pertinere cognosco. Et scio quia qui
ueraciter diligit, libenter facit quicquid honori Dei militare
cognouerit.

[§ 7] Multum commendat bonitatem Dei, non solum lar-
35 gitas sua, sed etiam iniquitas nostra. Si enim magnum est nil
promerentibus gratis impendere multa, quale quantumue
erit tribuere bona promerentibus mala ? O qualis pietas,
quam nulla nostra superare potest iniquitas ! Alia sunt quae
misericorditer ignoscit, alia quae affluenter tribuit. Ignoscit
40 mala nostra, largitur bona sua. Semper praesto ad ignoscen-
dum, semper paratus ad largiendum. Hic largus, illic pius,
utrobique benignus, ubique bonus. Confiteamur ergo illi
mala nostra, confiteamur illi bona nostra. Confiteamur a
nobis esse mala nostra, ut pie ignoscat ; confiteamur ab ipso
45 esse bona nostra, ut conseruet et augeat.

Haec Iudas incessanter actitat, ne ingratus appareat, uel
de indulta uenia, uel de concessa gratia. Recte ergo, ut arbi-

38 iniquitas : impietas ‖ 41 hic pius, illic largus

1. Cf. *supra* XI.

et si tu le désires toujours, car tu ne l'aimerais pas si tu ne l'approuvais pas. Qu'est-ce donc en effet qu'approuver, on l'a dit [1], sinon louer ? Et la louange elle-même est elle-même confession. Et ne t'imagine pas que Judas se contenterait de confesser de cœur, s'il ne confessait aussi de bouche. Judas veut faire connaître aux autres, en effet, celui qu'il juge digne de l'amour de tous, et il désire allumer en eux le feu de son amour, afin qu'il soit aimé de tous. Tout cela se rapportait à la confession de louange. Mais que dirons-nous de la confession du péché ? Judas pourrait-il ignorer celle-ci, alors qu'il a une si haute idée de celle-là ? Je ne le pense pas, car je sais que l'une et l'autre concernent beaucoup l'honneur de Dieu, et je n'ignore pas que celui qui aime véritablement accomplit avec joie tout ce qu'il voit servir à l'honneur de Dieu.

[§ 7] La libéralité de Dieu n'est pas seule, en effet, à nous manifester sa bonté, d'une manière éclatante ; notre iniquité y contribue également. Car s'il est grand de donner beaucoup, et gratuitement, à ceux qui ne méritent rien, que sera-ce d'accorder généreusement de bonnes choses à ceux qui en ont mérité de mauvaises ? O merveilleuse bonté, qu'aucune de nos impiétés ne peut décourager ! Autres sont les choses que sa miséricorde pardonne, autres celles que donne sa générosité. Elle pardonne le mal qui est en nous, elle prodigue les biens qui sont en elle. Toujours disposée à pardonner, toujours prête à donner. Ici pleine de tendresse, là de générosité, ici et là de bienveillance, et partout de bonté. Confessons lui donc le mal qui est en nous, louons la pour les biens que nous avons reçus. Confessons que le mal qui est en nous vient de nous, afin qu'elle le pardonne dans sa miséricorde ; reconnaissons que les biens qui sont en nous viennent d'elle, afin qu'elle nous les garde et les accroisse.

Voilà ce que Judas ne cesse de faire, afin de ne point paraître ingrat, ni pour le pardon obtenu, ni pour la grâce

tror, hic filius Iudas, id est confitens, uocatur, quia uerus
amor semper confitetur. Denique, cum scriptum sit quia
50 Deus ueritas est [f], Deum non amare conuincitur quisquis
ueritatem confiteri erubescit. *Iustus*, inquit Scriptura, *in ini-
tio accusator est sui* [g]. Habet ergo quid agat, qui se credit uel
cupit esse amatorem Dei, nisi forte putet aliud esse amare
Deum quam amare iustitiam Dei.
55 Ecce iam habemus de quatuor primis filiis Liae. Primus
est timor poenae, secundus dolor paenitentiae, tertius spes
ueniae, quartus amor iustitiae, et post haec desinit parere [h].
Sufficere enim sibi posse existimat, cum se uera bona ueraciter amare considerat.

CAPVT XIII

Quomodo per inuisibilium amorem mens instigetur
ad inuisibilium inuestigationem

Sed quid, putas, in corde Rachel agitur ; quibus, putas,
desideriorum aestibus agitatur, cum uideat Liam sororem
suam matrem filiorum laetantem [a], se autem sterilem per-
manentem ? Audiamus quid dicat, et intelligamus quid
5 doleat. Quid ergo dicit Iacob uiro suo ? *Da michi*, inquit,
liberos, alioquin moriar [b]. Absque dubio studium sapientiae
si non proficit, citius deficit.
Sed quaeramus diligenter quidnam esse possit, quod, nato
Iuda, Rachel ad amorem prolis solito amplius inardescit [c].

---

55 primis *om.*

---

f. Cf. Jn 14, 6 (*Ego sum uia, ueritas et uita*, Vulg.*)* ; I Jn 5, 6 : (*Christus
est ueritas*, Vulg.) ‖ g. Prov. 18, 17 (*Iustus prior accusator est sui*, Vulg.) ‖
h. Cf. Gen. 29, 35
a. Cf. Ps. 112,9 ‖ b. Gen. 30, 1 ‖ c. *Ibid.*

---

2. Cf. *supra* XI, n. 1

reçue. C'est donc à juste titre, ce me semble, que ce fils est appelé Judas, c'est-à-dire « confessant » [2], parce que le véritable amour ne cesse de confesser. De plus, comme il est écrit que Dieu est vérité [f], quiconque rougit de confesser la vérité est convaincu, par là même, de ne point aimer Dieu : *Le juste*, dit l'Écriture, *est* d'abord *son propre accusateur* [g]. Il a donc de quoi faire, celui qui se croit l'ami de Dieu ou qui désire l'être, à moins qu'il ne s'imagine, peut-être, que l'amour de Dieu est autre chose que l'amour de sa justice.

Nous en avons maintenant fini avec les quatre premiers fils de Lia. Le premier représente la crainte du châtiment, le second la douleur de la pénitence, le troisième l'espérance du pardon, le quatrième l'amour de la justice, Lia cesse ensuite d'enfanter [h]. Elle estime en effet que cela peut lui suffire, puisqu'elle considère qu'elle aime vraiment les véritables biens.

CHAPITRE XIII

Comment l'amour des choses invisibles pousse l'esprit à les rechercher

Mais que se passe-t-il, crois-tu, dans le cœur de Rachel ? De quels brûlants désirs ne doit-il pas être tourmenté, lorsqu'elle voit que sa sœur Lia est devenue la joyeuse mère de ses fils [a], tandis qu'elle même reste stérile ? Écoutons ce qu'elle dit, et comprenons sa plainte. Que dit-elle donc à Jacob, son mari ? *Donne-moi des enfants*, s'écrie-t-elle, *autrement je mourrai* [b]. Il n'est pas douteux que si l'amour de la sagesse ne grandit pas, il ne tarde pas à s'éteindre.

Mais cherchons avec soin comment il peut se faire qu'à la naissance de Judas, Rachel brûle beaucoup plus que de cou-

10 Diximus superius quia sicut ad Liam, id est animi affectionem, pertinet diligere, sic Rachelis, id est rationis, est
cognoscere. Ex illa namque oritur quilibet affectus ordinatus, ex ista sensus seu intellectus purus. Sed quid aliud per
Iudam intelligimus nisi amorem ordinatum, amorem coe-
15 lestium, amorem Dei, amorem summi boni ? Nato itaque
Iuda, id est bonorum inuisibilium desiderio exurgente
atque feruente, incipit Rachel amore prolis aestuare, quia
incipit uelle cognoscere. Vbi amor, ibi oculus ; libenter aspi-
cimus, quem multum diligimus. Nulli dubium quia qui
20 potuit bona inuisibilia diligere, quin uelit statim cognoscere,
et per intelligentiam uidere, et quanto plus crescit Iudas,
affectus uidelicet diligendi, tanto amplius in Rachel feruet
desiderium pariendi, hoc est studium cognoscendi.

CAPVT XIV

Quae sit prima uia omni ingredienti ad inuisibilium
contemplationem, uidelicet per imaginationem

Sed quis nesciat quam sit difficile, immo quam pene
impossibile, mentem carnalem, et adhuc in studiis spiritualibus rudem, ad inuisibilium intelligentiam assurgere, et in
illis contemplationis oculum figere ? Nulla quippe nouit
5 adhuc nisi corporalia, nil aliud cogitanti occurrit, nisi quae
cogitare consueuit, sola uisibilia. Quaerit in uisibilia uidere,
et nil occurrit nisi formae rerum uisibilium ; desiderat incorporea intueri, et nil somniat nisi imagines rerum corpora-

XIII, 20 bona *om.*
XIV, 5 aliud + adhuc ‖ 7 intueri incorporea

1. Cf. *supra* III.

tume du désir d'enfanter ᶜ. Nous avons noté plus haut [1] que si aimer est le propre de Lia, c'est-à-dire de l'affection de l'esprit, connaître est le propre de Rachel, c'est-à-dire de la raison. De la première, en effet, naissent les affections ordonnées, de la seconde le sens ou la connaissance pure. Mais qu'entendons-nous par Judas, sinon l'amour ordonné, l'amour des choses célestes, l'amour du Souverain Bien ? C'est pourquoi, après la naissance de Judas, lorsque s'est éveillé un désir ardent des choses invisibles, Rachel se met à brûler du désir d'enfanter, parce qu'elle commence à vouloir connaître. Là où est l'amour, là aussi sont nos yeux. Avec joie nous regardons ce qu'ardemment nous aimons. Nul ne saurait douter que celui qui a pu aimer les biens invisibles ne veuille aussitôt les connaître et des yeux de l'intelligence les voir, et que plus grandit Judas, c'est-à-dire l'amour, plus s'enflamme en Rachel le désir d'enfanter, c'est-à-dire la soif de connaître.

CHAPITRE XIV

Que l'imagination est le premier chemin
pour quiconque veut parvenir à la contemplation
des choses invisibles

Mais qui donc ignore combien il est difficile, et même presque impossible, pour un esprit charnel, encore ignorant des voies spirituelles, de s'élever jusqu'à l'intelligence des réalités invisibles et de fixer sur elles l'œil de la contemplation. Il ne connaît rien encore, sinon les choses corporelles. Rien ne lui vient à l'esprit, sauf les choses auxquelles il a l'habitude de penser, les choses visibles, et elles seules. Il cherche à voir les réalités invisibles, mais rien n'arrive jusqu'à lui, sauf les formes des choses visibles ; il désire fixer ses regards sur les réalités incorporelles, mais il ne songe

x128   LES DOUZE PATRIARCHES

lium. Quid ergo faciat ? Quid agat ? Nonne melius est qua-
10 licunque modo illa cogitare, quam obliuioni uel negligentiae
tradere ? Immo, si bene amat mens, ea non facile obliuiscitur, multo tamen difficilius ad eorum contemplationem
subleuatur. Facit tamen quod potest, intuetur ea quomodo
potest. Cogitat per imaginationem, quia necdum uidere
15 ualet per intelligentiae puritatem.

Haec, ut arbitror, est causa cur Rachel prius liberos
habeat de ancilla, quam generet de seipsa [a], quia dulce est ei
saltem imaginando eorum memoriam retinere, quorum
intelligentiam nondum ualet ratiocinando apprehendere.
20 Sicut enim per Rachel rationem, sic per eius ancillam intelligimus imaginationem. Suadet ergo ratio commodius esse
qualicunque modo uera bona cogitare, et imaginaria quadam
saltem pulchritudine ad eorum desiderium animum accendere, quam in falsis et deceptoriis bonis cogitationem figere,
25 et haec est ratio cur Rachel uoluerit ancillam suam uiro suo
tradere [b]. Hanc esse primam uiam omni ingredienti ad inuisibilium contemplationem nemo ignorat, nisi forte quem ad
hanc scientiam necdum experientia informat.

CAPVT XV

Quomodo infirmorum speculationi diuinae
Scripturae alludant

Sed nec hoc praetereundum quomodo diuinae Scripturae
huic speculationi alludant, et humanae infirmitati condes-

9 ergo : igitur ‖ 20 per[1] *om.*
XV, 1 scripturae diuinae

a. Gen. 30, 3-8 ‖ b. Gen. 30, 3

qu'aux images des choses corporelles. Que doit-il donc faire ? Comment doit-il se comporter ? Ne vaut-il pas mieux penser tant bien que mal à ces réalités invisibles, plutôt que de les oublier ou de les négliger ? Assurément, mais si l'esprit les aime bien et ne les oublie pas facilement, il ne s'élève que beaucoup plus difficilement jusqu'à les contempler. Il fait cependant ce qu'il peut, il les regarde comme il peut. Il pense avec l'aide de l'imagination, puisqu'il ne peut voir encore d'une pure intellection.

Voilà, me semble-t-il, la raison pour laquelle Rachel a des enfants de sa servante avant d'en engendrer elle-même [a]. Il lui est agréable, en effet, de conserver dans sa mémoire, au moins par imagination, ce que son intelligence ne peut encore atteindre en raisonnant. De même en effet qu'en Rachel nous voyons la raison, de même sa servante représente-t-elle pour nous l'imagination. La raison nous persuade, dès lors, qu'il est plus avantageux de penser en quelque manière aux biens véritables et d'en allumer le désir dans l'esprit au moins à l'aide d'une représentation imaginaire de leur beauté, plutôt que de fixer notre pensée sur des biens faux et trompeurs. Telle est la raison pour laquelle Rachel a voulu livrer sa servante à son mari [b]. Que ce soit là le premier chemin où doive s'engager quiconque veut parvenir à la contemplation des choses invisibles, nul ne l'ignore, sauf peut-être celui à qui l'expérience ne l'a point encore appris.

CHAPITRE XV

Comment les divines Écritures viennent en aide à la spéculation des faibles

Mais il ne faut pas oublier de dire comment les divines Écritures favorisent cette première spéculation et se mettent à la portée de la faiblesse humaine. Elles décrivent en effet les

cendant. Res enim inuisibiles per rerum uisibilium formas
describunt, et earum memoriam per quarumdam concupis-
5 cibilium specierum pulchritudinem mentibus nostris impri-
munt. Hinc est quod nunc terram lacte et melle manantem [a]
promittunt ; nunc flores, nunc odores nominant, nunc per
cantus hominum, nunc per concentus auium coelestium
gaudiorum armoniam designant. Legite Apocalipsim
10 Iohannis et inuenietis coelestis Iherusalem ornatum per
aurum et argentum, per margaritas uel alias quaslibet gem-
mas pretiosas multipliciter descriptum [b]. Et scimus quidem
quia horum omnium nichil ibi est, ubi tamen nichil omnino
deesse potest. Talium namque nichil ibi est per speciem, ubi
15 tamen totum est per similitudinem.

In his omnibus habet Bala unde suae dominae utiliter dese-
ruiat, quandoquidem ei horum omnium memoriam ubi et
quando uoluerit pro uoto repraesentat. Haec enim statim cum
uoluerimus imaginari possumus. Nunquam imaginatio rationi
20 utilior esse poterit, quam cum ei in tali obsequio deseruit.

CAPVT XVI

Quod imaginatio alia sit bestialis, alia rationalis

Sed ut de Balae filiis quae dicenda sunt prosequamur,
sciendum est quod imaginatio alia bestialis, alia rationalis.

Bestialis autem inter filios Iacob annumerari non debet,
nec talem aliquando Rachel adoptiuum sibi filium facere
5 uolet. Bestialis itaque imaginatio est, quando per ea quae
paulo ante uidimus uel fecimus, sine ulla utilitate, absque
omni deliberatione, huc illucque uaga mente discurrimus.
Haec utique bestialis est, nam et hoc bestia facere potest.

14 dominae suae
XVI, 4 talem : tamen

a. Cf. Ex. 3, 5 ; Nombr. 14, 8 ; Deut. 6, 3 ; 26, 9 ; 27, 3 etc. ‖ b. Cf. Apoc.
21, 2. 10-12. 18-21

réalités invisibles à l'aide de formes empruntées aux choses visibles, et elles impriment en nos esprits le souvenir par de belles et attrayantes images. Ici elles promettent une terre où coulent le lait et le miel [a] ; là elles font mention de fleurs ou de parfums ; ailleurs elles représentent l'harmonie des joies célestes et évoquent à cet effet, tantôt le chant des hommes, tantôt le chœur des oiseaux. Lisez l'Apocalypse de Jean. Vous verrez comment l'or et l'argent, des perles et des pierres précieuses de toute espèce servent à y décrire les splendeurs de la Jérusalem céleste [b]. Nous savons bien pourtant que rien de tout cela ne s'y trouve, encore qu'absolument rien ne puisse y manquer. Aucune de ces choses ne subsiste sous sa forme propre, là où tout se trouve pourtant par ressemblance.

Bala est donc en mesure, en tout cela, de rendre d'utiles services à sa maîtresse, puisqu'elle lui remet toutes ces images en mémoire, à son gré, où et quand elle le veut. Imaginer toutes ces choses, en effet, nous le pouvons aussitôt que nous le voulons. Jamais l'imagination ne peut être plus utile à la raison que lorsqu'elle lui rend pareil service.

CHAPITRE XVI

Qu'autre est l'imagination bestiale, autre l'imagination rationnelle

Mais pour aller jusqu'au bout de ce que nous avons à dire des fils de Bala, il faut ajouter que l'imagination bestiale est une chose, l'imagination rationnelle une autre.

L'imagination bestiale ne doit pas être mise au nombre des fils de Jacob, et Rachel ne peut faire que cet enfant adoptif soit un jour son fils. L'imagination est bestiale, en effet, lorsque nous laissons notre esprit vagabond courir ici et là, revenant, sans aucun profit et sans le moindre contrôle, sur ce que nous venons de voir ou de faire. Une telle activité est bestiale, parce qu'un animal peut aussi s'y livrer.

Rationalis autem est illa, quando ex his quae per sensum
10 corporeum nouimus, aliquid imaginabiliter fingimus. Verbi
gratia : aurum uidimus, domum uidimus, auream autem
domum nunquam uidimus ; auream tamen domum imaginari possumus, si uolumus. Hoc utique bestia facere non
potest, soli rationali creaturae hoc possibile est. Huiusmodi
15 imaginatione saepe utimur, cum quae sint futurae uitae bona
uel mala diligentius rimamur.

Nusquam hic sola bona, nusquam hic sola mala, sed permixta simul et bona et mala, et quamuis in utroque genere
sint multa, nunquam tamen inueniuntur sola. Ibi inueniri
20 possunt et bona sine ammixtione malorum, et mala nichilominus sine ammixtione bonorum. Item hic sicut nec sola, sic
nec summa inuenimus, ibi et summa et impermixta, bona uel
mala esse non dubitamus. Quotiens igitur ex multis bonis
uel malis quae in hac uita sensus corporeus experitur, quale
25 uel quantum esse possit illud futurae uitae summum bonum
siue malum colligitur, et ex eorum imaginatione quaedam
futurorum imago figuratur, talis utique imaginatio rationalis esse facile conuincitur, et ad Balam et ad Rachel pertinere
uidetur. Ad Balam pertinet in quantum imaginatio est, ad
30 Rachel autem in quantum rationalis est. Talis itaque proles,
et imaginationis est per natiuitatem, et rationis per adoptio-
nem. Huiusmodi enim prolem una generat, sed altera educat. Ex Bala namque nascitur, sed per Rachel moderatur.

14 rationali : rationabili ‖ hoc *om.* ‖ est *om.* ‖ 22 uel : et ‖ 26 eorum :
horum ‖ 32 educat : educit

L'imagination est rationnelle, en revanche, lorsque nous forgeons de l'imaginaire à partir de ce que nous avons connu par les sens. Voici un exemple : nous avons vu de l'or, nous avons vu des maisons, mais nous n'avons jamais vu de maison en or ; nous pouvons imaginer cependant une maison d'or, si nous le voulons. Un animal, en vérité, ne peut en faire autant ; une créature raisonnable en est seule capable. C'est de cette sorte d'imagination que nous nous servons, souvent, lorsque nous cherchons à découvrir, non sans effort, ce que sont les biens et les maux de la vie future.

Nulle part, ici-bas, ne se trouvent que des biens, nulle part ne se trouvent que des maux, mais biens et maux ensemble s'entremêlent, et quoique les uns et les autres soient innombrables, jamais pourtant on ne les trouve isolés. On pourra cependant trouver dans l'au-delà des biens qui ne seront pas mêlés de maux et des maux qui ne seront pas mêlés de biens. Et ici-bas encore, si nous ne trouvons pas de biens et de maux purs de tout mélange, nous n'en trouvons pas non plus de suprêmes. Dans l'au-delà, en revanche, nous ne doutons pas que les biens et les maux, purs de tout mélange, atteignent leur paroxysme. Chaque fois dès lors qu'à partir des biens ou des maux si nombreux dont le sens corporel fait l'expérience en cette vie, nous réfléchissons à ce que pourront être les biens et les maux suprêmes dans la vie future et à ce que sera leur intensité, et chaque fois qu'à l'aide de cet effort d'imagination nous nous en faisons une image, nous nous convainquons aisément qu'une telle activité relève de l'imagination rationnelle et qu'elle dépend, selon toute apparence, de Bala et de Rachel, de Bala parce qu'elle relève de l'imagination, de Rachel parce qu'elle est rationnelle. Une telle progéniture appartient à l'imagination par naissance, à la raison par adoption. L'une l'engendre, l'autre fait son éducation. C'est en effet Bala qui lui donne naissance, mais c'est Rachel qui la gouverne.

CAPVT XVII

Quod cum imaginationem, rationem, uoluntatem dicimus,
diuersis modis id accipimus

Neminem conturbet quod et matrem et prolem imaginationem appellem. Sed hoc uolo esse inter matrem et filium,
quod est inter instrumentum et actum, uel hoc est inter
matrem et eius prolem, quod est inter genus et speciem.
5　Nam genus, adiuncta sibi differentia, ex se speciem generat,
quemadmodum copula uiri feminam ad prolem fecundat.
Et saepe instrumentum et eius actionem uno nomine appel-
lamus, nam illud quod uidemus et illud quo uidemus uisum
uocamus. Sic cum ratio, uel uoluntas, uel intellectus nomi-
10　natur, aliquando instrumentum, aliquando eius actio intelligitur. Et scimus quidem quia instrumentum quam eius actio
semper prius est, et sine ipsa esse potest. Habet ergo actio
ab instrumento esse, non instrumentum ab actione. Vnde
nec inconueniens est per instrumentum matrem, per actio-
15　nem autem filium eius intelligere. Imaginatio ergo, quando
instrumentum significat, est illa uis animae qua cum uoluerit quodlibet imaginari potest. Hoc instrumento, cum ad aliquid imaginandum mens utitur, actio proculdubio quaedam
efficitur, quae similiter imaginatio nominatur.
20　Haec uolui breuiter commemorare, sed in his immorari
diutius non est necesse. Sed nunc ad prosecutionis ordinem
reuertamur.

XVII, 12 ab instrumento actio esse ‖ 14 uis illa ‖ 17 potest : ualet

CHAPITRE XVII

Que lorsque nous parlons d'imagination, de raison et de volonté, nous prenons ces termes de différentes manières

Que personne ne s'inquiète de ce que je donne le nom d'imagination aussi bien à la mère qu'à sa descendance. Mais je veux qu'il y ait, entre la mère et le fils, le même rapport qu'entre l'instrument et son opération, ou qu'il y ait, entre la mère et sa postérité, le même rapport qu'entre le genre et l'espèce. Car le genre, si on y joint la différence, engendre l'espèce, de même que l'union de l'homme féconde la femme en vue d'une descendance. Mais nous donnons souvent un seul et même nom à l'instrument et à son opération. Ainsi appelons-nous « vue » la chose que nous voyons et ce par quoi nous la voyons. De même, lorsque nous parlons de raison, ou de volonté, ou d'intelligence, il peut s'agir tantôt d'un instrument, tantôt de son opération. Nous savons, certes, que l'instrument est toujours antérieur à son opération et qu'il peut exister sans elle. C'est donc l'opération qui tient son être de l'instrument, et non l'instrument de son opération. Ainsi n'y a-t-il aucun inconvénient à reconnaître la mère dans l'instrument et son fils dans l'opération correspondante. L'imagination, dès lors, prise au sens d'instrument, est cette puissance de l'âme qui est capable d'imaginer ce qu'elle veut quand elle le veut. Lorsque l'esprit se sert de cet instrument pour imaginer quelque chose, il effectue évidemment une opération, et celle-ci reçoit également le nom d'imagination.

J'ai voulu rappeler tout cela brièvement, mais il n'est pas nécessaire de nous y attarder plus longuement. Revenons donc maintenant à la suite de l'exposé.

CAPVT XVIII

De gemina speculatione quae surgit ex imaginatione

[§ 8] Diximus quia sola rationalis imaginatio ad Rachel pertinere uideatur, et quae rationalis non est, eius adoptione prorsus indigna iudicatur. Sed rationalis imaginatio alia est per rationem disposita, alia intelligentiae permixta. Illa uti-
5 mur quando secundum uisibilium rerum cognitam speciem uisibile aliquid aliud mente disponimus, nec tamen ex eo inuisibile aliquid cogitamus. Ista uero tunc utimur, quando per uisibilium rerum speciem ad inuisibilium cognitionem ascendere nitimur. In illa est imaginatio non sine ratione, in
10 ista intelligentia non absque imaginatione.

Isti sunt duo filii Balae, quorum primogenitus Dan dicitur, posterior Neptalim nominatur [a]. Ad Dan itaque specialiter pertinet consideratio futurorum malorum, ad Neptalim autem speculatio futurorum bonorum. Dan nichil nouit nisi
15 corporalia, sed ea tamen rimatur quae longe sunt a sensu corporeo remota. Neptalim per rerum uisibilium formam surgit ad rerum inuisibilium intelligentiam.

Infernalia tormenta longe a sensu corporeo remota non dubitamus, quia ubi uel qualia sint uidere non possumus,
20 sed tamen haec quotiens uolumus per ministerium Dan prae oculis cordis habemus. Nemo fidelium, cum infernum, flammam gehennae, tenebras exteriores in Scripturis sanctis legit [b], haec figuraliter dicta credit, sed ista ueraciter et corporaliter alicubi esse non diffidit. Vnde fit nimirum ut, quam-
25 uis haec quispiam ante oculos cordis per imaginationem

XVIII, 6 aliud aliquid ‖ 25 quispiam haec

a. Cf. Gen. 30, 6-8 ‖ b. Cf. Matth. 5, 22 ; 8, 12 ; 18, 9 ; 22, 13 ; 25, 30 ; Mc 9, 44-47

CHAPITRE XVIII

Des deux spéculations qui naissent de l'imagination

[§ 8] Nous avons dit que seule l'imagination rationnelle semble relever de Rachel et que celle qui n'est point rationnelle est jugée tout à fait indigne d'être adoptée par elle. Mais autre est l'imagination rationnelle que règle la raison, autre celle où l'intelligence intervient. Nous nous servons de la première lorsqu'à l'aide des images des choses visibles que nous connaissons, notre esprit se représente quelque autre objet visible, sans que nous pensions pour autant, à partir de là, à quoi que ce soit d'invisible. Mais nous nous servons de la seconde lorsque des images des choses visibles, nous tentons de nous élever jusqu'à la connaissance des réalités invisibles. Dans la première, l'imagination n'est pas privée de raison ; dans la seconde, l'intelligence n'est pas dépourvue d'imagination.

Ce sont là les deux fils de Bala. Le premier est appelé Dan, le second Nephtali [a]. C'est à Dan qu'il appartient spécialement de considérer les maux à venir, mais c'est à Nephtali que revient la vision des biens futurs. Dan ne connaît rien d'autre que les choses corporelles mais il approfondit pourtant sa réflexion à des réalités fort éloignées du sens corporel ; Nephtali part des formes des choses visibles pour s'élever jusqu'à l'intelligence des choses invisibles.

Nous ne doutons pas, en effet, que les tourments de l'enfer soient fort éloignés de ce que nous apprennent les sens corporels, car nous ne pouvons voir, ni où ils sont, ni ce qu'ils sont, et pourtant, avec l'aide de Dan, nous les avons sous les yeux de notre cœur chaque fois que nous le désirons. Aucun fidèle ne croit que ce qu'il lit dans les saintes Écritures [b] de l'enfer, des flammes de la géhenne et des ténèbres extérieures a été dit en figures, et nul n'hésite à admettre que tout cela existe quelque part, réellement et corporellement. De là vient, assurément, qu'en voyant ces choses en imagination, avec les

ponat, non statim eorum significationem per spiritualem
intelligentiam quaerat, quia haec non tam figuraliter quam
historialiter dicta non dubitat. Recte ergo horum considerationem ad Dan specialiter pertinere iam diximus, ubi sola
30 imaginatione opus habemus, quamuis eam in tali negotio
non sine rationis dispositione tractemus.

Sed cum terram lacte et melle manantem [c], coelestis
Ierusalem muros ex lapidibus pretiosis, portas ex margari-
tis, plateas ex auro legerit [d], quis sani sensus homo haec iuxta
35 litteram accipere uelit ? Vnde statim ad spiritualem intelligentiam recurrit, et quid ibi misticum contineatur exquirit.
Videsne quomodo haec talis futurorum descriptio ad
Neptalim tantum pertinere uideatur, ubi sine intelligentia
sola imaginatio sufficere non posse minime ignoratur.

40 Recte ergo dictum est quod ad Dan specialiter pertineat
consideratio futurorum malorum, ad Neptalim autem
maxime speculatio futurorum bonorum. Multa tamen, et
quae de tormentis malorum scripta sunt, mistice accipienda
sunt, et multa similiter de futurae uitae bonis, quamuis cor-
45 poralia describantur, simpliciter intelligenda.

CAPVT XIX

De prima speculatione et eius proprietate

Illud autem sciendum est, immo nec hoc ignorari potest,
quia illa consideratio meditanti facilius occurrit, quae in sola

---

28 horum *om.* ‖ 31 tractamus ‖ 36 exquirit : inquirit

---

c. Cf. Ex. 3, 8, etc. ‖ d. Cf. Apoc. 21, 18-21

---

1. Cf. *supra* l.

yeux du cœur, certains n'en cherchent pas immédiatement la signification et l'intelligence spirituelles. Ils sont en effet persuadés que tout cela ne doit pas être entendu au sens figuré, mais au sens littéral. Nous n'avons donc pas eu tort de dire plus haut que la considération de ces réalités appartient spécialement à Dan [1], puisque nous n'y avons besoin que de l'imagination, encore que, dans une pareille occupation, nous n'agissions pas sans une intervention de la raison.

Mais lorsqu'il est question, dans l'Écriture, d'une terre où coulent le lait et le miel [c], des murs de la Jérusalem céleste faits de pierres précieuses, de ses portes ornées de perles, de ses places publiques pavées d'or [d], quel homme de bon sens voudrait prendre ces descriptions à la lettre ? Aussi a-t-on aussitôt recours à l'intelligence spirituelle et recherche-t-on quels mystères tout cela contient. Ne vois-tu donc pas, dès lors, comment de telles descriptions du monde à venir semblent n'appartenir qu'à Nephtali, puisque, on ne peut absolument pas l'ignorer, sans intelligence, l'imagination laissée à elle-même n'y suffirait pas.

On a donc eu raison de dire que la considération des maux à venir revenait spécialement à Dan, mais que la vision des biens futurs appartenait surtout à Nephtali. Pourtant bien des choses dites par l'Écriture et se rapportant aux tourments réservés aux méchants doivent être entendues au sens mystique, et bien des choses relatives aux biens de la vie future, qui sont décrites elles aussi à l'aide de représentations corporelles, doivent être prises au sens obvie.

CHAPITRE XIX

La première spéculation et ses propriétés

Il faut savoir cependant, et on ne peut vraiment l'ignorer, que la considération qui relève de la seule imagination est

imaginatione consistit. Nam illa quae cum sola intelligentia
permiscetur, quanto subtilior, tanto difficilius inuenitur.
5 Vnde est quod Dan prior, Neptalim uero posterior nascitur [a].

Hoc autem in hac gemina consideratione ualde notabile,
quod Dan secundum praesentium rerum imaginationem
ueram repraesentat rerum futurarum imaginationem fictam,
10 Neptalim uero saepe per descriptae rei imaginationem fictam surgit ad intelligentiam ueram. Neque enim licet de
futuris et inuisibilibus bonis per spiritualem intelligentiam
aliquid falsum fingere, quamuis absque culpa sit tormenta
malorum multo aliter quam sunt per imaginationem cernere.
15 Quis enim ea omnino prout sunt in hac uita contemplari
sufficiat ? Sed quisque ea pro arbitrio mentis non qualia
sunt, sed qualia fingere nouit, figurando describit.

Vnde fortassis hic talis filius Dan, id est iudicium, uocatur, quia in tali repraesentatione non experientiae docu-
20 mentum, sed suae discretionis sequitur arbitrium. Nam
quoniam Dan futurarum rerum repraesentationem in
cuiusque mente ex proprio iudicio format, recte quis, ut
arbitror, artificem talium Dan, id est iudicium uocat.

CAPVT XX

De officio primae speculationis

Est tamen huius nominis alia ratio, quae forte quanto subtilior, tanto etiam inuenitur utilior. Sancti etenim uiri, quo-

XIX, 8 secundum : scilicet per ‖ 23 id est : in
XX, 2 inuenitur + et

---

a. Gen. 30, 7-8

celle qui se présente le plus facilement dans la méditation. Celle, en revanche, qui n'est mêlée qu'à l'intelligence, plus elle est subtile, plus on y parvient difficilement. C'est la raison pour laquelle Dan naît le premier, mais Nephtali le second [a].

Il faut bien remarquer, cependant, dans ces deux sortes de considérations, que Dan se forge une représentation imaginative des choses futures à partir d'images vraies, empruntées à des choses présentes, tandis que Nephtali s'élève souvent jusqu'à une intelligence véritable, à partir des images fictives de choses qui lui ont été décrites. Il n'est pas permis à l'intelligence spirituelle, en effet, de se forger une fausse représentation des biens futurs et invisibles, alors qu'il n'y a point de faute à voir en imagination, tout autrement qu'ils ne sont, les tourments réservés aux méchants. Qui donc serait capable, en effet, de les contempler en cette vie vraiment tels qu'ils sont ? Mais chacun se les décrit en figures, au gré de son esprit, non pas tels qu'ils sont, mais tels qu'il parvient à se les représenter.

Voilà peut-être pourquoi un tel fils est appelé Dan, c'est-à-dire « jugement », puisqu'en se représentant ainsi les choses il ne suit pas l'enseignement de l'expérience, mais la décision de sa discrétion. Dès lors, puisque Dan façonne l'image des choses futures dans l'esprit de chacun, à partir de son propre jugement, c'est avec raison, à mon avis, que l'artisan de pareilles représentations est appelé Dan, c'est-à-dire « jugement ».

CHAPITRE XX

Du rôle de cette première spéculation

Il y a cependant une autre explication de ce nom. Peut-être la trouvera-t-on même d'autant plus utile qu'elle est

tiens se sentiunt turpibus cogitationibus pulsari, et ad illici-
tam delectationem incitari, totiens solent in ipso etiam
5 temptationis aditu futura tormenta ante mentis oculos
ponere, et ex tali consideratione quicquid illicitum mens
suggerit ante turpem delectationem extinguere. Hoc igitur
modo in se statim per considerationem poenae ulciscuntur
et damnant blandimenta culpae.

10 Quia ergo per officium Dan illecebrosas cogitationes
deprehendimus, arguimus, damnamus, castigamus, recte
eum Dan, id est iudicium, uocamus. Sed quid hoc de turpibus tantum cogitationibus loquimur, quandoquidem uanas
et inutiles perfecti uiri non leuiter abhominantur propter
15 illud quod scriptum inuenitur : *Vae qui cogitatis inutile* [a], et
illud : *Spiritus sanctus disciplinae effugiet fictum, et auferet
se a cogitationibus quae sunt sine intellectu* [b]. Quid ergo,
quaeso, fiet de his quae sentimus, non sine quodam illicito
affectu, quando Spiritus sanctus aufert se ab his etiam quae
20 sunt sine intellectu ? Saepe fit ut in oratione constituti quasdam cogitationum fantasias cum importunitate magna se
ingerentes corde toleremus. Sed numquid eas sine nostra
reprehensione negligere debemus ? Nonne magis eas oportet acriter arguere, et, ut dictum est, per repraesentationem
25 poenae reprimere irritationem culpae, et cogitationes cogitationibus castigare ? Vnde scriptum est : *Dan iudicabit
populum suum, sicut alia tribus in Israel* [c]. Ad filios quippe
Zelphae pertinet disciplina operum, ad filios Liae dispositio
uoluntatum. Ad filios Rachel sententia assertionum, ad filios

6 mens illicitum ‖ 10 illlecebrosae ‖ 13 cogitationibus : cogitatibus ‖ 21
se magna ‖ 25 cogitationes *om*

a. Mich. 2, 1 ‖ b. Sag. 1, 5 (*Spiritus enim sanctus disciplinae,* Vulg.) ‖ c.
Gen. 49, 16 (*sicut et alia tribus in Israel,* Vulg.)

1. JÉRÔME, *Liber interpr.,* Gen., éd. P. de LAGARDE, p. 5, l. 7-8 (*CCSL*
72, p. 64) : « Dan iudicium aut iudicans ».

plus subtile. Les hommes vertueux ont en effet coutume, chaque fois qu'ils se sentent assaillis par des pensées honteuses ou attirés par une délectation perverse, de jeter les yeux mentalement, aussi souvent que la tentation approche, sur les tourments de l'au-delà. Cette considération étouffe en eux tout ce que leur esprit leur suggère de malsain, avant même qu'ils n'y trouvent quelque honteuse satisfaction. De cette manière, la considération de la peine leur permet donc, au fond d'eux-mêmes et sans tarder, de tirer vengeance des charmes du péché et de les condamner.

Ainsi, puisque c'est par le ministère de Dan que nous nous saisissons des pensées séductrices, que nous les mettons en accusation, que nous les condamnons et que nous les punissons, c'est avec raison que celui-ci est appelé Dan, c'est-à-dire « jugement » [1]. Mais pourquoi ne parlons-nous que des pensées honteuses, puisque les hommes parfaits repoussent avec vigueur les pensées vaines et inutiles à cause de ce qui est écrit : *Malheur à vous qui pensez à des choses inutiles* [a]. Et encore : *L'Esprit saint, notre éducateur, fuira le mensonge, et il s'éloignera des pensées dépourvues d'intelligence* [b]. Qu'en sera-t-il donc, je le demande, de ces pensées auxquelles nous ne nous abondonnons pas sans quelque complaisance coupable, si l'Esprit saint s'éloigne déjà de celles qui sont dépourvues d'intelligence ? Il nous arrive souvent, alors que nous sommes en prière, d'avoir à supporter l'irruption si importune, en nos cœurs, de pensées vagabondes. Devons-nous alors les laisser faire, sans les réprimer ? Ne faut-il pas plutôt les combattre énergiquement, et, comme on l'a dit, émousser l'aiguillon du péché en se représentant le châtiment, contenir ces pensées en leur opposant d'autres pensées ? C'est pour cela qu'il est écrit : *Dan jugera son peuple, comme toute autre tribu en Israël* [c]. Il appartient en effet aux fils de Zelpha de conduire l'action, aux fils de Lia de diriger les volontés ; aux fils de Rachel de prononcer des affirmations, aux fils de Bala de contrôler les

30 uero Balae moderatio cogitationum. Quaelibet ergo cogitatio quasi in sua tribu iudicatur, quando omne erratum per
suum simile corrigitur, quando uoluntas uoluntate emenda-
tur, quando opus opere castigatur, assertio assertione corrigitur.

35 Quotiens ergo falsum aliquid sentimus, quotiens iniustum
aliquid uolumus, quotiens aliquid inordinatum agimus, statim nos reprehensibiles esse minime ignoramus. Sed numquid aeque omnes reprehensione dignos se esse iudicant,
quando aliquid inutile uel inordinatum cogitant ?

40 [§ 9] Multorum est seipsos reprehendere de peruerso
opere uel praua uoluntate ; pauci sunt qui seipsos diiudicent
de inordinata cogitatione. Sed quia perfecti uiri hoc faciunt,
et facere eos oportet qui perfecti esse uolunt, iccirco Iacob
praedicit uel praecipit, dicens : *Dan iudicabit populum*
45 *suum, sicut alia tribus in Israel* [d].

CAPVT XXI

De utilitate primae speculationis

Si enim Dan populum suum districte custodiat, si iudicium suum diligenter exerceat, fiet ut in ceteris tribubus raro
inueniatur quod iure damnari debeat. Mens etenim quae statim in ipsa suggestione praecidit illecebrosam cogitationem,
5 non facile rapitur in prauam delectationem, sicut et culpa

36 inordinatum aliquid
XXI, 3 etenim : enim

d. Gen. 49, 16.

pensées. Les membres de chaque famille sont donc jugés, en quelque sorte, au sein de leur propre tribu, quand tout égarement est redressé par quelque chose qui lui ressemble, quand la volonté est amendée par la volonté, quand l'action est punie par l'action, quand une affirmation est rectifiée par une autre affirmation.

Chaque fois, dès lors, que nous admettons quelque chose de faux, chaque fois que nous voulons quelque chose d'injuste, chaque fois que nous faisons quelque chose de désordonné, nous ne pouvons absolument pas ignorer, fût-ce un seul instant, que nous sommes dignes de réprobation. Mais tous se jugent-ils également dignes de réprobation, lorsqu'ils pensent à quelque chose d'inutile ou de désordonné ?

[§ 9] Beaucoup se font à eux-mêmes des reproches pour une action perverse ou un désir mauvais ; bien peu se jugent eux-mêmes coupables d'une pensée désordonnée. Cependant, puisque les hommes parfaits le font, ceux qui veulent être parfaits doivent le faire. C'est cela que Jacob proclame et prescrit, lorsqu'il s'écrie : *Dan jugera son peuple, comme toute autre tribu d'Israël* [d].

CHAPITRE XXI

De l'utilité de cette première spéculation

En fait, si Dan garde étroitement son peuple, s'il exerce consciencieusement son jugement, il n'aura que rarement le devoir de prononcer de justes condamnations dans les autres tribus. L'esprit qui rejette les pensées qui tentent de le séduire, dès qu'elles apparaissent, n'est pas emporté aisément, en effet, vers la délectation mauvaise. C'est comme la

quae cohibetur ante prauum consensum, nunquam transit in actum.

Debet ergo Dan prae ceteris omnibus uigil et districtus in iudicio esse, ut detur aliis tribubus ex maiori parte absque
10 lite et disceptatione uiuere. Semper inueniet Dan in sua tribu quod examinare debeat, quod iuste reprehendat, quamuis in aliis possit fieri ut aliquando aliqua earum sine culpa ualeat inueniri. Aliarum namque culpa est in uoluntate, huius autem exordinatio saepe est in necessitate. Nunquam enim
15 malum approbo, nunquam malo consentio, nunquam malum perficio, nisi ipse uoluero ; malum autem per cogitationem occurrere potest etiam inuito. Sed ad Dan pertinet exurgens malum, statim cum per cogitationem pulsat in iudicium adducere, diligenter discutere, deprehensum dam-
20 nare, et deceptoriam cogitationem ex alia consideratione percutere, et temptantia mala ex tormentorum recordatione extinguere.

Vides iam, ut arbitror, quam recte hic filius Dan, id est iudicium, uocetur, de quo solo dubitatur utrumnam popu-
25 lum suum iudicare habeat, cum solus, si fieri posset ne ceteri habeant quod iudicent, non solum assidue, sed et districte iudicare debeat.

CAPVT XXII

De secunda speculatione et eius proprietate

Sed sicut ad officium Dan spectat per repraesentationem poenae reprimere exurgentia uitia, sic ad Neptalim pertinet per considerationem praemiorum inflammare bona deside-

XXII, 3 desideria bona

faute que l'on repousse avant d'y consentir, et qui jamais ne passe à l'acte.

Dan doit être vigilant et sévère, plus qu'aucun autre, dans ses jugements, afin de permettre aux autres de vivre le plus possible sans querelle ni dispute. Il trouvera toujours, dans sa propre tribu, quelque chose à examiner, quelque chose à réprouver à juste titre, encore que dans les autres tribus, telle ou telle puisse se trouver sans faute, car la faute, chez les autres, est dans la volonté, alors que le désordre est souvent imposé, dans la tribu de Dan, par la nécessité. Jamais en effet je n'approuve le mal, jamais je n'y consens, jamais je ne l'accomplis, à moins que moi-même je le veuille, mais le mal peut advenir par la pensée, même contre mon gré. Ainsi est-ce à Dan qu'il appartient, dès que le mal se réveille et frappe par la pensée, de le faire passer en jugement, d'instruire son procès avec soin, de le condamner une fois démasqué, puis de combattre par d'autres les pensées qui nous trompent et d'étouffer les séductions du mal en nous souvenant du châtiment.

Tu vois maintenant, je pense, comme il est juste d'appeler ce fils Dan, c'est-à-dire « jugement ». Il est le seul dont on puisse se demander s'il lui revient de juger son propre peuple, alors qu'il est le seul à devoir juger les autres, à ne pas le faire seulement sans arrêt mais avec sévérité, afin que les autres si possible, n'aient rien à juger.

CHAPITRE XXII

De la seconde spéculation et de ses propriétés

Mais de même que le rôle de Dan consiste à réprimer les vices, dès leur apparition, en représentant le châtiment, de même appartient-il à Nephtali d'allumer le feu des bons

ria. Mirabiliter enim animum nostrum Neptalim ad eorum
5 desiderium accendit, quotiens aeternorum bonorum imagi-
nem ante oculos mentis adducit, quod tamen duobus modis
facere consueuit. Vtitur namque aliquando translatione, aliquando autem comparatione. Comparatione quando ex
praesentium bonorum multitudine uel magnitudine colligit
10 illa futurae uitae gaudia, quot uel quanta esse possint. Verbi
gratia : Inspecta saepe solis claritate, corporeo uidelicet
lumine, considerat quanta futura erit lux illa spiritualis, si
tanta tamque mirabilis est lux ista corporalis. Quanta
namque, putas, erit lux illa quae erit nobis communis cum
15 angelis, si tanta est ista quam habemus communem cum bes-
tiis ? Qualis erit lux futura beatorum, si talis est praesens ista
lux miserorum ? Item multiplicitatem bonorum inuisibilium
conicit ex multitudine bonorum uisibilium. Quot ergo putamus ea esse ? Sed quis ea posset dinumerare ? Quot sunt
20 oblectamenta oculorum, quot oblectamenta aurium cetero-
rumque sensuum ? Quot sunt colores, quot odores, quot
sapores ? Si ergo tot sunt deliciae corporum, quot erunt
deliciae spirituum ? Si tanta possidemus in tempore, quanta
sunt quae expectamus in aeternitate ? In hunc igitur modum
25 utitur comparatione.

Utitur nichilominus, ut dictum est, translatione, quando
rerum uisibilium quamlibet descriptionem transfert ad
rerum inuisibilium significationem. Verbi gratia : Audit in
Scripturis nominari lucem, sicut de Deo scriptum est quia
30 inhabitat *lucem inaccessibilem* [a]. Quaerit ergo quae lux ista
sit incorporea quam inhabitat inuisibilis et incorporea Dei
natura, et inuenit quia lux ista est ipsa Dei sapientia, quia

---

6 mentis oculos ‖ 16 lux ista miserorum ‖ 19 possit ‖ 27 quamlibet *om.*
‖ 30 inhabitat : habitat ‖ sit lux ista

---

a. Cf. Tim. 6, 16 (*et lucem inhabitat inaccessibilem,* Vulg.)

désirs en faisant considérer les récompenses. Chaque fois que Nephtali, en effet, met sous les yeux de l'esprit une image des biens éternels, il l'embrase d'un merveilleux désir. Il a d'ailleurs l'habitude d'agir de deux manières, procédant tantôt par transposition, tantôt par comparaison.

Il use de comparaison lorsqu'à partir des biens de ce monde, dont il observe le nombre et la grandeur, il se fait une idée de ce que pourront être le nombre et la grandeur des joies de la vie future. En voici un exemple : Ébloui souvent par la clarté du soleil, c'est-à-dire par une lumière corporelle, il considère ce que sera l'intensité de la lumière spirituelle à venir, puisque la lumière corporelle est déjà si vive et si merveilleuse. De quel éclat, crois-tu, brillera donc cette lumière que nous partagerons avec les anges, si celle que nous partageons avec les animaux est si grande ? Quelle sera la lumière de l'au-delà dont jouiront les bienheureux, si telle est ici-bas la lumière des misérables que nous sommes ? Par un procédé identique, il se fait une idée de la multiplicité des biens à partir de celle des biens visibles. Combien ceux-ci peuvent-ils bien être, nous demandons-nous ? Mais qui pourrait les dénombrer ? Que d'objets délicieux s'offrent à nos yeux, à nos oreilles et à nos autres sens ! Que de couleurs, de parfums et de saveurs ! Si les délices corporelles sont si nombreuses, qu'en sera-t-il donc des délices spirituelles ? Si nous possédons tant de choses dans le temps, combien pouvons-nous en attendre dans l'éternité ? C'est ainsi que Nephtali procède par comparaison.

Mais il procède également, on l'a dit, par transposition, lorsqu'il propose d'une quelconque description de choses visibles une interprétation appliquée à des réalités invisibles. En voici un exemple : Il entend parler de la lumière, par l'Écriture, là où il est dit de Dieu *qu'il habite une lumière inaccessible* [a]. Il cherche donc ce que peut être cette lumière incorporelle où demeure la nature divine, invisible et incorporelle. Il découvre alors que cette lumière est la sagesse

ipsa est *lux uera* [b]. Sicut enim lux ista exterior illuminat oculos corporum, ita illa absque dubio illuminare consueuit
35 oculos cordium. Ecce quomodo Neptalim per rerum uisibilium qualitatem, surgit ad rerum inuisibilium cognitionem.

Patet ergo quam recte secundum utramque interpretationem Neptalim dicatur. Neptalim namque comparatio uel conuersio interpretatur. Solet namque cognitam quamlibet
40 rerum uisibilium naturam conuertere ad spiritualem intelligentiam. Quia ergo pene quicquid scriptum reperit ad spiritualem intelligentiam conuertit, recte conuersionis nomen accepit. Et item, quia assidue, ut dictum est, comparatione utitur, recte nichilominus Neptalim, id est comparatio,
45 nominatur.

CAPVT XXIII

Quid sit familiare seu etiam speciale speculationi secundae

Sciendum autem quia illud contemplationis genus quod in pura intelligentia uersatur, huiusmodi speculatione quae per Neptalim designatur, quanto subtilius, tanto nimirum excellentius esse cognoscitur. Habet tamen huiusmodi spe-
5 culatio aliquid singulare ualdeque notabile. Est enim prae ceteris rudibus quidem adhuc mentibus minusque exercitatis, et ad intelligendum facilior, et ad audiendum iocundior. Siquidem haec meditanti facilius occurrit, et audientem dul-

---

b. Cf. Jn 1, 9 (*erat lux uera,* Vulg.)

1. JÉRÔME, *Liber interpr.,* Gen., éd. P. de LAGARDE, p. 9, l. 9-10 (*CCSL* 72, p. 70) : « Nephtalim conuersauit me uel dilatauit me uel certe implicuit me ».
2. *Ibid.*

divine elle-même, puisque celle-ci est elle-même *la vraie lumière* [b]. Et celle-ci éclaire sans aucun doute les yeux des cœurs, comme la lumière extérieure éclaire ceux des corps. Voilà comment Nephtali, partant des propriétés des choses visibles, se hausse jusqu'à la connaissance de celles qui sont invisibles.

On voit donc combien ces deux façons de procéder justifient le nom de Nephtali. Nephtali signifie en effet « comparaison » ou « conversion » [1]. Or Nephtali « convertit » en intelligence spirituelle toute connaissance qu'il peut avoir de la nature des choses visibles. Dès lors, puisqu'il « convertit » en intelligence spirituelle presque tout ce qu'il découvre dans l'Écriture, c'est à juste titre qu'il reçoit le nom de « conversion ». De même, puisqu'il procède continuellement par comparaison, comme on l'a dit [2], c'est à juste titre, également, qu'on l'appelle Nephtali, c'est-à-dire « comparaison ».

CHAPITRE XXIII

Qu'y a-t-il de propre ou même de spécial à cette seconde spéculation ?

Il faut savoir, cependant, que le genre de contemplation qui relève de la pure intelligence est connu pour être d'autant plus subtil qu'il est certainement supérieur à cette sorte de spéculation que représente Nephtali. Celle-ci a pourtant quelque chose de singulier et de très remarquable. Pour les esprits encore simples et peu exercés, en effet, elle est, plus que toute autre, facile à comprendre, agréable à entendre. De fait, elle accourt plus aisément au devant de celui qui médite, elle touche plus agréablement celui qui écoute. Elle

cius afficit. Est plane et promptior in meditatione, et affabi-
10 lior in sermone.

Vnde et per Iacob de Neptalim dicitur : *Neptalim ceruus
emissus, dans eloquia pulchritudinis* [a]. *Ceruus* namque dicitur propter currendi facilitatem, *emissus* propter currendi
auiditatem. *Ceruus* animal uelox nimis, multum currere
15 potest, et multum currere cupit, qui *emissus* est. Recte ergo,
nisi fallor, Neptalim *ceruus emissus* dicitur, quia per
contemplationis gratiam multa percurrere ualet, et propter
contemplationis dulcedinem multum ei currere placet. In
tanta enim uelocitate Neptalim iste contemplantis animum,
20 in huiusmodi tamen negotio aliquantulum exercitatum,
nunc ad summa erigit, nunc ad ima deponit, nunc per innumera rapit, ut ipse animus qui haec patitur, semetipsum
saepe miretur, felici magisterio edoctus, quam conuenienter
Neptalim noster *ceruus emissus* dicatur.

25   Notandum sane quam recte non aui uolanti sed ceruo
currenti comparetur, nam auis quidem uolando longe a terra
suspenditur, ceruus autem ad dandos saltus terrae innititur,
sed nec in ipsis suis saltibus longius a terra separatur. Sic
nimirum, sic Neptalim, dum per rerum uisibilium formam
30 rerum inuisibilium naturam quaerit, quosdam saltus dare,
non autem ad plenum uolatum conualescere consueuit, quia
in eo quod se ad summa erigit, rerum corporearum secum
umbram trahens, ima omnino non deserit.

XXIII, 26 comparatur

---

a. Gen. 49, 21 (*et dans eloquia,* Vulg.)

est vraiment plus accessible dans la méditation, plus affable dans ses propos.

Voilà pourquoi Jacob dit aussi de Nephtali : *Nephtali est un cerf échappé, il tient des discours pleins de beauté* [a]. Il est dit *cerf*, en effet, à cause de l'agilité avec laquelle il court, *échappé*, à cause du grand désir qu'il a de courir. Le cerf est un animal très rapide, il peut courir longtemps, et il le désire vivement, lui qui est *échappé*. C'est donc à juste titre, si je ne me trompe, que Nephtali est appelé *cerf échappé*, car la grâce de la contemplation lui permet de parcourir de vastes espaces, et la douceur de la contemplation fait qu'il trouve, dans la course, un très grand plaisir. Ce Nephtali entraîne en effet l'esprit de celui qui contemple et qui a tant soit peu pratiqué cet exercice, avec une extrême vélocité. Tantôt il l'entraîne vers des sommets, tantôt il l'enfonce en des abîmes, tantôt il l'emporte en des chemins innombrables. L'esprit qui supporte tout cela, instruit par de si profitable leçons, s'étonne bien souvent lui-même en voyant à quel point il convient à notre Nephtali d'être appelé *cerf échappé*.

Mais il faut encore remarquer que ce dernier est très justement comparé au cerf qui court, et non à l'oiseau qui vole. L'oiseau qui vole est en effet suspendu dans les airs, loin de la terre, alors que pour bondir le cerf prend appui sur la terre et que ses bonds eux-mêmes ne l'en éloignent guère. Ainsi, en vérité, tandis qu'il cherche à connaître la nature des choses invisibles à travers les formes des choses visibles, Nephtali a l'habitude de faire des bonds, mais sans trouver la force de prendre vraiment son vol. Traînant en effet avec lui l'ombre des réalités corporelles, au moment même où il s'élève jusqu'aux réalités les plus hautes, il n'abandonne pas complètement celles d'en bas.

CAPVT XXIV

Quanta sit iocunditas secundae speculationis

Ecce quomodo sit *ceruus emissus*. Sed quomodo *dans elo-quia pulchritudinis* ᵃ ? Fortassis hoc per exempla euidentius ostendimus, plenius persuademus.

Vultis audire eloquia pulchritudinis, eloquia suauitatis,
5   plena decore, plena dulcedine, et qualia Neptalim formare consueuit, uel qualia eum formare conuenit ? *Osculetur me*, inquit, *osculo oris sui* ᵇ. *Fulcite me floribus, stipate me malis, quia amore langueo* ᶜ. *Favus distillans labia tua, sponsa ; mel et lac sub lingua tua, et odor uestimentorum tuorum* ᵈ super
10   omnia aromata ᵉ. Quid, quaeso, dulcius huiusmodi eloquiis, quid iocundius inuenitur, quid talibus eloquiis libentius, quid auidius auditur ? Ista uerba carnale aliquid sonare uidentur, et tamen spiritualia sunt quae per ipsa describun-tur. Sic nouit Neptalim carnalia cum spiritualibus permis-
15   cere, et per corporalia incorporea describere, ut utraque hominis natura in eius dictis inueniat unde se mirabiliter reficiat, qui ex corporea et incorporea natura constat. Hinc est fortassis quod homini tam suauiter sapiunt, quod quo-dammodo, ut dictum est, utramque eius naturam reficiunt.
20   Illud autem in eius dictis est ualde mirabile dignumque admiratione quod tunc fere semper delectabilius blandiun-tur, quando iuxta sensum litterae nichil sonare uidentur. Quale est illud : *Capilli tui sicut greges caprarum, quae ascenderunt de monte Galaad. Dentes tui sicut greges ton-*
25   *sarum quae ascenderunt de lauacro* ᶠ. *Nasus tuus sicut turris*

XXIV, 3 ostendimus, plenius persuademus : ostendemus, persuadebi-mus plenius ‖ 5 et *om.* ‖ 8 sponsa *om.* ‖ 9 super omnia aromata : sicut odor thuris ‖ 18 fortasse ‖ 21 blanditur ‖ 22 litterae sensum

a. Gen. 49, 21 ‖ b. Cant. 1, 1 ‖ c. Cant. 2, 5 ‖ d. Cant. 4, 11 ‖ e. Cant. 4, 10 ‖ f. Cant. 4, 1-2

CHAPITRE XXIV

De la grande joie que procure cette seconde spéculation

Voici donc en quoi Nephtali est un *cerf échappé*. Mais pourquoi *tenant des discours pleins de beauté* ? [a] Peut-être le montrerons-nous avec plus d'évidence, nous en convaincrons-nous plus parfaitement par des exemples.

Voulez-vous entendre des discours pleins de beauté et de suavité, nourris d'éloquence et remplis d'agrément, tels que Nephtali en prononce d'ordinaire ou tels qu'il lui convient d'en formuler ? *Qu'il me baise*, dit-il, *d'un baiser de sa bouche* [b]. *Soutenez-moi avec des fleurs, fortifiez-moi avec des fruits, car je languis d'amour* [c]. *Tes lèvres sont un gâteau de miel ; le miel et le lait se cachent sous ta langue, et l'odeur de tes vêtements* [d] *surpasse tous les aromates* [e]. Que peut-on trouver de plus doux, de plus agréable que ces paroles, dites-moi ? Que peut-on entendre avec plus de plaisir et plus d'avidité ? On peut trouver à ces mots une résonance charnelle ; pourtant, ce sont des choses spirituelles qu'ils nous décrivent. Ainsi Nephtali sait-il mêler le charnel au spirituel, décrire l'incorporel par le corporel, afin que la double nature de l'homme, à la fois corporelle et incorporelle, trouve dans ses paroles de quoi se restaurer merveilleusement elle-même. De là vient peut-être que l'homme goûte ces paroles avec tant de plaisir, puisque, on vient de le dire, ses deux natures y trouvent en quelque manière de quoi se refaire. Mais ce qui est particulièrement étonnant et digne d'admiration, c'est que, presque toujours, ses paroles charment et enchantent d'autant plus que la lettre en paraît dépourvue de sens. Ainsi en est-il des suivantes : *Tes cheveux sont comme des troupeaux de chèvres, qui sont montées depuis le mont Galaad. Tes dents sont comme des troupeaux de brebis tondues, qui remontent du lavoir* [f]. *Ton nez est comme la tour*

Libani, quae respicit contra Damascum ; caput tuum sicut Carmelus [g]. Haec et huiusmodi alia cum audiuntur uel leguntur, iocunda ualde esse uidentur, et tamen in his omnibus si solum litterae sensum sequimur, in eis nil inuenimus
30 quod digne miremur. Sed forte in huiusmodi dictis, hoc est quod tam libenter amplectimur, quod ex iocunda quadam, ut ita dicam, litterae fatuitate ad spiritualem intelligentiam confugere coartamur.

Si ergo digne pensamus iste noster Neptalim quam sit
35 expeditus in meditatione, quam sit iocundus in sermone, citius aduertere licet quam recte de eo Scriptura pronuntiet : *Neptalim ceruus emissus, dans eloquia pulchritudinis* [h].

CAPVT XXV

De gemina uirtutum prole quae nascitur
ex edomita sensualitate

Sed haec interim de filiis Balae dicta sufficere uolumus ; restat nunc ut de filiis Zelphae aliquid loquamur.

[§ 10] Videns itaque Lia sororem suam Rachel de adoptiua iam prole gaudere, prouocatur et ipsa ancillam suam uiro suo tradere, ut possit et ipsa cum sorore sua de filio-
5 rum adoptione exultare [a]. Si igitur, ut superius dictum est, per Zelpham sensualitatem debemus accipere, quam aliam,

---

29 nil in eis ‖ 34 digne *om.*
XXV, 1 de *om.* ‖ 2 ut *om.*

---

g. Cant. 7, 4-5 ‖ h. Gen. 49, 21
a. Cf. Gen. 30, 9-10

du Liban, qui regarde du côté de Damas ; ta tête est comme le Carmel [g]. Lorsque nous entendons ou lisons ces paroles, et d'autres semblables, elles nous semblent pleines de charme, et pourtant, si nous nous en tenons au sens littéral, nous n'y trouvons plus rien qui soit digne de notre admiration. Mais peut-être que ce qui nous y attache avec tant de plaisir vient de ce qu'une joyeuse folie de la lettre, si je puis m'exprimer de la sorte, nous oblige à trouver refuge dans l'intelligence spirituelle.

Si donc nous mesurons bien à quel point notre Nephtali est à l'aise dans la méditation, agréable dans ses propos, nous comprenons plus aisément que l'Écriture a raison de proclamer, à son sujet : *Nephtali est un cerf échappé, il tient des discours pleins de beauté* [h].

CHAPITRE XXV

Des deux sortes de vertus
qu'engendre une sensibilité maîtrisée

Mais assez parlé à notre gré, pour le moment, des fils de Bala ; il nous reste à dire quelque chose des fils de Zelpha.

[§ 10] A la vue de sa sœur Rachel, heureuse dès maintenant de sa postérité adoptive, Lia se sent en effet provoquée à livrer, elle aussi, sa servante à son mari, afin de pouvoir elle-même, comme sa sœur, adopter des fils et s'en réjouir [a]. Si donc, comme on l'a dit plus haut [1], Zelpha doit signifier la sensibilité, quelles autres vertus, dites-le moi, peut-elle

---

1. Cf. *supra* V.

quaeso, uirtutis prolem potest ipsa gignere, nisi ut discat et
in rebus prosperis temperanter uiuere, et in aduersis patien-
10 tiam habere ? Isti sunt Gad et Aser, duo filii Zelphae, rigor
uidelicet abstinentiae, et uigor patientiae. Gad itaque nascitur prior, Aser autem gignitur posterior [b], quia prius est ut
temperantes simus ad bona propria, postea etiam ut fortes
simus ad toleranda mala aliena. Haec est gemina uirtutum
15 proles, quam Zelpha quidem parit in dolore, uerumtamen
ad magnam beatitudinem dominae suae. Per abstinentiam
siquidem uel patientiam, caro quidem affligitur, sed ad
magnam inde pacem et tranquillitatem animus componitur.
Hinc est quod, nato Gad, Lia exclamat, dicens : *Feliciter* ! [c]
20 Et iterum, Aser nascente, pronuntiat, dicens : *Hoc pro bea-
titudine mea* [d]. Mea, inquit, non sua. Vnde enim sensualitas
exterius per carnem atteritur, inde cordis affectio ad puritatis integritatem reparatur.

CAPVT XXVI

De rigore abstinentiae et uigore patientiae
et eorum proprietate

Quanta enim, putas, pax cordis est uel tranquillitas, nulla
huius mundi oblectamenta concupiscere, nulla eius aduersa
formidare ? Quorum unum per Gad adipiscitur, alterum per
Aser obtinetur. Quid enim de huius mundi oblectamentis
5 concupiscat, qui oblata delectamenta amore abstinentiae
recusat ? Vel quid de huius mundi aduersis timeat, qui uir-

---

20 nascendo ‖ 22 per carnem exterius

b. Cf. Gen. 30, 10-13 ‖ c. Gen. 30, 11 ‖ d. Gen. 30, 12

encore engendrer, sinon celles qui lui apprendront à pratiquer la tempérance dans la prospérité, la patience dans l'adversité ? Tels sont Gad et Aser, les deux fils de Zelpha, c'est-à-dire la rigueur de l'abstinence et la vigueur de la patience. Gad naît donc le premier, Aser n'est engendré qu'après lui [b], car il faut user avec modération des biens qui nous appartiennent avant d'être assez forts pour supporter les maux qui nous viennent d'ailleurs. Voilà les deux vertus que Zelpha, il est vrai, enfante dans la douleur, mais pour le grand bonheur de sa maîtresse, car si l'abstinence et la patience, sans aucun doute, affligent la chair, elles donnent ensemble à l'esprit une grande paix et tranquillité. De là vient qu'à la naissance de Gad, Lia pousse un cri et dit : *Quelle bonne fortune* [c] ! Et à la naissance d'Aser elle élève de nouveau la voix et dit : *Voilà mon bonheur* [d] ! Le mien, dit-elle, et non le sien. C'est lorsque la sensibilité est en effet écrasée du dehors, dans la chair, que l'affection du cœur retrouve sa pureté et son intégrité.

CHAPITRE XXVI

De la rigueur de l'abstinence,
de la vigueur de la patience
et de ce qui leur appartient en propre

Quelle paix pour le cœur, en effet, et quelle tranquillité, crois-tu, que de ne rien désirer des divertissements de ce monde, de ne rien redouter de ses adversités ! L'une de ces vertus est obtenue par Gad, l'autre par Aser. Que peut donc attendre des divertissements de ce monde celui qui refuse, par amour de l'abstinence, les jouissances qui se présentent à lui ? Et que peut-il craindre des adversités de ce monde,

tute patientiae roboratus de illatis etiam malis triumphat ?
Sicut de Apostolis scriptum est : *Ibant* Apostoli *gaudentes a
conspectu concilii, quoniam digni habiti sunt pro nomine
10 Ihesu contumeliam pati* [a]. Et sicut per Paulum praecipitur :
In tribulatione gaudentes [b]. Quid igitur illius gaudium
imminuat, qui etiam de illata contumelia uel qualibet pres-
sura exultat ? Ad beatitudinem ergo animi spectat, quicquid
pro Dei amore caro durum tolerat. Vnde enim corpus atte-
15 ritur, conscientia exhilaratur, et quo exterius uidetur infeli-
cior, eo interius constat esse beatior.

   Duo enim sunt ex quibus constat gaudium beatitudinis,
carere scilicet eo quod nolis, et habere quod uelis. Felicem
siquidem dicimus qui nil patitur quod nolit, et illum beatum
20 iudicamus cui suppetunt quae cupit. Qui igitur pro coelestium desiderio saeculi uoluptatem odit, profecto per abstinentiam hostem suum ubique declinare poterit. Recte ergo
rigor abstinentiae Gad, id est felicitas, dicitur [c], qui ubique
calcat saeculi blandimenta quae detestatur. Item, qui pro Dei
25 amore afflictionem corporis diligit, ubi, quaeso, non inueniat
aliquid unde affligi possit ? Si ergo iure beatus creditur qui
ubique inuenit quod amat, iuste uigor patientiae Aser, hoc
est beatus, nominatur, cui undique obuiat quod desiderat.

   Ecce duo amatores, unus Dei, alter saeculi. Iste propter
30 Deum diligit temporalem afflictionem, ille desiderat temporalium bonorum plenitudinem. Ille quidem ubique inuenire

---

XXVI, 18 eo scilicet ‖ 24 amore Dei ‖ 30 temporalium : temporalem

a. Act. 5, 41 ‖ b. Cf. Rom. 12, 12 (*spe gaudentes, in tribulatione patientes,*
Vulg.) ‖ c. Gen. 30, 10

1. Gen. 30, 10 : *Qua <Zelpha> post conceptum edente filium dixit <Lia> :
Feliciter, et idcirco uocauit nomen eius Gad.* — JÉRÔME, *Liber interpr.,* Gen.,
éd. P. de LAGARDE, p. 7, l. 3-4 : (*CCSL* 72, p. 67) : « Gad tentatio, siue
latrunculus uel fortuna ».

2. JÉRÔME, *Liber interpr.,* Gen., *op. cit.,* p. 3, l. 7-8 : (*CCSL* 72, p. 61) :
« Aser beatitudo uel beatus ».

celui que la vertu de patience a fortifié et qui va jusqu'à triompher des maux que le frappent ? C'est là ce qui est écrit, au sujet des Apôtres : *Ils s'en allaient de devant l'assemblée, tout joyeux d'avoir été jugés dignes de subir des outrages pour le nom de Jésus* [a]. Et comme le prescrit saint Paul : *Remplis de joie dans la tribulation* [b]. Qu'est-ce qui pourra donc atténuer la joie de celui que fait même exulter d'allégresse l'outrage qui le frappe ou n'importe quelle autre tribulation ? Tout ce que la chair supporte de pénible pour l'amour de Dieu concourt ainsi au bonheur de l'esprit ; tout ce qui broie le corps réjouit la conscience, et plus on paraît extérieurement malheureux, plus il est clair qu'on est intérieurement heureux.

Il y a, en effet, deux choses qui te maintiennent dans la joie et le bonheur : être débarrassé de ce que tu ne veux pas, et avoir ce que tu veux. Oui, de celui qui n'a pas à supporter ce qu'il ne veut pas, nous disons qu'il est heureux, et celui qui dispose de tout ce qu'il désire, nous jugeons qu'il est bienheureux. La vertu d'abstinence permettra ainsi, assurément, à celui qui déteste les plaisirs du siècle par désir des biens du ciel, d'éviter son ennemi en toutes circonstances. C'est donc à juste titre que la rigueur de l'abstinence est appelée Gad, c'est-à-dire « félicité [1] » [c], elle qui partout foule aux pieds les agréments du siècle qu'elle exècre. Et celui qui se plaît à mortifier son corps pour l'amour de Dieu, ne trouvera-t-il pas partout, je vous le demande, le moyen de le faire ? Si l'on a donc raison d'estimer bienheureux celui qui retrouve partout ce qu'il aime, c'est à juste titre que la rigueur de la vertu est appelée Aser, c'est-à-dire « bienheureux » [2], puisque ce qu'elle désire accourt de tous côtés à sa rencontre.

Voici deux amoureux, l'un aime Dieu, l'autre le siècle. Le premier aime à se mortifier, en ce monde, pour l'amour de Dieu, l'autre désire, en leur plénitude, tous les biens de ce monde. Le premier, en vérité, peut trouver partout ce qu'il

potest quod propter Deum diligit, iste nusquam apprehendere potest bonorum plenitudinem quam sitit. Quis horum
beatior ? Item, ecce alii duo quorum unus odit huius mundi
35 aduersitatem, alter autem detestatur mundanam uoluptatem.
Sed ubi, quaeso, uel ille hostem suum declinare poterit, uel
iste inimicum suum calcare non possit ? Quis horum,
quaeso, felicior ? *Beatus*, inquit Scriptura, *qui post aurum
non abiit, nec sperauit in thesauris pecuniae* [d]. Et iterum :
40 *Beatus uir qui suffert temptationem, quoniam cum probatus
fuerit accipiet coronam uitae* [e]. Isti sunt Gad et Aser, quorum prior calcat mundanam gloriam, alter propter Deum
libenter patitur mundi pressuram.

[§ 11] Valde itaque notandum et profunde retinendum
45 quod Scriptura sacra abstinentiae laborem non calamitatem,
sed felicitatem appellare uoluit, et patientiae rigorem non
miserum sed beatum nominare decreuit. Hoc autem breuiter hic commemorare uolumus, quod per Gad, non solam
illam quae in cibo et potu est abstinentiam intelligere debe-
50 mus, immo per Gad et Aser intelligimus omnis superfluae
delectationis, aut cuiuslibet corporalis afflictionis abstinentiam uel patientiam in omnibus quae per quinque sensus
carnem delectant aut cruciant.

---

34 mundi huius ‖ 39 pecuniae thesauris ‖ iterum : item ‖ 47 nominare :
appellare

d. Sir. 31, 8 ‖ e. Jac. 1, 12

aime pour l'amour de Dieu ; le second ne peut saisir nulle part cette plénitude de tous les biens dont il est assoiffé. Lequel des deux est le plus heureux ? Voici encore deux autres êtres : l'un ne peut s'accommoder des adversités de ce monde, mais l'autre en exècre les plaisirs. Où donc, je vous le demande, le premier pourra-t-il éviter ses ennemis ? Où donc le second n'aura-t-il pas l'occasion de piétiner ses adversaires ? Et lequel des deux, je vous le demande encore, sera le plus heureux ? *Bienheureux*, répond l'Écriture, *celui qui n'a point couru après l'or et qui n'a pas mis son espérance dans l'argent et les trésors* [d]. Et encore : *Heureux l'homme qui est soumis à la tentation, car lorsqu'il aura été éprouvé, il recevra la couronne de vie* [e]. Tels sont Gad et Aser. Le premier foule aux pieds la gloire du monde, le second, pour l'amour de Dieu, en supporte avec joie les épreuves.

[§ 11] Il faut donc remarquer et retenir soigneusement que la sainte Écriture n'a pas voulu que les labeurs de l'abstinence fussent appelés « calamité », mais « félicité », et qu'elle a décrété que les rigueurs de la patience ne seraient point qualifiées de « malheureuses », mais de « bienheureuses ». Rappelons encore brièvement que nous ne devons pas reconnaître seulement, en la personne de Gad, l'abstinence du boire et du manger, mais que Gad et Aser représentent pour nous, l'un le renoncement à toute délectation inutile, l'autre la patience en toute souffrance corporelle, abstinence et patience se rapportant l'une et l'autre à tout ce que les cinq sens apportent de plaisirs ou de tourments à la chair.

CAPVT XXVII

Quod sensualitatis appetitus non temperatur
si imaginationis euagatio non restringitur

Sed quando, quaeso, Lia ancillam suam uiro suo traderet,
uel tales filios adoptaret, nisi sororis suae exemplo prouo-
cata fuisset ? Prius enim semper est ut ancilla Rachel redi-
gatur sub uiri potestate quam ancilla Liae.

5   Si enim imaginationis euagatio, quae fit per inutiles cogitationes prius non reprimitur, absque dubio sensualitatis
appetitus immoderatus minime temperatur. Qui igitur uult
corporalium uoluptatum desideria temperare, prius assuescat carnales delicias nunquam uel saltem raro cogitare.

10   Profecto namque quanto talia rarius cogitaueris, tanto
rarius, tanto tepidius nimirum ea desiderabis. Haec, ni fallor, est causa cur sub uirili dominio prior incuruetur Bala
quam Zelpha. Patet nichilominus quod de Gad et Aser, abstinentia uidelicet et patientia, nunquam adoptiuos filios

15   faceret, nisi sororis suae Rachel adoptiuam prolem assidue
cerneret. Quis enim unquam affectioni cordis posset per-
suadere huius mundi prospera contemnere et eius aduersa
non formidare, nisi suggerentibus Dan et Neptalim futurae
uitae tormenta uel praemia aeterna non solum frequenter,

20   immo pene indesinenter cogeretur aspicere ? Nunc autem
per assiduam considerationem futurorum malorum facile ei
persuadetur contemptus praesentium bonorum. Et iterum
per iugem contemplationem aeternae felicitatis, inflammatur
ad uoluntariam tolerantiam pressurae temporalis. Hoc est,

25   ut arbitror, cur Dan et Neptalim prius nascantur, uel cur
Gad et Aser posterius generentur.

XXVII, 11 ni : nisi ‖ 18 non *om.* ‖ 25 uel : et

CHAPITRE XXVII

Que les désirs des sens ne peuvent point être modérés
si les vagabondages de l'imagination ne sont point contenus

Mais quand donc, je vous le demande, Lia aurait-elle livré
sa servante à son mari, aurait-elle adopté de tels fils, si elle
n'y avait été provoquée par l'exemple de sa sœur ? Il faut
en effet que la servante de Rachel soit soumise au pouvoir
de Jacob avant celle de Lia.

De fait, si nous ne commençons pas par réprimer les vagabondages de l'imagination à travers ses pensées inutiles, nul
doute que nous ne parvenions absolument pas à modérer les
appétits déréglés de nos sens. Que celui qui veut contenir
son désir des voluptés charnelles prenne donc d'abord l'habitude de n'y jamais penser ou de n'y penser que rarement,
car plus rarement il y pensera, plus rarement, plus faible-
ment aussi il les désirera. Voilà pourquoi, si je ne me trompe,
Bala se plie avant Zelpha à une domination masculine. Il est
évident, d'autre part, que jamais Lia n'aurait fait de Gad et
Aser, c'est-à-dire de l'abstinence et de la patience, ses fils
adoptifs, si elle n'avait eu continuellement sous les yeux les
enfants adoptifs de sa sœur Rachel. Qui donc parviendrait
jamais à décider les affections de son cœur à mépriser les
prospérités de ce monde et à n'en pas redouter les adversités, si les suggestions de Dan et de Nephtali ne le contrai-
gnaient, je ne dis pas souvent, mais continuellement, à considérer les tourments de la vie future ou les récompenses
éternelles ? Ainsi durant cette vie, la considération inces-
sante des maux à venir le persuade de mépriser les biens de
ce monde, tandis que la contemplation assidue des félicités
éternelles allume en lui le feu qui lui fera supporter volontairement les épreuves de ce temps. Voilà pourquoi Dan et
Nephtali, à mon avis, viennent d'abord au monde, tandis
que Gad et Aser ne sont engendrés que plus tard.

CAPVT XXVIII

Quomodo per abstinentiam et patientiam animus
roboratur ad omnem obedientiam

Natis itaque Gad et Aser, iam tempus instat quo Ruben
mandragoras inueniat, si tamen eum foras exire non pigeat [a].
Sed cur eum uelle exire dubitemus, quem iam ad exeundum
uel introeundum idoneum esse cognoscimus ? Credendum
5 est enim eum post tot natos matris suae, post tot liberos
Balae uel Zelphae, iam adultum, et posse et uelle ad patris
sui imperium exire et intrare. Sed si per Ruben, ut superius
dictum est, timorem Dei accipimus, quid per eius introitum
uel exitum accipere debemus ? Quid est eum uel intus esse,
10 uel foras exire ? Ruben intus est, quando in secreto cordis,
in conspectu Dei de nostra conscientia trepidamus. Ruben
tunc foras exit, quando propter Deum hominibus etiam nos
ad omnem obedientiam inclinamus. Timere itaque Deum
propter seipsum, homines autem propter Deum, est Ruben
15 nunc intus morari, nunc foris inueniri. Exit ergo Ruben
tempore messis triticeae, quando ex imperio obedientiae
exercet se in operibus iustitiae.

Sed quando putas Ruben ad perfectam obedientiam
conualesceret, nisi eum Gad et Aser, id est amor abstinen-
20 tiae et patientiae, ad contemptum uoluptatis, uel ad tolerantiam tribulationis animasset ? Duo enim sunt quae solent
perfectionem obedientiae praepedire, id est ne cogamur uel
amata deserere, uel aspera tolerare. Sed si semel animus
amore abstinentiae uel patientiae perfecte incaluerit, proti-

---

XXVIII, 19 conualescere ‖ 22 perfectionem : imperfectionem

a. Cf. Gen. 30, 14

1. Cf. *supra* VIII.

CHAPITRE XXVIII

Comment l'obéissance et la patience donnent à l'âme la force d'obéir en toutes choses

Après la naissance de Gad et d'Aser, le moment est alors venu pour Ruben de trouver des mandragores, si du moins il ne répugne point à sortir [a]. Mais pourquoi douterions-nous qu'il sorte volontiers, puisque nous savons qu'il est désormais capable d'entrer et de sortir ? Maintenant que sa mère, puis Bala et Zelpha, ont mis au monde tant d'enfants, on peut être assuré, en effet, qu'il est adulte, qu'il peut et qu'il veut bien sortir et entrer sur l'ordre de son père. Mais si Ruben représente la crainte de Dieu, comme on l'a dit plus haut [1], comment devons-nous interpréter le fait qu'il entre ou qu'il sorte ? Qu'est-ce donc pour lui que demeurer à l'intérieur ou s'en aller au dehors ? Ruben demeure à l'intérieur lorsque, dans le secret du cœur, notre conscience, devant Dieu, nous fait trembler ; Ruben s'en va en revanche au dehors lorsque, pour l'amour de Dieu, nous nous soumettons, même aux hommes, en toute obéissance. Craindre Dieu pour lui-même, mais craindre les hommes pour l'amour de Dieu, tel est donc Ruben qui tantôt demeure à l'intérieur, tantôt s'en va à l'extérieur. Il sort ainsi au temps de la moisson des blés, lorsque, au nom de l'obéissance, il s'exerce aux travaux de la justice.

Mais quand donc, crois-tu, Ruben serait-il assez fort pour pratiquer l'obéissance parfaite, si Gad et Aser, c'est-à-dire l'amour de l'abstinence et de la patience, ne l'incitaient au mépris des plaisirs et à l'endurance dans les tribulations ? Deux choses, en effet, font obstacle à la parfaite obéissance : la crainte d'être obligé de quitter ce que nous aimons, celle d'avoir à supporter ce qui nous est pénible. Mais si l'esprit est une bonne fois réchauffé par l'amour de l'abstinence et

25 nus Ruben ad omnem obedientiam absque ulla contradictione se subdit. Qui enim tam aduersa perpeti quam in prosperis non delectari apud semetipsum statuit, quae difficultas eius obedientiam ulterius minuere poterit ? Si enim dura
et aspera quaeque pro Dei amore etiam per memetipsum
30 appeto, cur non magis haec ex adiuncta obedientia ad maio-
ris meriti gloriam tolero ?

[§ 12] Recte ergo post natum Gad et Aser Ruben exire
dicitur [b], quia timor Domini ex uoluntaria abstinentia et
35 patientia ad omnem obedientiam roboratur.

CAPVT XXIX

Quomodo ex abstinentia humana laus surgit,
et quam caute eius appetitus temperandus sit

Sed quantus qualisque bonae opinionis odor de ipso circumquaque spargitur, qui nulla molestia, nulla inopia, a studio obedientiae praepeditur. Hae sunt mandragorae quas
Ruben inuenit, quas ab ipso mater eius Lia accepit [a]. Quid
5 enim per mandragoras quae odorem suum solent late spar-
gere, nisi bonae opinionis famam debemus accipere ? Quas
quidem tunc Lia accipit, quando oblata laus affectum tan-
git, quando in laudis suae praeconiis animus afficitur, et in
aura popularis fauoris peruerse delectatur.

XXIX, 2 molestia : modestia ǁ 9 peruersae

b. Cf. Gen. 30, 14
a. Cf. Gen. 30, 14

de la patience parfaite, Ruben se soumet aussitôt en toute obéissance, sans aucune résistance. De fait, quel obstacle pourrait empêcher désormais d'obéir sans réserve celui qui a décidé, en lui-même, aussi bien d'accepter l'adversité que de ne pas se complaire dans la prospérité ? Car si je désire déjà, par moi-même et pour l'amour de Dieu, toutes sortes de choses dures et pénibles, pourquoi ne les supporterais-je pas mieux encore par un surcroît d'obéissance, pour plus de gloire et de mérite ?

[§ 12] C'est donc à juste titre que l'Écriture dit de Ruben qu'il sort après la naissance de Gad et d'Aser [b], puisque, grâce à l'abstinence volontaire et à la patience, la crainte du Seigneur est assez forte pour pratiquer l'obéissance en toutes circonstances.

CHAPITRE XXIX

Comment de l'abstinence naît la louange des hommes et avec quelles précautions il faut en contenir le désir

Mais quel parfum suave et pénétrant répand tout alentour la bonne renommée de celui dont l'obéissance empressée n'est entravée par aucun embarras, par aucune défaillance ! Ce sont là les mandragores que Ruben a trouvées et que Lia, sa mère, a reçues de ses mains [a]. Que faut-il voir, en effet, en ces mandragores qui répandent bien loin leur parfum, si ce n'est le bruit d'une bonne renommée ? Et Lia, en vérité, reçoit ces mandragores, lorsque les louanges qu'on lui adresse affectent les sentiments, lorsque l'esprit se laisse émouvoir par la proclamation de ses éloges et lorsque le souffle léger de la faveur populaire lui procure un coupable plaisir.

10   Harum partem Rachel petit, Lia concedit, ut uirum acci-
piat, quae prolis desiderio flagrat [b]. Mentem etenim quae,
suadente ratione, appetitum uanae laudis non temperat, profecto Spiritus sanctus ad uirtutis prolem minime fecundat.
Vnus itaque Spiritus est, qui utramque sororem prolis
15 fecunditate ditat, quia idem spiritus, et rationem ad ueritatis cognitionem illuminat, et affectionem ad uirtutis amorem
inflammat. Suadet ergo affectioni ratio humani fauoris appetitum sub suo moderamine temperare, si ad multiplicandam
uirtutum prolem cupit de diuini Spiritus copula gaudere.
20 Mandragorarum itaque possessio sub Rachel potestate redi-
gitur, quando laudis appetitus sub rationis dominio moderatur.

Notandum sane quam temperate Rachel non mandragoras, sed mandragorarum partem petat, nam nec hoc ratio-
25 nem latet ualde esse difficile ut animus quamuis renitens ex
oblata laude non hilarescat. Debet amor humanae laudis
prius temperari, postmodum, si possit fieri, debet etiam
penitus abscidi. Vnde est quod Rachel partem mandragorarum petisse legitur, Lia uero, postmodum ad Iacob loquens,
30 non de sola parte gloriatur. *Ad me*, inquit, *intrabis, mercede
enim conduxi te pro mandragoris filii mei* [c]. Pro mandragoris, inquit, non pro parte mandragorarum filii mei. Absente
adhuc uiro, uix Lia partem concedit, sed in eius aduentu eius
desiderio uberius accensa, nil sibi ex eis ulterius reseruari
35 uoluit. Sic nimirum mens hominis, dum spirituali dulcedine
tangitur, quicquid prius de humana laude concupierat libenter obliuiscitur. In hunc modum mandragorae utiliter de
possessione Liae rediguntur sub Rachel potestate. Nouit

---

11 desideria ‖ 18 suo : uno ‖ 26 debet + itaque ‖ 28 abscindi

b. Cf. Gen. 30, 14-16 ‖ c. Gen. 30, 16

De tout cela, Rachel demande sa part. Lia la lui accorde, afin de faire venir à elle son époux, elle qui brûle du désir d'enfanter [b]. De fait, l'âme qui ne modère pas ses désirs de vaine gloire, sous l'influence de la raison, l'Esprit saint ne la féconde assurément pas, en vue de multiplier en elle la postérité des vertus. Un seul Esprit enrichit donc les deux sœurs d'une féconde descendance, car c'est le même Esprit qui illumine la raison pour la conduire à la connaissance de la vérité et qui allume en l'affection l'amour de la vertu. La raison persuade donc l'affection de modérer, sous son autorité, sa soif des louanges humaines, si elle désire jouir de l'étreinte de l'Esprit divin afin que la postérité des vertus se multiplie en elle. La possession des mandragores est donc mise sous le pouvoir de Rachel, lorsque le désir des louanges est tempéré par l'autorité de la raison.

Il faut bien remarquer la modération de Rachel. Elle ne demande pas les mandragores, mais une part des mandragores, car elle ne se dissimule pas qu'il est très difficile pour l'esprit, même s'il s'y efforce, de ne pas se réjouir des louanges qu'on lui adresse. On doit commencer par modérer l'amour que l'on attache à la louange des hommes, et ensuite, s'il se peut, s'en détacher complètement. Voilà pourquoi il est écrit que Rachel a demandé une part des mandragores. Mais Lia par la suite, s'adressant à Jacob, ne se glorifie pas seulement d'une part : *Tu viendras vers moi*, lui dit-elle, *car je t'ai fait venir en échange des mandragores de mon fils* [c]. En échange des mandragores, dit-elle, et non pour une part des mandragores de mon fils. Tant que son époux n'est pas là, Lia donne tout juste une part, mais lorsqu'il est arrivé, brûlant d'un désir plus ardent, elle ne veut plus rien conserver désormais pour elle. Oui, en vérité, lorsque la douceur spirituelle le touche, l'esprit de l'homme oublie volontiers tout ce qu'il a pu désirer en fait d'humaine louange. C'est ainsi que les mandragores qui étaient en possession de Lia tombent, d'une manière profitable, au pou-

enim Rachel quam Lia mandragoris melius uti, nam quic-
40 quid affectio cordis usurpat ad laudem sui, rectius sane ratio
retorquet ad gloriam Dei. Sed quid hoc dicimus esse quod
prae ceteris filiis Liae Ruben bonae opinionis mandragoras
potuit inuenire ?

CAPVT XXX

Vnde maxime soleat laus surgere et quod uera laus sit de recta uoluntate

Sed scimus quia uirtutum opera quae ceteras uirtutes
nutriunt, pene semper humilitatem extinguunt. Solent enim
quae per Gad et Aser fiunt hominibus miranda, abstinentiae
uidelicet et patientiae opera, operantem non timidum sed
5 tumidum reddere, non tam humilem quam contumacem
efficere. Quid igitur amplius mirandum, quid magis
omnium laude praedicandum, quam cum unde in aliis saepe
extinguitur, diuini timoris reuerentia non minuitur, sed
augetur ? Quia ergo solemus singulari laude efferre quem
10 uidemus etiam post uirtutum opera non solum de Dei, sed
de hominum parua offensa non parum trepidare, recte
Ruben mandragoras post natos Gad et Aser inuenisse dicitur, quia quemlibet ex operibus praeclaris ad timorem non
ad tumorem profecisse miramur.

15 [§ 13] Notandum sane quod hae de quibus locuti sumus
mandragorae, nec post tot natos Liae, nec post geminos libe-

XXX, 13 ad timorem non ad tumorem : ad tumorem non ad timorem ∥
16 natos tot

voir de Rachel. Celle-ci, en effet, sait faire meilleur usage des
mandragores que Lia, car tout ce que l'affection du cœur
tourne à sa propre louange, la raison le rapporte, en toute
justice, à la gloire de Dieu. Mais comment pouvons-nous
expliquer que de tous les fils de Lia, ce soit Ruben qui
trouve les mandragores de la bonne renommée ?

CHAPITRE XXX

D'ou procède principalement la louange,
et que la véritable louange est celle qui s'adresse
à une volonté droite

Mais nous savons que les actions vertueuses, dont se
nourrissent d'autres vertus, étouffent presque toujours l'humilité. Les prouesses de Gad et d'Aser, c'est-à-dire celles de
l'abstinence et de la patience, étonnantes aux yeux des
hommes, ont en effet d'ordinaire pour résultat de remplir
celui qui les accomplit, non de crainte, mais de suffisance,
moins d'humilité que d'arrogance. Qu'y a-t-il dès lors de
plus digne d'admiration, que peut-on proposer de mieux à
la louange de tous, lorsque le respect et la crainte de Dieu
ne sont pas diminués, mais grandis, par cela même qui souvent, chez les autres, les détruit ? Et puisque nous avons
l'habitude de prodiguer de particulières louanges à ceux que
nous voyons fortement trembler, même après leurs actions
vertueuses, pour une légère offense dont ils se sont rendus
coupables, non seulement envers Dieu, mais même envers
les hommes, on a raison de dire de Ruben qu'il a trouvé des
mandragores après la naissance de Gad et d'Aser, car nous
sommes étonnés de voir grandir, chez celui qui a accompli
des actions d'éclat, non l'orgueil, mais la crainte.

[§ 13] Il faut encore noter soigneusement, comme on le
lit dans l'Écriture, que ces mandragores dont on vient de

ros Balae, sed post natiuitatem filiorum Zelphae statim leguntur inuentae. Ad filios namque Liae uoluntates, ad filios Balae cogitationes, ad filios Zelphae pertinent actiones.
20 Voluntates itaque, seu cogitationes, quamuis rectas, quantumlibet utiles quomodo miramur, uel quando laudabimus, quas minime uidemus ? Et quamuis uera laus sit de recta uoluntate, eam tamen non laudamus, nisi appareat in opere. Per opus enim bonum bona uoluntas innotescit, ut iure
25 bonae opinionis laudem quasi quasdam late fragrantes mandragoras inuenire possit. Quasi ergo post partum Zelphae, proles Liae mandragoras inuenire creditur, quando uoluntas bona per bonum opus manifestata miris laudum praeconiis undique honoratur.

CAPVT XXXI

Quomodo uirtutibus praedictis muniatur tam disciplina cordis quam corporis

Hoc autem de duarum istarum filiis ancillarum non negligenter praetereundum, sed iugi memoria retinendum, quod ex eorum uigilantia uigilique custodia, conscientiae nostrae ciuitas mire custoditur, multumque protegitur. Primogenitus
5 namque Balae eam componit intrinsecus, primogenitus uero Zelphae munit eam extrinsecus. Per Dan reprimuntur mala intus exurgentia, per Gad repelluntur mala exterius insurgentia.

28 manifestata : manifesta
XXXI, 3 eorum + iugi ‖ 4 protegitur : progreditur

parler n'ont pas été trouvées aussitôt après la naissance des nombreux fils de Lia, ni après celle des deux enfants de Bala, mais après celle des fils de Zelpha. C'est aux enfants de Lia qu'appartiennent en effet les volontés, à ceux de Bala les pensées, à ceux de Zelpha les actions. Mais des volontés ou des pensées, même justes, et quelque profitables qu'elles soient, comment pourrions-nous les admirer, quand pourions-nous les louer, elles que nous ne voyons pas ? Et bien qu'une véritable louange soit due à la volonté droite, celle-ci pourtant ne peut être louée, si elle n'est pas manifestée par ses œuvres. Car c'est par de bonnes œuvres que la bonne volonté se fait connaître et qu'elle peut obtenir les louanges que mérite une bonne réputation, comme des mandragores qui répandent au loin leur parfum. Nous croyons donc que c'est après la naissance de Zelpha, en quelque sorte, que le fils de Lia trouve des mandragores, lorsque la bonne volonté que ses bonnes œuvres ont fait connaître est honorée de merveilleuses louanges, partout proclamées.

CHAPITRE XXXI

Comment la sauvegarde du cœur
autant que celle du corps sont renforcées
par les vertus dont on a parlé plus haut

On ne peut cependant négliger de dire des fils de ces deux servantes, et il faut toujours s'en souvenir, que grâce à leur vigilance attentive et toujours en éveil, la cité de notre conscience est admirablement gardée et très bien protégée. Le premier-né de Bala organise en effet sa défense intérieure, le premier-né de Zelpha la fortifie à l'extérieur. Dan réprime les soulèvements qui éclatent au dedans, Gad repousse les assauts venus du dehors.

Omnes namque scimus quia temptatio omnis surgit aut
10 exterius, aut interius. Interius per cogitatum, exterius per
sensum. Modo enim intus per cogitationem pulsat, modo de
exterioribus per sensus irrumpere parat. Solet nimirum
inimicus, nunc ab intus ministrare consilia erroris, nunc a
foris admouere incitamenta uoluptatis.

15   Sed quia ad Dan pertinet disciplina cogitationum, ad Gad
autem spectat disciplina sensuum, debet utique Dan euigi-
lare ad discretionis iudicium, Gad dimicare fortiter per abstinentiae exercitium. Vnius est sedare ciuilem discordiam,
alterius est repellere hostilem pugnam. Hic uigilat contra
20 ciuium proditionem, ille contra hostium incursionem. Iste
contra perfidiam, ille contra uiolentiam. Dan namque negli-
gente, mens facile decipitur ; Gad segnius agente, subito ad
turpem delectationem rapitur. Sed quid interest utrum ciuitas cordis nostri per uim an per fraudem pereat, utrum dis-
25 cordia ciuilis an manus hostilis eam subuertat ?

CAPVT XXXII

Quod disciplina cogitationum non possit
custodiri sine disciplina sensuum

Hoc autem nosse oportet quia disciplina corporis absque
disciplina cordis, absque dubio inutilis est ; disciplina uero
cogitationum, sine disciplina sensuum, omnino obseruari
non potest. Vnde satis constat quia sine adiutorio Gad, qui
5 contra exteriora uigilare debet, Dan in componenda ciuium
pace intus inaniter laborat. Quid enim iuuat, iudicante Dan
populum suum assidue, causam discordiae amputare, nisi

Nous savons tous, en effet, que toutes les tentations viennent, ou bien de l'extérieur ou bien de l'intérieur. De l'intérieur par les pensées, de l'extérieur par les sens. Car tantôt elles nous secouent au dedans par la pensée, tantôt elles se préparent à faire irruption du dehors par les sens. Certes, l'ennemi a coutume, tantôt de nous donner, du dedans, des conseils trompeurs, tantôt d'approcher, du dehors, l'aiguillon du plaisir.

Mais puisque c'est à Dan que revient la discipline des pensées, et à Gad celle des sens, Dan doit dès lors veiller en jugeant avec discernement, Gad doit combattre courageusement en s'exerçant à l'abstinence. Il appartient à l'un d'apaiser les discordes qui divisent la cité, à l'autre de repousser les attaques ennemies. Le premier est en garde contre les trahisons de ses concitoyens, le second contre les incursions des ennemis ; celui-là contre la perfidie, celui-ci contre la violence. Si Dan se montre en effet négligent, l'esprit est aisément trompé ; si Gad se relâche, il s'abandonne tout à coup à des plaisirs honteux. Mais qu'importe que la cité de notre cœur périsse par violence ou par trahison ; qu'elle soit détruite par la guerre civile ou par la main de l'ennemi ?

CHAPITRE XXXII

Que la discipline des pensées ne peut être sauvegardée sans la discipline des sens

Mais il faut savoir que la discipline du corps sans la discipline des sens est certainement inutile, et qu'il est absolument impossible de garder la discipline des pensées sans la discipline des sens. Il en ressort clairement que sans le concours de Gad, qui doit exercer sa vigilance contre les ennemis extérieurs, les efforts de Dan pour maintenir la paix civile à l'intérieur restent vains. A quoi servirait-il, en effet, que Dan portât sans relâche un jugement sur son peuple et

studeat Gad per portas sensuum irritamenta uitiorum,
quemdam uidelicet quasi hostilem exercitum, non admit-
10 tere ? Quamuis enim Dan assidue in throno iudicii resideat,
quamuis rixas altercantium cogitationum indesinenter com-
ponat, frustra utique in obseruanda ciuium concordia desudat, nisi eodem studio Gad ciuitatem nostram per sensuum
disciplinam muniat, et hostilia uitiorum agmina abstinentiae
15 praelio acriter feriat. Vnde etiam scriptum est : *Gad accinc-
tus praeliabitur ante eum* ᵃ. Tunc enim utiliter Dan contra
proditorum perfidiam intrinsecus uigilat, cum Gad extrinsecus occursantes hostes excludit et expugnat.

Prius itaque Gad accingitur, ut postmodum fortiter prae-
20 lietur. Gad proculdubio tunc se accingit, quando sensuum
dissolutionem per disciplinam restringit. Tunc Gad forti
praelio dimicat, quando desideria carnalia per carnis morti-
ficationem trucidat. Magna namque hostium strages efficitur, citiusque odiosus ille uitiorum exercitus in fugam
25 conuertitur, cum sensus corporis per disciplinam ab euagatione restringitur, et appetitus carnis per abstinentiam a
uoluptate refrenatur.

In hunc itaque modum, ut omnes experiri possumus, Dan
ciuitatem nostram componit intrinsecus, Gad munit extrin-
30 secus.

CAPVT XXXIII

Quomodo in cordis custodia uicissim sibi uirtutes
praedictae cooperentur

[§ 14] Assistunt autem et eis fratres sui, non segnes quidem ad auxilia ferenda, Neptalim intus cum Dan in ciuium

---

XXXII, 9 exercitum : exercitium ‖ 12 obseruanda : componenda ‖ 13
Gad + ad ‖ 18 expugnat : oppugnat

a. Gen. 49, 19

supprimât de la sorte toute cause de discorde, si Gad ne prenait pas la peine d'éloigner des portes des sens, comme on
le ferait pour une armée ennemie, l'aiguillon des vices ? Dan
a beau siéger sans arrêt sur son trône de juge et apaiser inlas-
sablement les rixes et les altercations des pensées, c'est en
vain qu'il s'épuise à maintenir la concorde entre les citoyens
si, par un même effort, Gad ne protège pas notre cité en maî-
trisant les sens et s'il ne frappe pas sévèrement les armées
ennemies, celles des vices en les combattant par l'abstinence.
Voilà pourquoi il est écrit aussi : *Gad, tout armé, combattra
devant lui* [a]. Dan prend donc garde efficacement, à l'intérieur, à la perfidie des traîtres, tandis que Gad, à l'extérieur,
repousse les assauts de l'ennemi et remporte la victoire.

Gad est donc d'abord armé afin de pouvoir combattre
ensuite avec bravoure. Il s'arme de la sorte, sans aucun
doute, lorsqu'il contient le désordre des sens par la discipline ; il engage alors un courageux combat, lorsqu'il exter-
mine les désirs charnels en mortifiant sa chair. Dans un
grand carnage, l'ennemi est alors écrasé, et cette odieuse
armée des vices est promptement mise en fuite, lorsque la
discipline contient les divagations du sens corporel et que
l'abstinence détache du plaisir l'appétit charnel.

De cette manière, comme nous pouvons tous en faire l'expérience, Dan pacifie notre cité à l'intérieur, Gad la protège
à l'extérieur.

CHAPITRE XXXIII

Comment les vertus dont il vient d'être question se portent
mutuellement assistance pour assurer la garde du cœur

[§ 14] Leurs frères leur prêtent d'ailleurs assistance et ne
leur ménagent vraiment pas leur concours. Nephtali, à l'in-

pace componenda, Aser exterius cum Gad in uiolentia hostium expugnanda. Gad itaque et Aser uigilant contra hostes,
5 Dan et Neptalim solliciti sunt circa ciues. Hinc ergo Dan
minatur, illinc Neptalim blanditur. Dan terret minis,
Neptalim fouet promissis. Ille punit malos, iste remunerat
bonos. Vnus terrore gehennae corda perterret, alter spe felicitatis aeternae animos demulcet.

10   Quantum ergo, putas, Neptalim iste, *dans eloquia pulchritudinis* [a], fratrem suum in tali negotio adiuuat, qui animas auditorum dulcedine eloquii sui pene absque mora quo
uult inclinat ? Adiuuat et Aser exterius nichilominus fratrem
suum, muniuntque ambo ciuitatem contra hostium incur-
15 sum. Hic latus unum protegit, ille alterum defendit. Gad
certat in dextro, Aser dimicat in sinistro. Gad insidiatur
mundi huius prosperitas, Aser uero persequitur mundana
aduersitas.

Sed Aser hosti suo facile illudit, dum partem quam tue-
20 tur alta patientiae rupe munitam conspicit, et iccirco de tuto
stationis loco hostes suos tam inaniter quam ab imo reluc-
tantes deridet ac despicit. Vnde fit ut eum hostes sui sua
impugnatione non tam uexent, quam ei triumphandi assidue
materiam ministrent. Hinc est quod spretis suis impugnato-
25 ribus, mundanis uidelicet aduersitatibus, in fratris sui perse-
cutores, carnales scilicet delectationes, totus effertur, et eos
magna animaduersione persequitur. Tantus enim terror
impugnatores Gad subito inuadit, cum ei se Aser in praelii
sui certamine adiungit, ut omnes absque mora ad fugam se
30 conuertant, cum nec ad horam quidem uicissim sibi fratribus auxilium ferentibus resistere audeant. Veri utique ani-

---

XXXIII, 19 quam *om.* ‖ 23 ei *om.*

---

a. Gen. 49, 21

térieur, maintient avec Dan la paix dans la cité ; Aser, à l'extérieur, repousse avec Gad les violents assauts de l'ennemi.
Gad et Aser montent donc la garde face à l'ennemi ; Dan et
Nephtali prennent soin des citoyens. Ici donc Dan menace,
là Nephtali caresse. Le premier terrifie par ses menaces, le
second réconforte par ses promesses. Celui-là punit les
méchants, celui-ci récompense les bons. L'un remplit les
cœurs d'épouvante par la crainte de la géhenne, l'autre
charme les esprits par l'espérance de la félicité éternelle.

Quel secours, dès lors, crois-tu, ce Nephtali qui *tient des
discours pleins de grâce* [a], apporte-t-il en cette affaire à son
frère, lui qui par la douceur de ses propos et presque sans
attendre, tourne là où il désire les âmes de ses auditeurs ?
Mais Aser n'apporte pas moins d'aide à son frère, à l'extérieur, car tous deux fortifient la cité contre les incursions de
l'ennemi. Le premier la protège d'un côté, le second la
défend de l'autre. Gad lutte à droite, Aser combat à gauche.
C'est la prospérité de ce monde qui tend des pièges à Gad,
mais c'est l'adversité qui persécute Aser.

Aser, pourtant, se joue aisément de son ennemi, car il voit
que le roc élevé de la patience protège la position fortifiée
qu'il défend, et c'est pourquoi, du lieu sûr qu'il occupe, il
se rit des adversaires qui, d'en bas, le combattent sans espoir
de succès et les dédaigne. Les assauts de ses ennemis ne sont
donc pas tant pour lui des motifs d'inquiétude que de continuelles occasions de triomphe. De là vient qu'après avoir
repoussé ses assaillants, je veux dire les adversités de ce
monde, il se porte tout entier sur les persécuteurs de son
frère, je veux dire les délectations charnelles, et il les pour-
chasse avec une sévérité implacable. Lorsque Aser se joint
ainsi à son frère, dans le feu du combat, les agresseurs de
Gad sont aussitôt saisis d'une si grande terreur que tous,
sans attendre, se retournent et prennent la fuite, car ils
n'oseraient jamais, fût-ce une heure, résister aux deux frères
se portant ainsi un mutuel secours. Oui, les véritables enne-

mae hostes, carnales sunt delectationes. Sed quis, quaeso,
locus prauae delectationi inter tormenta relinquitur, quae
iste noster Aser propter Deum non solum patienter ferre,
35 sed etiam ardenter appetere comprobatur ? O quam recte
Aser, id est beatus, dicitur, secundum illam Domini sententiam : *Beati qui persecutionem patiuntur propter iustitiam* [b].

CAPVT XXXIV

Quod perfectam patientiam
semper comitatur misericordia

Quis illud dominicum praeceptum : *Dimittite et dimitte-*
tur uobis [a], tam magnifice implere potuit ? Quis tam facile,
quis tam ex corde illatas sibi iniurias ignoscere ualuit, quam
qui de corporis sui cruciatibus exultare magis quam contris-
5 tari didicit ? Vtquid enim inimicos non diligat, cur eis libenter non indulgeat, qui hoc ei inferunt quod desiderat ? Magis
itaque quam suo corpori suis miseretur persecutoribus, ut
sit iterum atque iterum beatus : *Beati* enim *misericordes,*
quoniam ipsi misericordiam consequentur [b]. O uirum glo-
10 riosum, o terque quaterque beatum ! Beatus propter iustitiae esuriem, beatus propter uoluntariam passionem, beatus

b. Matth. 5, 10
a. Lc 6, 37 ‖ b. Matth. 5, 7

1. JÉRÔME, *Liber interpr.*, Gen., éd. P. de LAGARDE, p. 3, l. 7-8
(*CCSL* 72, p. 61) « Aser beatitudo uel beatus » ; cf. *supra* XXVI, n. 2.

mis de l'âme, ce sont les délectations de la chair. Mais quelle place reste-t-il, s'il vous plaît, pour ces délices perverses, au milieu des tourments dont il est reconnu que notre Aser ne les accepte pas seulement patiemment, pour l'amour de Dieu, mais qu'il va jusqu'à les désirer ardemment ? Qu'il est donc juste de l'appeler Aser, c'est-à-dire « bienheureux » [1], selon cette parole du Seigneur : *Bienheureux ceux qui, pour la justice, souffrent persécution* [b].

CHAPITRE XXXIV

Que la miséricorde accompagne toujours la patience parfaite

Qui donc a pu satisfaire avec autant de grandeur à ce précepte du Seigneur : *Pardonnez, et il vous sera pardonné* [a1] ; qui donc a pu si aisément et du fond de son cœur oublier les injures essuyées, sinon celui qui a appris à exulter d'allégresse dans les souffrances imposées à son corps, plus qu'à s'en attrister ? Pourquoi n'aimerait-il donc pas ses ennemis, pourquoi ne leur donnerait-il pas de bon cœur des marques de bienveillance, puisqu'ils lui apportent cela même qu'il désire ? Qu'il ait ainsi pitié de ses persécuteurs plus que de son propre corps, afin qu'il soit appelé deux et trois fois bienheureux : *Bienheureux en effet les miséricordieux, car ils obtiendront eux-mêmes miséricorde* [b]. O homme rempli de gloire, le voilà trois et quatre fois bienheureux ! Bienheureux parce qu'il a faim de justice, bienheureux parce qu'il accepte volontairement de souffrir, bienheureux à cause de sa mansuétude, bienheureux parce qu'il est plein de compassion et

---

1. Cf. Lc 6, 37 : *dimittite et dimittemini*. Mais la uariante *et dimittetur uobis* utilisée par Richard est attestée par trois manuscrits : *Biblia sacra*, recensuit R. Weber, II, Stuttgart, 1969, p. 1618.

propter mansuetudinem, beatus propter misericordiae com-
passionem. Sicut enim *beati qui esuriunt et sitiunt iusti-*
tiam [c], sicut *beati qui persecutionem patiuntur propter*
15 *ipsam* [d], sic nichilominus *beati mites* [e], *beati misericordes* [f].

Et hic noster Aser, ut sit ueraciter multipliciterque beatus,
iustitiam ardenter sitiens, propter ipsam libenter patitur,
nesciens irasci facile miseretur. Quamuis enim multum esu-
riat panem iustitiae, dedignatur tamen eum comedere, nisi
20 sit conspersus oleo misericordiae. Ex multa diuitiarum etenim affluentia quae sibi superabundant, ex spoliis hostium
pro frequenti uictoria, multum est delicatus effectus, nec ei
iam sapit panis ullus quamlibet nitidus, nisi sit oleo conspersus, in tantum ut de eo Scriptura manifeste denuntiet, dicens
25 quia *Aser, pinguis panis eius* [g]. Quis, putas, sic deliciis affluit
ut ipse, ut ueraciter possit psallere : *In uia testimoniorum*
tuorum delectatus sum, sicut in omnibus diuitiis [h] ?

CAPVT XXXV

Commendatio perfectae patientiae

Quantum namque, putas, Aser iste habundat diuitiis spiritualium consolationum [a], quantumue affluit deliciis spiritualium gaudiorum, cuius diuitias quaelibet aduersitas non
tam minuere quam augere solet, cuius delicias quoduis tor-
5 mentum nec saltem interpolare ualet ? Nam quanto durius
premitur exterius, tanto delectabilius gloriatur interius. Hae
sunt illae deliciae quas tantum sitiunt, quas tam gratanter
accipiunt, non dico pauperes et ignobiles, sed etiam ipsi reges
uel principes.

XXXIV, 23 quamlibet : quantumlibet

c. Matth. 5, 6 ‖ d. Matth. 5, 10 (*propter iustitiam,* Vulg.) ‖ e. Matth. 5,
4, ‖ f. Matth. 5, 7 ‖ g. Gen. 49, 20 ‖ h. Ps. 118, 14
a. Cf. II Esdr. 9, 25 ; Job 22, 26 ; Eccl. 2, 1 ; Cant. 8, 5, etc.

de miséricorde ! De même que sont en effet proclamés *bien-heureux ceux qui ont faim et soif de justice* [c], et *bienheureux ceux qui souffrent pour elle* [d], de même ne sont pas moins *bienheureux les doux* [e], *bienheureux les miséricordieux* [f].

Et notre Aser, afin d'être véritablement et de toute manière bienheureux, dans sa soif ardente pour la justice, souffre de grand cœur pour elle ; il ne sait pas se mettre en colère, il fait volontiers miséricorde. Bien qu'il ait grand faim du pain de la justice, il refuse néanmoins d'en manger s'il n'est point assaisonné de l'huile de la miséricorde. L'afflux considérable des richesses qui lui viennent en surabondance des dépouilles dont ses continuelles victoires sur l'ennemi l'ont comblé, l'ont en effet rendu très difficile : il ne trouve plus aucun goût à un pain, si appétissant qu'il soit, s'il n'est point trempé d'huile, à tel point que l'Écriture le proclame ouvertement, lorsqu'elle dit : *Quant à Aser, son pain est gras* [g]. Qui donc, crois-tu, a été comme lui inondé de délices, jusqu'à pouvoir chanter : *J'ai trouvé ma joie à suivre tes enseignements, comme si c'était là toutes les richesses ?* [h]

CHAPITRE XXXV

Éloge de la patience parfaite

De quelles richesses et de quelles consolations spirituelles n'est-il pas comblé [a], penses-tu, cet Aser, de quelles délices et de quelles joies spirituelles n'est-il pas inondé, lui dont l'adversité, quelle qu'elle soit, bien loin de diminuer les richesses, ne fait que les accroître, lui dont le tourment, quel qu'il soit, ne peut même pas altérer le bonheur ? De fait, plus il est durement frappé à l'extérieur, plus il se glorifie de la joie qu'il éprouve, à l'intérieur. Telles sont les délices que désirent si ardemment, que reçoivent si volontiers, je ne dis pas les pauvres et les simples gens, mais les rois eux-mêmes ou les princes.

10 Mentior si de ipso haec ipsa Scriptura non loquitur : *Aser*, inquit, *pinguis panis eius, et praebebit delicias regibus* [b]. Quam enim putamus suauiter pascuntur, quam mirabiliter credimus delectantur, non quilibet reges, sed illi utique uere reges, quibus *rex* ille *regum et dominus dominantium* [c] res-
15 tituit imperium corporis sui, et quibus distribuit regnum patris sui [d] ; talibus, inquam, regibus, quam putamus dulce sit, quam intime eis sapit, cum uideant hominem iustitiae amore tormenta non timere, et inter ipsas persecutiones pacem cordis animique tranquillitatem non amittere. Si enim
20 *gaudium* est *in coelo super uno peccatore paenitentiam agente* [e], quanta tunc sollemnitas erit super quolibet iusto pro iustitia libenter moriente ? Vere *Aser pinguis panis eius, et praebebit delicias regibus* [f].

O qualis panis, panis eius ! O quales deliciae, deliciae eius,
25 quae tantum sapiunt regibus, regibus talibus ! Certe reges isti iam ad nuptias agni introierunt [g], iam ad illud aeternum conuiuium sederunt, iam illo pane angelorum [h] deliciisque aeternis uescuntur, iam torrente uoluptatis debriantur [i], et adhuc huius Aser delicias insatiabiliter esuriunt, et usque
30 hodie esurientes et sitientes iustitiam [j], in tanta coelestium gaudiorum abundantia hanc suam famem uel sitim sedare non possunt. *Aser, pinguis panis eius, et praebebit delicias regibus* [k].

Quam, putas, largus esse potest in necessitates pauperum,
35 cui superabundat parare delicias regum ? Quantum, putas, mirantur, quantumue gratulantur in eius constantia, quos

---

XXXV, 12 quam : quod ‖ 28 debriantur : inebriantur

b. Gen. 49, 20 ‖ c. Cf. I Tim. 6, 15 ‖ d. Cf. Matth. 26, 29 ‖ e. Lc 15, 7 ‖ f. Gen. 49, 20 ‖ g. Cf. Apoc. 19, 7 et 9 ‖ h. Cf. Ps. 77, 25 ‖ i. Cf. Ps. 35, 9 ‖ j. Cf. Matth. 5, 6 ‖ k. Gen. 49, 20

Que je sois convaincu de mensonge, si ce n'est pas de cela que parle cette même Écriture, à propos d'Aser : *Aser, dit-elle, son pain est gras, et il comblera les rois de délices* [b]. De quel mets délicieux ne pensons-nous donc pas que sont nourris, de quelles merveilleuses satisfactions ne croyons-nous pas que jouissent, non pas n'importe quels rois, mais ceux qui sont véritablement des rois, à qui le *Roi des rois et le Seigneur des seigneurs* [c] a restitué le gouvernement de leurs corps et entre lesquels il a partagé le royaume de son Père [d]. Pour de tels rois, dis-je, combien ne pensons-nous pas qu'il soit doux, qu'il soit profondément agréable de voir un homme qui ne craint pas d'endurer des tourments pour l'amour de la justice et qui, au sein même des persécutions, ne perd ni la paix de son cœur, ni la tranquillité de son esprit ? S'il y a en effet *de la joie dans le ciel pour un seul pécheur qui fait pénitence* [e], quelle fête ne célébrera-t-on pas pour un juste mourant volontiers pour l'amour de la justice ? Oui, vraiment, *Aser, son pain est gras, et il comblera les rois de délices* [f].

O quel pain que son pain ! Quelles délices que les délices qu'il procure, auxquelles les rois, et de tels rois, trouvent tant de goût ! Déjà ces rois, certes, ont été introduits aux noces de l'Agneau [g], déjà ils sont assis à cet éternel banquet, déjà ils sont nourris de ce pain des anges [h] et des délices éternelles, déjà ils sont enivrés dans un torrent de jouissances [i]. Pourtant, ils éprouvent encore, pour les joies que leur procure Aser, une faim que rien n'assouvit ; ils ont jusqu'à ce jour faim et soif de justice [j] et dans une si grande abondance de joies célestes, ils ne parviennent à apaiser ni leur faim ni leur soif : *Aser, son pain est gras, et il comblera les rois de délices* [k].

A quel point, à ton avis, ne peut-il pas se montrer généreux devant la misère des pauvres, celui dont les surabondantes richesses procurent aux rois leurs délices ? A quel point ne doivent-ils pas admirer sa fermeté et l'en féliciter, à ton avis, les vivants que leurs infirmités accablent encore

uiuentes adhuc *in ualle lacrimarum* [1] premit infirmitas sua,
si tantum delectantur in eius operibus illi etiam quos iam
absorbuit felicitas illa aeterna ? *Aser, pinguis panis eius, et*
40 *praebebit delicias regibus* [m].

Et unde ei tanta diuitiarum abundantia, tanta deliciarum
copia, nisi, ut dictum est, de hostium spoliis in tam frequenti
uictoria ? Constat namque quia quanto amplius atteruntur
hostes iustitiae, tanto uberius cumulantur gaudia conscien-
45 tiae : *Gloria et diuitiae in domo eius* [n], ait Psalmista. Et
Apostolus de huiusmodi gloria uel diuitiis quasi exponendo
loquitur ita : *Gloria nostra haec est, testimonium conscien-*
tiae nostrae [o]. Haec est domus, uel ciuitas illa, conscientia
uidelicet nostra, in qua spiritualium bonorum diuitiae abun-
50 dant, cum eam praedictarum ancillarum filii uigili sollicitudine custodiant : Dan uidelicet et Neptalim, satagentibus in
confirmanda pace ciuium, Gad et Aser uiriliter agentibus in
expugnatione hostium. Horum namque prudentia ciues
pacificantur, illorum constantia hostes expugnantur.

CAPVT XXXVI

Quomodo uel quo ordine oriatur uerum gaudium

[§ 15] Hostibus itaque fugatis ciuibusque pacificatis, nil
iam obstat, ut arbitror, quin illa nostra ciuitas experiatur
quae sit illa *pax Dei quae exsuperat omnem sensum* [a], uel
quam sit *magna multitudo dulcedinis quam abscondit Deus*
5 *diligentibus se* [b]. Abscondit, inquit. Quid ergo mirum, si

---

51 custodiunt

---

l. Ps. 83, 7 ‖ m. Gen. 49, 20 ‖ n. Ps. 111, 3 ‖ o. II Cor. 1, 12
a. Phil. 4, 7 ‖ b. Cf. Ps. 30, 20 (*quam abscondisti timentibus te*, Vulg.)

---

1. Cf. *supra* XXXIV.

dans cette *vallée de larmes* [1], si ceux-là même que l'éternelle félicité a déjà absorbés se complaisent tellement en ses œuvres ? *Aser, son pain est gras et il comblera les rois de délices* [m].

Mais d'où lui viennent de si abondantes richesses, de si grands débordements d'allégresse, si ce n'est, comme on l'a dit [1], des dépouilles arrachées à l'ennemi au cours de ses si fréquentes victoires ? Il est clair, en effet, que plus complètement sont écrasés les ennemis de la justice, plus abondamment s'accumulent les joies de la conscience : *La gloire et les richesses sont dans sa demeure* [n], dit le Psalmiste. Et l'Apôtre explique en quelque sorte ce que sont cette gloire et ces richesses, lorsqu'il déclare : *Ce qui fait notre gloire, c'est le témoignage de notre conscience* [o]. Telle est cette demeure ou cette cité, c'est-à-dire notre conscience, où regorgent les richesses et les biens spirituels, tandis que la gardent, avec vigilance et sollicitude, les fils des servantes dont on a parlé : Dan et Nephtali s'emploient à y consolider la paix civile, tandis que Gad et Aser s'affairent courageusement à repousser l'ennemi. La prudence des deux premiers maintient en effet la paix entre les citoyens, la fermeté des deux autres repousse les ennemis.

CHAPITRE XXXVI

Comment apparaît la joie vraie et ordonnée

[§ 15] Les ennemis ainsi mis en fuite et les citoyens vivant en paix, rien ne s'oppose plus, me semble-t-il, à ce que notre cité fasse l'expérience de ce qu'est cette *paix de Dieu qui surpasse tout sentiment* [a], ou qu'il découvre *combien est grande et abondante la douceur* [b] que Dieu cache pour ceux qui l'aiment. *Qu'il cache*, est-il dit. Alors comment s'étonner si

eam quilibet mundi amator nescit, quam Deus diligentibus
se abscondit ? Qui enim in bonis falsis atque deceptoriis
spem figunt, quae sunt uera bona inuenire non possunt,
unde est quod dicunt : *Quis ostendit nobis bona* ᶜ ? Est enim
10 *manna absconditum* ᵈ, et nisi gustantibus omnino ignotum.
Est namque huiusmodi dulcedo cordis, non carnis, unde nec
eam nosse potest quilibet carnalis. *Dedisti*, inquit, *laetitiam
in corde meo* ᵉ. Corporales deliciae sicut et ipsum corpus,
corporeo oculo uideri possunt : delicias cordis, sicut nec
15 ipsum cor, oculi carnis uidere nequeunt. Qua ergo ratione
spirituales delicias cognoscat, nisi qui ad cor suum intrare et
intus habitare non dissimulat ? Vnde et ei dicitur : *Intra in
gaudium Domini tui* ᶠ.

Hoc itaque internum gaudium, spiritualis ista dulcedo
20 quae intus sentitur, est ille filius Liae qui ei quinto loco nascitur ᵍ. Est enim gaudium, ut superius iam diximus, unus de
principalibus affectibus. Hic autem, cum ordinatus est, recte
inter filios Iacob et Liae annumerari potest. Ordinatum
autem et uerum gaudium ueraciter tunc habemus, quando
25 de ueris et internis bonis gaudemus. Ad talis prolis desiderium Apostolus nos animare uoluit, cum dixit : *Gaudete in
Domino semper, iterum dico, gaudete* ʰ. Et Propheta :
*Laetamini in Domino et exultate iusti, et gloriamini omnes
recti corde* ⁱ.

30 Pro tali prole libenter Lia mandragoras contempsit, ut
talem filium habere possit ʲ. Mens etenim quae in laude
hominum delectatur, quod sit internum gaudium experiri
non meretur. Recte autem post natiuitatem Gad et Aser, Lia

XXXVI, 12 nosse : noscere ‖ 19 spiritualis ista : spiritualibus solis, illa
‖ 30 Lia mandragoras libenter

---

c. Ps. 4, 6 ‖ d. Cf. Apoc. 2, 17 ‖ e. Ps. 4, 7 ‖ f. Matth. 25, 21 ‖ g. Cf.
Gen. 30, 17 ‖ h. Phil. 4, 4 ‖ i. Ps. 31, 11 ‖ j. Cf. Gen. 30, 14-16

---

1. Cf. *supra* VII.

tout ami du monde ignore cette douceur que Dieu cache pour ceux qui l'aiment ? Ils ne peuvent en effet découvrir quels sont les bien véritables, ceux qui ont mis leur espérance dans les biens mensongers et trompeurs. Voilà pourquoi ils disent : *Qui nous montre ce qui est bon* ? [c] De fait, il y a une manne cachée [d], complètement inconnue, sauf de ceux qui y goûtent. Car cette sorte de douceur est une douceur du cœur, non de la chair, et aucun de ceux qui vivent selon la chair ne peut y goûter. *Tu as rempli mon cœur de joie* [e], est-il écrit. De même que les délices corporelles, comme le corps lui-même, peuvent être vues par l'œil corporel, de même les délices du cœur, pas plus que le cœur lui-même, ne peuvent être perçues par les yeux de la chair. C'est la raison pour laquelle nul ne peut éprouver de délices spirituelles, sauf celui qui ne néglige pas de rentrer en son cœur et de demeurer au dedans de lui-même. D'où vient qu'il lui est dit : *Entre dans la joie de ton Seigneur* [f].

Cette joie intérieure, cette douceur spirituelle qu'on éprouve au dedans de soi, c'est le fils auquel Lia, pour la cinquième fois, donne le jour [g]. La joie, en effet, comme on l'a dit précédemment, est une des « affections » principales [1]. Lorsqu'elle est ordonnée, elle peut être mise ici au nombre des fils de Jacob et de Lia, et nous éprouvons véritablement une joie ordonnée et vraie, lorsque nous nous réjouissons des biens véritables et intérieurs. C'est le désir d'une telle postérité que l'Apôtre a voulu nous inspirer, lorsqu'il a dit : *Réjouissez-vous dans le Seigneur ; je vous le dis de nouveau : Réjouissez-vous* [h]. Et le Prophète : *Justes, réjouissez-vous dans le Seigneur et bondissez de joie, et glorifiez-vous, vous tous qui avez le cœur droit* [i].

C'est pour une pareille postérité et pour avoir un tel fils que Lia a renoncé de bon cœur aux mandragores [j]. L'esprit qui se complaît dans la louange des hommes, en effet, ne mérite pas de goûter par expérience ce qu'est la vraie joie. C'est donc à juste titre que Lia engendra un tel fils après la

talem filium genuit [k], quia nisi per abstinentiam et patien-
35 tiam mens humana ad uerum gaudium non pertingit.
Oportet ergo non solum falsam delectationem sed etiam
uanam perturbationem excludere eum qui uult de ueritate
gaudere. Qui enim in infimis adhuc delectatur, interna
utique iocunditate indignus est, et qui uano timore pertur-
40 batur, spiritali dulcedine perfrui non potest. Falsam laetitiam ueritas damnabat, cum dicebat : *Vae uobis qui nunc
ridetis* [l]. Vanam perturbationem exstirpabat, cum auditores
suos ammonebat, dicens : *Nolite timere eos qui occidunt corpus*, animae *autem non habent quid faciant* [m]. Horum autem
45 unum abstinendo superamus, alterum patiendo calcamus.
Itaque per Gad exstirpatur falsa delectatio, per Aser uero
uana perturbatio. Isti sunt Gad et Aser qui excludunt gaudium falsum, et introducunt gaudium uerum.

[§ 16] Iam, ut aestimo, nulla erit deinceps quaestio, cur
50 his talis filius Ysachar dicatur, siquidem Ysachar merces
interpretatur [o]. Quid enim aliud tot tantisque laboribus
quaerimus ; quid, inquam, aliud quam uerum gaudium tam
perseueranti longanimitate expectamus ? Huius mercedis
totiens quasi quasdam primitias, et uelut arram quandam
55 accipimus, quotiens ad illud internum Domini nostri gaudium intramus, et ex aliqua parte gustamus.

---

38 adhuc in infimis ‖ 40 non potest perfrui ‖ 44 animae — faciant : animam autem non possunt occidere ‖ 55 Domini nostri gaudium internum

---

k. Cf. Gen. 30, 17 ‖ l. Lc 6, 25 ‖ m. Cf. Matth. 10, 28 ; Lc 12, 4

2. JÉRÔME, *Liber interpr.*, Gen., éd. P. de LAGARDE, p. 7, l. 19-20
(*CCSL* 72, p. 67) : « Issachar est merces ».

naissance de Gad et d'Aser [k], car l'esprit humain ne peut parvenir à la véritable joie que par l'abstinence et la patience. Il ne suffit donc pas qu'il repousse toute fausse délectation, mais aussi toute vaine perturbation, celui qui veut jouir de la vérité, car celui qui se complaît encore dans les choses d'en bas est absolument indigne de connaître la joie intérieure, et celui que perturbe encore une crainte que rien ne justifie ne peut jouir de la douceur spirituelle. C'est cette fausse joie que condamnait la vérité, lorsqu'elle disait : *Malheur à vous qui maintenant riez* [1]. C'est ce trouble que rien ne justifiait qu'elle voulait déraciner, lorsqu'elle donnait à ceux qui l'écoutaient l'avertissement suivant : *Ne craignez pas ceux qui tuent le corps, mais ne peuvent rien contre l'âme* [m]. Nous maîtrisons donc le premier de ces deux adversaires par l'abstinence, nous foulons aux pieds le second par la patience. C'est ainsi Gad qui extirpe les fausses joies, Aser les perturbations inutiles. Tels sont donc Gad et Aser qui rejettent toute joie trompeuse et par qui on entre dans la joie véritable.

[§ 16] Ainsi nous ne nous demanderons-nous plus, à mon avis, pourquoi ce dernier fils est appelé Issachar, puisque Issachar signifie récompense [2]. Que cherchons-nous en effet à atteindre par de si nombreux et si grands efforts, qu'attendons-nous donc, dis-je, avec tant de persévérance et de longanimité, si ce n'est la joie véritable ? De cette récompense, nous recevons pour ainsi dire des prémices et comme une sorte de gage, chaque fois que nous entrons dans cette joie intérieure du Seigneur et que nous en goûtons quelque chose.

CAPVT XXXVII

Comparatio interioris et exterioris dulcedinis

Hanc autem internae dulcedinis degustationem Scriptura sacra nunc gustum, nunc ebrietatem uocat, ut quam sit parua uel magna ostendat, parua quidem ad comparationem futurae plenitudinis, magna autem in comparatione cuiusli-
5 bet mundanae iocunditatis. Praesens etenim spiritualium uirorum delectatio futurae uitae gaudiis comparata, quantumlibet excrescens, inuenitur parua, in cuius tamen comparatione omnis exteriorum delectationum suauitas est nulla.

10 O dulcedo miranda, dulcedo tam magna, dulcedo tam parua ! Quomodo non magna, quae mundanam omnem excedis ? Quomodo non parua, quae de illa plenitudine uix stillam modicam decerpis ? Modicum quiddam de tanto felicitatis pelago mentibus instillas, mentem tamen quam infun-
15 dis plene inebrias.

Merito tantillum de tanto, gustus quidem dicitur ; merito nichilominus quae mentem a seipsa alienat, ebrietas nominatur. Gustus ergo est, et ebrietas iure dici potest. *Gustate*, inquit Propheta, *et uidete, quoniam suauis est Dominus* [a]. Et
20 Apostolus Petrus : *Si tamen gustastis quoniam dulcis est Dominus* [b]. Et de ebrietate idem Propheta : *Visitasti terram, et inebriasti eam* [c]. Audi hominem hac ebrietate madentem, et quid circa se agatur omnino ignorantem : *siue in corpore*, inquit, *siue extra corpus, nescio, Deus scit* [d]. Quomodo,
25 putas, inebriatus erat, quomodo mundus ei in obliuionem uenerat, qui seipsum nesciebat ?

XXXVII, 7 comparatione tamen ‖ 13 quiddam : quidem

a. Ps. 33, 9 ‖ b. I Pierre 2, 3 ‖ c. Ps. 64, 10 ‖ d. II Cor. 12, 2.

CHAPITRE XXXVII

Comparaison de la douceur extérieure et intérieure

Mais cette joie que nous éprouvons à goûter la douceur intérieure, la sainte Écriture l'appelle tantôt goût, tantôt ivresse, montrant par là combien elle peut être petite ou grande, petite sans doute par comparaison avec la plénitude à venir, grande en revanche par comparaison avec les joies de ce monde, quelles qu'elles soient. Comparées aux joies de la vie future, les délectations de la vie présente, si intenses qu'elles deviennent, ne sont que bien peu de chose pour les hommes spirituels, mais comparées avec elles, les plaisirs venus de l'extérieur n'ont aucune saveur.

O douceur merveilleuse, douceur si grande, douceur si petite ! Comment ne serais-tu pas grande, toi qui surpasses toutes celles du monde ? Comment ne serais-tu pas petite, toi qui laisses à peine tomber une petite goutte de ta plénitude ? Tu n'instilles que bien peu de chose dans nos esprits de cet immense océan de félicité, et pourtant tu enivres complètement l'esprit que tu as ainsi arrosé.

C'est donc avec raison, en vérité, que ce petit rien tiré de ce qui est si grand est appelé goût, et c'est néanmoins à juste titre que ce qui met ainsi l'esprit hors de lui est appelé ivresse. Il y a donc là un goût, et on est en droit de dire qu'il est ivresse. *Goûtez et voyez*, dit le Prophète, *que le Seigneur est doux* [a]. Et l'apôtre Pierre : *Si du moins vous avez goûté que le Seigneur est doux* [b]. Et le même Prophète ajoute : *Tu as visité la terre, et tu l'as enivrée* [c]. Ecoute un homme enivré de cette ivresse, et qui pourtant ignore tout de ce qui se passe en lui : *Est-ce dans mon corps, ou hors de mon corps ? Je ne sais, Dieu le sait* [d]. Comment crois-tu qu'il avait pu s'enivrer, comment avait-il pu oublier le monde, lui qui ne se connaissait pas lui-même ?

CAPVT XXXVIII

Quid soleat impedire illud internum gaudium

Hac itaque dulcedine inebriari non merentur, qui adhuc carnalium desideriorum fluctibus agitantur. *Visitasti*, inquit, *terram, et inebriasti eam* [a]. Quid, putas, est causae, quod solam terram Dominus dicitur inebriasse ; cur non etiam
5   mare ? Sed scimus quia mens quae per uaria desideria fluctuat, quam adhuc saecularium curarum procella exagitat, ad illud internum gaudium non admittitur, et illo torrente uoluptatis non potatur [b], quanto minus inebriatur. Scimus quia mare semper fluctuat, terra autem in aeternum stat. Sic
10   et cetera elementa semper in motu sunt, et sola terra stante, stare cetera nesciunt.

Quid ergo per terram, nisi fixam cordis stabilitatem debemus accipere ? Debet ergo fluctuationem cordis restringere, et ad unius ueri gaudii desiderium cogitationum affectio-
15   numque motus colligere, qui se cupit uel credit illo uerae sobrietatis poculo inebriandum fore. Haec est illa uere beata terra, mentis uidelicet stabilitas tranquilla, quando mens in seipsa tota colligitur, et in uno aeternitatis desiderio immobiliter figitur. Haec est illa terra quam ueritas promittebat,
20   cum dicebat : *Beati mites, quoniam ipsi possidebunt terram* [c]. Haec est illa terra de qua Psalmista promittens ammonebat et ammonens promittebat : *Inhabita*, inquit, *terram et pasceris in diuitiis eius* [d]. Haec est illa terra quam iste Ysachar, asinus fortis, uidit et concupiuit, et in eius concupiscentias
25   mirabiliter exarsit.

XXXVIII, 12 ergo : igitur ‖ 13 ergo : igitur

a. Ps. 64, 10 ‖ b. Cf. Ps. 35, 9 ‖ c. Matth. 5, 4 ‖ d. Ps. 36, 3

CHAPITRE XXXVIII

De ce qui peut faire obstacle à cette joie intérieure

De cette douceur, il est vrai, ceux qu'agitent encore les flots des désirs charnels ne méritent pas d'être enivrés. *Tu as visité la terre*, est-il écrit, et *tu l'as enivrée* [a]. Pour quelle raison est-il dit, à ton avis, que le Seigneur a enivré seulement la terre, et pourquoi pas aussi la mer ? Mais nous savons bien que l'esprit qui se laisse emporter par le flux de ses désirs changeants et qu'agite toujours la tempête des soucis de ce siècle, ne peut être admis dans la joie intérieure, ne peut s'abreuver à ce torrent de délices [b] et moins encore s'y enivrer. Nous savons que la mer est continuellement agitée, et que la terre demeure éternellement stable. Les autres éléments sont d'ailleurs, eux aussi, sans cesse en mouvement, et la terre seule demeure stable alors que les autres en sont incapables.

Que doit donc signifier pour nous la terre, si ce n'est l'immuable stabilité du cœur ? Il doit donc contenir les fluctuations de son cœur, rassembler les mouvements de ses pensées et de ses affections pour ne plus désirer que l'unique et véritable joie, celui qui désire s'enivrer à cette coupe de la véritable sobriété ou se croit destiné à l'être. Telle est cette terre vraiment bienheureuse, c'est-à-dire cette tranquille stabilité de l'esprit, où l'esprit se recueille tout entier en lui-même et se fixe d'une manière immuable dans le seul désir de l'éternité. C'est cette terre que la Vérité promettait, lorsqu'elle s'écriait : *Bienheureux les doux, car ils posséderont la terre* [c]. C'est de cette terre que le Psalmiste nous faisait souvenir en nous la promettant et qu'il nous promettait en nous en faisant souvenir : *Habite cette terre*, disait-il, *et tu te nourriras de ses richesses* [d]. C'est cette terre qu'Issachar, âne robuste, a vue et désirée, et c'est de désir pour elle qu'il a brûlé d'une manière étonnante.

[§ 17] *Ysachar*, inquit, *asinus fortis*, habitans *inter termi-*
nos, uidit requiem quod esset bona, et terram quod esset
optima, et supposuit humerum ad portandum, et *factus est*
tributis seruiens ᵉ. Oportet ergo nos transire de terra ad ter-
30   ram, de terra aliena ad terram propriam, de exilio ad
patriam, de gente ad gentem, et de regno ad populum alterum, de terra morientium ad terram uiuentium, si uolumus
experiendo nosse uerum et internum gaudium. Concupis-
camus et nos terram illam quam Ysachar iste uidit et concu-
35   piuit. Si enim non uidisset, non cognouisset, et si non
cognouisset, non concupisset.

CAPVT XXXIX

Quomodo interna dulcedo soleat animum
et ad fortia roborare et ad humilia inclinare

Pro hac terra asinus factus et fortis effectus, libenter *sup-*
posuit humerum suum ad portandum, et *factus est tributis*
seruiens ᵃ. Multum sibi subito uiluerat, qui se asinum, animal uidelicet pene prae ceteris uilius, reputabat. Multum
5   concupiuit terram quam uidit, pro qua ad omnem laborem
fortis perdurauit. Viderat sane quod ad pulchritudinem illius
terrae omnes *iustitiae nostrae* erant ut *pannus* mulieris *mens-*
truatae ᵇ. Viderat nichilominus quod *non sunt condignae*
passiones huius temporis ad futuram gloriam quae reuelabi-
10   *tur in nobis* ᶜ. In uno igitur sibi uilis, in altero fortis effec-

XXXIX, 6 terrae illius ‖ 10 igitur : ergo

e. Gen. 49, 14-15 (*habitans* : *accubans,* Vulg. ; et *factus* : *factusque,*
Vulg.)
a. Gen. 49, 15 ‖ b. Cf. Is. 64, 6 ‖ c. Rom. 8, 18

[§ 17] *Issachar*, dit l'Écriture, *est un âne robuste, qui demeure dans son enclos ; il a vu que le repos était bon, et que la terre était excellente ; il a courbé son échine sous le fardeau, et il a été assujetti à payer le tribut* [e]. Si nous voulons savoir par expérience ce qu'est la véritable joie intérieure, il faut donc que nous passions d'une terre à une autre terre, d'une terre étrangère à la terre qui nous appartient en propre, de l'exil à la patrie, d'une race à une autre race, d'un royaume vers un autre peuple, de la terre des mourants à la terre des vivants. Désirons, nous aussi, cette terre que cet Issachar a vue et qu'il a désirée. S'il ne l'avait pas vue, en effet, il ne l'aurait pas connue. S'il ne l'avait pas connue, il ne l'aurait pas désirée.

CHAPITRE XXXIX

Comment la douceur intérieure donne d'ordinaire
à l'esprit le courage d'accomplir de grandes choses
et le porte aussi à de plus humbles

Devenu âne et rendu robuste pour gagner cette terre, *il a courbé* de bon gré *son échine sous le fardeau, et il a été assujetti à payer le tribut* [a]. Il s'était beaucoup abaissé, tout à coup, celui qui se considérait comme un âne, animal manifestement plus méprisé que tous les autres, ou peu s'en faut. Il a vivement désiré la terre qu'il a vue ; pour elle, il a supporté avec courage toutes sortes de travaux. C'est qu'il avait bien vu que face à la beauté de cette terre, toutes *nos justices* étaient comme *le linge d'une femme souillée par ses règles* [b]. Il avait vu néanmoins que *les souffrances de ce temps ne sont rien en comparaison de la gloire future qui se manifestera en nous* [c]. Il s'est donc rendu méprisable d'un côté, courageux

tus ; de uno humiliatus, de altero roboratus, fortitudinis
suae humerum ad omnem laborem libenter inclinauit et in
adquirenda diuina gloria, non sua, uero regi dignum tribu-
tum persoluit. Vultis autem audire, et alterum simili ratione
15 sibi uiluisse, et ad omnem nichilominus laborem conua-
luisse : *Vt iumentum*, inquit, *factus sum apud te* d. Et alibi :
Propter te, inquit, *mortificamur tota die* e. Ecce quam uilis,
ecce quam fortis. Vilis ut iumentum, fortis ad se mortifi-
candum.

20   *Ysachar asinus fortis*, habitans *inter terminos, uidit
requiem quod esset bona, et terram quod* esset *optima* f. Pene
ergo, non plene, hanc morientium terram deseruerat ; pene,
non plene, illam uiuentium terram apprehenderat, qui inter
terminos habitabat. Quia uilissimis, quia paucissimis huius
25 uitae bonis contentus erat, huius terrae miserae extrema
tenebat. Quia per frequentes mentis excessus perennis uitae
bona praegustabat, illius bonae terrae initia tangebat.

   Ysachar asinus fortis, habitans *inter terminos* g ; quia huius
uitae bona ad necessitatem non respuebat, hanc terram non
30 penitus deserebat, quia futurae uitae non nisi nouissima
quaedam capere poterat. Illam non omnino apprehendebat,
et iccirco inter terminos habitabat. Istam tolerabat ad necessitatem, illam concupierat ad iocunditatem, et iccirco inter
terminos habitabat. Satagebat istam penitus deserere, nec
35 poterat ; ambiebat in illam totus intrare, nec ualebat. Fecit
ergo quod potuit, inter terminos habitauit. Cotidie ad illam
nitebatur, cotidie ad istam relabebatur, et in hunc modum
inter terminos morabatur.

16 sum *om.* ‖ 29 ad bona necessitatem

d. Ps. 72, 23 ‖ e. Ps. 43, 22 ‖ f. Gen. 49, 14-15 ‖ g. *Ibid.*

1. Le contexte oblige ici à préférer *istam* à *ista*, bien que les copistes
aient souvent hésité et qu'au moins une douzaine de manuscrits anciens
aient adopté la leçon *ista* sans qu'on puisse discerner la moindre régularité
dans leur choix.

de l'autre ; humilié d'un côté, fortifié de l'autre, il a courbé de bon gré sa robuste échine pour toutes sortes de travaux, et pour ajouter à la gloire divine, non à la sienne, il a payé au vrai roi le tribut qui lui était dû. Mais vous voulez savoir comment un autre s'est abaissé pour une raison semblable, mais s'est néanmoins fortifié pour toutes sortes de travaux : *Je suis devenu*, dit-il, *comme une bête de somme auprès de toi* [d]. Et ailleurs : *C'est pour toi*, dit-il, *qu'on nous fait mourir durant tout le jour* [e]. Voilà donc à quel point il est méprisé, à quel point il est fort ; méprisé comme une bête de somme, fort dans les mortifications qu'il s'impose.

Issachar est un âne robuste, qui demeure dans son enclos ; il a vu que le repos était bon, et que la terre était excellente [f]. Lui qui demeurait dans son enclos, il avait donc presque abandonné, mais pas tout à fait, la terre de ceux qui meurent ; il avait presque pris possession, mais pas tout à fait, de la terre des vivants. Parce qu'il se contentait, en cette vie, des biens les plus méprisables et qu'il ne les prenait qu'en tout petit nombre, il habitait encore aux confins de cette terre misérable. Parce qu'il était souvent transporté hors de lui-même et qu'il avait ainsi un avant-goût des biens de la vie éternelle, il touchait déjà le seuil de cette bonne terre.

Issachar est un âne robuste, qui demeure dans son enclos [g] : parce qu'il ne refusait pas les biens de cette vie qui lui étaient nécessaires, il ne désertait pas complètement cette terre ; parce qu'il ne pouvait encore atteindre que des sortes de franges de la vie future, il n'en prenait pas encore possession ; voilà pourquoi il demeurait dans son enclos. Il supportait la première par nécessité, il désirait la seconde pour sa joie, aussi demeurait-il en son enclos. Il s'efforçait de se détacher complètement de l'une [1], mais il ne le pouvait pas ; il souhaitait entrer tout entier dans l'autre, mais il en était incapable. Il fit donc ce qu'il put et demeura dans son enclos. Chaque jour il tendait vers celle-ci, chaque jour il retombait dans celle-là, et de la sorte il demeurait dans son enclos.

Ysachar asinus fortis, habitans *inter terminos, uidit*
40 *requiem quod esset bona, et terram quod* esset *optima* [h].
Quid ergo mirum quod eam uidit, qui in eius confinio habitauit ? Quid, inquam, mirum quod uidit, quod uisam
cognouit, quod cognitam concupiuit ? *Et* iccirco *supposuit
humerum suum ad portandum,* et *factus est tributis seruiens.*
45 *Vidit,* inquit, *requiem quod esset bona* [i]. Requies ergo ibi est,
et requies bona. Si enim ibi non esset, ibi eam minime uidisset. Et si bona non esset, propter eam humerum suum ad
portandum minime supposuisset. *Mansueti autem,* ait
Propheta, *hereditabunt terram, et delectabuntur in multitu-*
50 *dine pacis* [j]. Ecce qualis terra. Pax ibi est, requies ibi est ; pax
plena, requies bona ; pax quieta, quies pacifica. *Vidit
requiem quod esset bona, et terram quod* esset *optima* [k]. In
illa labor non est, sed ad illam sine labore perueniri non
potest. Propter ipsam laboratur, sed in ipsa non laboratur.
55 Extra hanc terram non inuenitur requies uera ; nullus penitus labor inuenitur in hac terra.

[§ 18] Duo sunt, terra et requies. Duo contra duo. Duo
bona contra duo mala. Duo sunt magna mala, miseria et
concupiscentia, poena scilicet et culpa. Duo magna bona,
60 tranquillitas et stabilitas. Contra miseriam mentis tranquillitas, contra concupiscentiam cordis stabilitas. Nullam
molestiam sentire, est bene requiescere. Nullis concupiscen-
tiae fluctibus agitari, est procul dubio iam in terra morari.
In tali terra, requies talis. Mens quae ad internum gaudium
65 nondum tota colligitur, quae sit uera requies minime experitur. Vae michi misero, qui usque hodie uiuo *uagus et
profugus super terram* [l] : *uagus* sequendo concupiscentiam ;

58 contra *om.* ‖ 64 terra tali

h. Gen. 49, 15 ‖ i. *Ibid.,* ‖ j. Ps. 36, 11 ‖ k. Gen. 49, 15 ‖ l. Gen. 4, 12

*Issachar est un âne robuste, qui demeure dans son enclos ;
il a vu que le repos était bon et que la terre était excellente* [h].
Qu'y a-t-il d'étonnant à ce qu'il l'ait vue, lui qui demeurait
à ses frontières ? Qu'y a-t-il d'étonnant à ce qu'il l'ait vue,
que l'ayant vue il l'ait connue, et que l'ayant connue il l'ait
désirée ? Voilà pourquoi *il a courbé son échine sous le fardeau et il a été assujetti à payer le tribut. Il vit*, est-il dit,
que le repos était bon [i]. C'est donc qu'on trouve ici le repos
et que ce repos est bon. Si on ne l'y trouvait pas, en effet,
Issachar ne l'aurait pas vu, et si ce repos n'avait pas été bon,
il n'aurait pas courbé son échine sous le fardeau pour le porter. *Mais les doux*, dit le Prophète, *auront la terre en héri-
tage, et ils trouveront leurs délices dans l'abondance de la
paix* [j]. Voilà ce qu'est cette terre. On y trouve la paix, on y
trouve le repos ; une paix que rien ne trouble, un repos de
qualité ; une paix reposante, un repos apaisant. *Il a vu que
le repos était bon et que la terre était excellente* [k]. En cette
terre il n'y a plus de peine, mais nul ne peut y parvenir sans
peine. Il faut peiner pour elle, mais en elle on ne peine plus.
Hors de cette terre on ne peut trouver de vrai repos ; dans
cette terre on n'éprouve plus aucune peine.

[§ 18] Il y a donc deux choses, la terre et le repos. Deux
contre deux. Deux biens contre deux maux. Il y a deux
grands maux : la misère et la concupiscence, c'est-à-dire la
peine et la faute. Il y a deux grands biens : la tranquillité et
la stabilité. La tranquillité de l'esprit s'oppose à la misère, la
stabilité du cœur à la concupiscence. N'éprouver aucune
contrariété, c'est se reposer vraiment. Ne plus être agité par
les flots de la concupiscence, c'est, sans aucun doute, demeurer déjà dans cette terre. Tel est le repos qu'on trouve sur
une telle terre. L'esprit qui ne s'est pas encore concentré tout
entier sur cette joie intérieure n'a aucune expérience de ce
qu'est le véritable repos. Malheur à moi, misérable, qui vis
jusqu'à ce jour, *sur cette terre, vagabond et fugitif* [l] : *vaga-*

profugus declinando miseriam. Semper deest quod concu-
piscam, ubique inuenio quod fugiam. Concupiscentia me
70 facit uagum, miseria efficit profugum. Profecto terra mala,
terra miseriae, terra talis in qua taliter uiuo, terra miseriae et
tenebrarum, ubi umbra mortis est et nullus ordo. Est procul dubio terra talis non stabilitas cordis, sed duritia et
insensibilitas mentis.

75 Sed *Spiritus tuus,* Domine, *bonus, deducet me in terram
rectam* [m], et qualem denique Ysachar uidit et concupiuit, eo
quod esset ibi requies bona, et ipsa terra optima [n]. O felicem, qui potuit, uel ad horam, omnium malorum obliuisci,
et illa interna pace uel requie saltem ad modicum potiri !
80 Felicem nichilominus, cui datum est dispersiones cordis in
unum colligere, et in illo uerae felicitatis fonte desiderium
figere. Illud utique bonum, uerumtamen hoc optimum.
Iuxta quod Ysachar *uidit requiem quod esset bona, et terram quod* esset *optima* [o]. Quia bonum quidem est longe esse
85 ab omni malo, multo tamen melius, immo optimum inhae-
sisse summo bono. Nouit hoc Ysachar, et iccirco a tali terra
longius discedere nolebat, sed habitans *inter terminos,* in
eius uicinia manebat, cupiens et ambiens eam raptim quidem
et furtim per raros saltem excursus tangere, sed et de illius
90 terrae fructibus frequentius comedere. Est enim, ut nosse
potestis, fructus terrae illius sublimis, fructus mirabilis, fructus singularis. Huius siquidem terrae fructibus mens hominis saepius satiata et aliquatenus impinguata, mirandam
subito contra omnia pericula fortitudinem accipit, in tantum
95 mox ad omnium uitiorum odium conualescit, ut parum iam

---

68 miseria + me ‖ 71 talis terra ‖ 89 excursus : excessus ‖ 93 mirandum

---

m. Ps. 142, 10 ‖ n. Cf. Gen. 49, 15 ‖ o. *Ibid.*

---

2. « Excursus », présent dans tous les manuscrits du groupe *a*, a été pré-
féré à « excessus » proposé dans la plupart des manuscrits du groupe *b* et
dû, semble-t-il, à la regrettable initiative d'un copiste.

bond en m'abandonnant à ma concupiscence, *fugitif* en cherchant à échapper à ma misère. Ce que je désirerais me manque toujours, partout je trouve ce que je voudrais fuir. La concupiscence fait de moi un vagabond, la misère fait de moi un fugitif. Terre vraiment mauvaise, terre de misère que cette terre où je vis de la sorte ; terre de misère et de ténèbres, plongée dans l'ombre de la mort et le désordre. Une pareille terre, n'en doutons pas, n'est pas celle de la stabilité du cœur, mais celle de la dureté et de l'insensibilité de l'esprit.

Mais *ton Esprit plein de bonté*, Seigneur, *me conduira dans la terre de la rectitude* [m], dans cette terre enfin qu'Issachar a vue et qu'il a désirée parce que c'était là un lieu d'agréable repos et que la terre elle-même était excellente [n]. Heureux celui qui a pu, ne fût-ce qu'une heure, oublier tous ses maux et jouir, si peu que ce soit, de cette paix intérieure ou de ce repos ! Non moins heureux celui à qui il a été donné d'établir l'unité dans les mouvements désordonnés de son cœur et de fixer son désir en cette source de la véritable félicité ! Cela était bon, certes, mais ceci est excellent. Voilà pourquoi Issachar *a vu que le repos était bon et que la terre était excellente* [o]. Parce qu'il est bon, en vérité, de se tenir éloigné de tout mal, mais qu'il est bien meilleur et qu'il est même excellent de s'être attaché au souverain bien. Issachar l'a compris, aussi ne voulait-il pas s'éloigner d'une pareille terre, mais, habitant dans son enclos, il demeurait en son voisinage, désirant et ambitionnant, à la faveur au moins de rares incursions [2], de toucher du pied cette terre, à la hâte, il est vrai, et à la dérobée, mais aussi de manger plus souvent de ses fruits. Les fruits de cette terre, comme vous pouvez le savoir, sont sublimes ; ce sont des fruits merveilleux, des fruits singuliers. En vérité, lorsque l'esprit de l'homme a été souvent rassasié et en quelque mesure engraissé des fruits de cette terre, il y trouve une force de résistance immédiate et étonnante à tous les périls, à tel point que s'éveille bientôt en lui une détestation si profonde de tous les vices que cela lui

ei sit nullum in seipso per consensum recipere, nisi studeat
ea et in aliis uiriliter persequi, et forti animaduersione percutere.

CAPVT XL

Quomodo et quo ordine oriatur in nobis odium uitiorum.

Fit ergo mox tam fortis contra omne periculum, quam
ferox hostis uitiorum omnium.

[§ 19] Hinc est quod post Ysachar Zabulon nascitur [a], qui
habitaculum fortitudinis interpretatur. Quid enim per
5 Zabulon intelligimus, nisi odium uitiorum ? Odium bonum,
odium ordinatum, odium uitiorum. Hunc procul dubio in
nobis affectum Propheta ordinare cupiebat, cum dixit :
Irascimini, et nolite peccare [b]. Quid est enim irascendo non
peccare, et non peccando irasci, nisi homines utiliter non ad
10 oculum amando, eorum uitiis indignari ? Hunc habere se
filium idem Propheta significabat, cum alias diceret :
Perfecto odio oderam illos [c]. Et alibi : *Omnem uiam iniquam
odio habui* [d]. Hic est ille egregius Dei miles, qui bella
Domini proeliari non cessat, et quem usitato uocabulo
15 Scriptura sacra zelum Domini uel zelum rectitudinis appel-
lat : *Zelus domus tuae*, Domine, *comedit me*, ait Propheta,
et opprobria exprobrantium tibi ceciderunt super me [e]. Et ite-

XL, 1 fit : sit ‖ 11 diceret : dixit ‖ 13 egregius ille miles Dei ‖ 16 ait
Propheta *om.* ‖

a. Gen. 30, 19-20 ‖ b. Ps. 4, 5 ‖ c. Ps. 138, 22 ‖ d. Ps. 118, 128 ‖ e. Ps.
68, 10

1. JÉRÔME, *Liber interpr.*, Gen., éd. P. de LAGARDE, p. 11, l. 29-30
(*CCSL* 72, p. 73) : « Zabulon habitaculum eorum uel ius iurandum eius aut
habitaculum fortitudinis uel fluxus noctis ».
2. Le mot « Dei » est omis par plusieurs manuscrits appartenant principalement au groupe *b*.

semble désormais peu de chose de ne jamais y consentir au dedans de lui-même, s'il ne s'efforce de les combattre vigoureusement chez les autres aussi et de les frapper avec rigueur et avec force.

CHAPITRE XL

Comment naît en nous la haine des vices et comment elle s'ordonne

Issachar devenu si courageux dans tous les dangers, devient bientôt, tout autant, l'implacable ennemi de tous les vices.

[§ 19] Voilà pourquoi, après Issachar, c'est Zabulon qui vient au monde [a], lui dont le nom signifie « demeure de la force » [1]. Qu'entendons-nous en effet par Zabulon, si ce n'est la haine des vices ? Haine bonne, haine ordonnée, que la haine des vices. C'est cette affection ordonnée, sans aucun doute, que le Prophète désirait éveiller en nous, lorsqu'il s'écria : *Mettez-vous en colère, et ne péchez pas* [b]. Qu'est-ce donc que ne pas pécher tout en se mettant en colère, et se mettre en colère sans pour autant pécher, sinon, en aimant les hommes pour leur bien et pas seulement en apparence, s'indigner de leurs vices ? Le même Prophète nous faisait comprendre qu'il avait un tel fils, lorsqu'il disait ailleurs : *D'une haine implacable, je les haïssais* [c]. Et ailleurs : *Tout chemin d'iniquité, je l'ai eu en haine* [d]. Voilà donc cet excellent soldat de Dieu [2], qui ne cesse de livrer bataille dans les combats du Seigneur, et que la sainte Écriture, dans un langage qui lui est familier, appelle le zèle du Seigneur ou le zèle de la rectitude. *Le zèle de ta maison me dévore, Seigneur*, dit le Prophète, *et les outrages de ceux qui t'insultent sont retombés sur moi* [e]. Et encore : *Mon zèle m'a*

rum : *Tabescere me fecit zelus meus, quia obliti sunt uerba tua inimici mei* [f]. Et Helyas : *Zelo*, inquit, *zelatus sum* prop-
20   ter Dominum [g]. Et Finees zelauit zelum Domini, et accepit sacerdotium aeternum [h].

Sed unde istis, putas, fortitudo tanta, tam mira constantia ? Helyas solus contra centum quinquaginta prophetas Baal insurrexit [i], Finees solus castra Madianitarum irrum-
25   pens, adulterantes gladio transuerberauit [j]. Ecce quantum roboris accipiunt, ecce quam fortes fiunt, qui de illius praedictae terrae fructibus comedunt, qui se interna suauitate reficiunt. Recte ergo post Ysachar, qui merces interpretatur, Zabulon, id est habitaculum fortitudinis, nascitur, quia post
30   degustatam aeternae retributionis dulcedinem, animus contra temptationum argumenta mirabiliter roboratur, sua subito pericula paruipendens, Domini iniurias fortiter ulciscitur. Hinc est quod Moyses, ille *mitissimus omnium qui morabantur in terra* [k], post quadraginta dierum ieiunium [l],
35   spiritualium deliciarum refectus satietate mirifica, in tantum subito zelum contra fabricatores uel cultores idoli exarsit, ut statim adiunctis sibi qui Domini erant, per medium castrorum de porta ad portam percutiendo transiret, et hominum praeuaricatorum tria milia in mortem prosterneret [m].

---

20 zelauit : bellauit

---

f. Ps. 118, 139 ‖ g. Cf. III Rois 19, 10 et 14 (*Zelo zelatus sum pro Domino*, Vulg.) ‖ h. Nombr. 25, 7-13 ‖ i. III Rois 18, 19 (*et prophetas Baal quadragintos quinquaginta*, Vulg.) ‖ j. Nombr. 25, 7-9 ‖ k. Nombr. 12, 3 (*uir mitissimus super omnes homines qui morabantur in terra*, Vulg.) ‖ l. Cf. Ex. 34, 28 ; 24, 18 ‖ m. Cf. Ex. 32, 25-28

3. Cf. *supra* XXVI.
4. Cf. *supra*, n. 1.
5. « Tria milia » apparaît dans le plus grand nombre de manuscrits contre « uiginti tria milia » choisi par quelques autres. La Vulgate sixto-clémentine écrit sans doute, elle aussi, « uiginti tria milia » (Ex. 32, 28 ; 1 Cor. 10, 8), mais les récents éditeurs de la Vulgate hiéronymienne ont pré-

consumé, parce que mes ennemis ont oublié tes paroles [f]. Et Elie : *Par zèle*, dit-il, *j'ai brûlé de zèle pour le Seigneur* [g]. Phinées fut rempli lui aussi de zèle pour le Seigneur, et il reçut un sacerdoce perpétuel [h].

Mais d'où leur vient, crois-tu, à eux tous, une si grande force, une fermeté si admirable ? Elie s'est dressé, tout seul, contre cent cinquante prophètes de Baal [i], et Phinées, faisant seul irruption dans le camp des Madianites, transperça les adultères de son glaive [j]. Voilà quelle vigueur reçoivent, voici combien deviennent forts, ceux qui mangent des fruits de la terre en question et que restaure leur douceur intérieure. C'est donc à juste titre qu'après Issachar, qui signifie « récompense » [3], vient au monde Zabulon, c'est-à-dire la « demeure de la force » [4]. Après avoir en effet goûté aux douceurs de la récompense éternelle, merveilleusement fortifié contre les assauts de la tentation et ne tenant plus compte tout à coup des dangers auxquels celle-ci l'expose, l'esprit venge avec courage les injures dont Seigneur est l'objet. Voilà pourquoi Moïse, *le plus doux de tous les hommes qui demeuraient sur la terre* [k], restauré par les délices spirituelles dont il avait été merveilleusement rassasié après un jeûne de quarante jours [l], se mit à brûler tout à coup d'un si grand zèle contre les fabricants ou les adorateurs d'idoles. S'étant fait accompagner aussitôt de ceux qui appartenaient au Seigneur, il passa au milieu du camp, en frappant de porte en porte, et massacra trois mille prévaricateurs [m][5].

---

féré « tria milia » pour Exode 32, 28, retenant en revanche « uiginti tria milia » en 1 Corinthiens 10, 8. On a adopté ici « tria milia », la leçon « uiginti tria milia », très rare, semblant être le fruit d'une correction. — « et hominum » présent dans tous les manuscrits divisés en paragraphes, examinés, est omis par la quasi-totalité de ceux qui sont divisés en chapitres, à l'exception de quelques rares témoins. En fait « hominum » apparaît dans Exode 32, 28, dont Richard se souvient ici.

40   Sic sic post Ysachar Zabulon gignitur, quia per internae
dulcedinis degustationem odium uitiorum generatur, et
uerae fortitudinis robur acquiritur. Iste est Zabulon, qui
irascendo iram Dei placare consueuit, qui pie saeuiendo,
dum hominum uitia percutit, eis quasi non parcendo melius
45   parcit. Absque dubio nichil sic placet Deo, nichil sic placat
Deum, quomodo zelus animarum.

CAPVT XLI

Quam sit rarum ex uero uitiorum odio zelum
rectitudinis habere

O quam multi multas ceterarum uirtutum proles ex Dei
gratia mente conceperunt, et de se genuerunt, qui hunc
filium habere non potuerunt ! Quam multos hodie uidemus
spiritu pauperes [a], spe gaudentes [b], caritate feruentes, mul-
5   tum abstinentes, admodum patientes, ad zelum tamen animarum nimis tepidos multumque torpentes ! Alii, quasi ob
custodiam humilitatis, delinquentes increpare non praesumunt ; alii, ne caritatem fraternam perturbare uideantur,
peccantes arguere metuunt. Sic et alii aliis atque aliis adhuc
10   modis, quod zelare pro Domino nolunt, uirtutis hoc esse
fingunt, uel uirtutem esse credunt. Econtra, multi quod
absque dubio agunt in spiritu furoris agere se arbitrantur
zelo rectitudinis, et quae ueraciter exequuntur odio hominum, exercere se putant uel simulant odio uitiorum.

42 fortitudinis : formidinis
XLI, 9 atque : et ‖ 11 uirtutum

a. Cf. Matth. 5, 3 ‖ b. Cf. Rom. 12, 12

Ainsi donc Zabulon est-il engendré après Issachar, parce que c'est l'expérience savoureuse de la douceur intérieure qui donne naissance à la haine des vices et procure la vigueur du véritable courage. Tel est ce Zabulon qui a coutume d'apaiser la colère de Dieu en se mettant en colère, qui épargne les hommes en paraissant ne pas les épargner lorsqu'il se déchaîne par piété afin de frapper leurs vices. Sans aucun doute, rien ne plaît autant à Dieu, rien ne l'apaise autant que le zèle des âmes.

CHAPITRE XLI

Combien il est rare de passer de la véritable haine des vices au zèle de la justice

Comme ils sont nombreux, ceux qui ont conçu en esprit, par la grâce de Dieu, la nombreuse postérité des autres vertus, sans qu'ils aient pu avoir ce fils-là ! Combien voyons-nous aujourd'hui de pauvres en esprit [a], remplis d'une joyeuse espérance [b], brûlant de charité, vivant dans une grande abstinence et pleins de patience, mais qui demeurent trop tièdes et tout à fait inertes lorsqu'il s'agit du zèle des âmes ! Les uns, comme s'ils voulaient demeurer dans l'humilité, n'osent adresser des reproches à ceux qui sont en faute ; d'autres, pour ne pas avoir l'air de troubler la charité fraternelle, craignent de dénoncer les pécheurs. D'autres encore, d'une manière ou d'une autre, font passer pour vertu ou considèrent comme vertu le fait de ne pas vouloir pratiquer le zèle du Seigneur. Beaucoup d'autres, en revanche, estiment qu'ils accomplissent par zèle pour la rectitude ce qu'ils font sans aucun doute sous l'empire de la colère. Ce qu'ils font en réalité par haine des hommes, ils croient ou font semblant de croire qu'ils le font par haine des vices.

15   Sed, quaeso, interrogent qui huiusmodi sunt, qui Zabulon
iam genuisse se credunt ; seipsos, quaeso, interrogent utrum
in ueritate diligant, quos quasi instigante Zabulon tam
acerbe castigant. Forte adhuc quae sint illae spirituales deliciae per experientiam scire minime potuerunt, ad quas eos
20   quos arguunt uel flagellant suis inuitare flagellis uel etiam
increpationibus uideri uolunt.

Illi enim pietate potius quam crudelitate delinquentes persequi credendi sunt, qui interna illa gaudia ad quae eos tot
doloribus inuitant per experientiam nouerunt.

25   [§ 20] Iudam et Ysachar prius quam Zabulon Liam peperisse legimus c, et per Iudam caritatem, per Ysachar spiritualium gaudiorum experientiam significari iam diximus.
Prius Iudam et Ysachar nasci necesse est, quoniam mens
quae caritatis adhuc et internae suauitatis expers est, recti-
30   tudinis normam in suo zelo seruare minime potest. Caritas
enim docet quomodo tractare oporteat quos Zabulon casti-
gat. Spiritualium notitia docet quae sit illa suauitas ad quam
inuitantur, uel etiam compelluntur, quibus exterior iocunditas, carnalis uidelicet uoluptas, interdicitur, pro qua saepe,
35   Zabulon urgente, durius arguuntur. Iudas itaque docere
debet modum, Ysachar autem causam correptionis, ut
moderante Iuda fiat in spiritu lenitatis, et Ysachar sugge-
rente fiat nichilominus causa utilitatis.

Vtilitatem tamen eorum Zabulon quaerat, non suam, ut
40   quod delinquentes ferit ad utilitatem sit, non ad uindictam.

---

29 caritatis — expers : caritatis et int. suau. adhuc expers ‖ 33 exterius
‖ 39 tamen om.

---

c. Cf. Gen. 29, 35 ; 30, 17-20

---

1. Cf. supra XI et XXVI.

Mais qu'ils s'interrogent, je le demande, ceux qui agissent de la sorte, ceux qui s'imaginent avoir déjà engendré Zabulon ; qu'ils s'interrogent eux-mêmes, je le demande, pour savoir s'ils aiment vraiment ceux qu'ils corrigent si durement, comme si c'était Zabulon qui les y poussait. Peut-être n'ont-ils nullement encore réussi à savoir par expérience ce que sont ces délices spirituelles auxquelles ils semblent vouloir inviter, par leurs châtiments ou encore leurs reproches, ceux qu'ils blâment ou qu'ils punissent.

Il faut en être persuadé, en effet : c'est avec plus de bien-veillance que de dureté que poursuivent les coupables ceux qui ont connu par expérience ces joies intérieures auxquelles ils les invitent par tant de tourments.

[§ 20] Nous lisons que Lia a engendré Juda et Issachar avant de donner le jour à Zabulon[c], et nous avons dit déjà [1] que Juda signifiait la charité, Issachar l'expérience des joies spirituelles. Il est nécessaire que Juda et Issachar viennent d'abord au monde, parce que l'esprit qui est encore dépourvu de charité et de douceur intérieure est absolument incapable de respecter, dans son zèle, les normes de la rec-titude. La charité enseigne, en effet, de quelle manière il faut traiter ceux que Zabulon châtie. La connaissance des réali-tés spirituelles enseigne en quoi consiste cette douceur à laquelle sont invités ou même poussés ceux à qui sont inter-dites les jouissances extérieures, je veux dire les plaisirs char-nels, qui leur sont souvent et sévèrement reprochés, sous la pression de Zabulon. Juda doit donc enseigner la mesure, et Issachar le motif de la correction, afin que celle-ci soit admi-nistrée dans un esprit de douceur sous l'influence modéra-trice de Juda, et qu'elle le soit néanmoins pour son utilité, grâce aux suggestions d'Issachar.

Mais que Zabulon cherche le bien de ceux qui ont commis des fautes, et non le sien, de telle sorte que les coups dont il les frappe soient pour eux un avantage, et non un châtiment.

CAPVT XLII

Quod sit officium ueri zelatoris

Debet autem Zabulon non solum delinquentes corripere, sed etiam eos tempore tribulationis contra persequentes defensare. Alioquin uerus zelus non est, nec Zabulon uera-citer dici potest, si paratior est ad feriendum, quam ad pro-
5 tegendum. Non enim frustra iste sextus idemque nouissimus filiorum Liae habitaculum fortitudinis dicitur, nam Zabulon, ut superius iam dictum est, habitaculum fortitudinis inter-pretatur. Vide ergo quomodo domus inhabitantes quosque superius protegit, et ab omni parte cingit, et tamen nisi for-
10 tis et firmiter munita sit, habitaculum fortitudinis non erit.

Sic nimirum, sic perfectus zelus, ut Zabulon iure possit dici, immo ueraciter esse, debet infirmiores contra aerias potestates doctrina et oratione protegere, et contra mundana pericula undique munire, et in utroque non solum infatiga-
15 bilis sed etiam insuperabilis perseuerare. Vigilet ergo, opor-tet, hinc contra insidias diaboli, illinc contra pressuras mundi. Procul dubio quisquis es in utroque fortis, habita-culum es fortitudinis, et digne Zabulon dici mereris. Debet esse Zabulon promptior, immo semper paratior ad mala
20 ferenda quam ad mala inferenda. Et quia habet necesse pro culpa quandoque subiectis irasci, amplius utique dolet cum

---

XLII, 3 defensare : defendere ‖ 15 uigilet : uigilare

1. Cf. *supra* XL, n. 1.
2. La leçon « Vigilet ergo, oportet », est présente dans tous les manus-crits divisés en paragraphes, à l'exception de quelques très rares témoins, où la division en chapitres est superposée à la division en paragraphes. Ces témoins et la plupart des manuscrits qui proposent la division en chapitres ont adopté une leçon plus facile : « Vigilare ergo oportet ».

CHAPITRE XLII

Ce que sont les devoirs du véritable zélateur

Mais Zabulon ne doit pas seulement corriger les coupables, il doit encore les défendre, au temps de l'épreuve, contre ceux qui les poursuivent. Sans cela il n'y a pas de véritable zèle, et on ne peut vraiment l'appeler Zabulon s'il est plus disposé à frapper qu'à protéger. De fait, ce n'est pas pour rien que l'on dit que ce sixième et dernier fils de Lia est appelé « demeure de la force », car Zabulon, comme on l'a dit déjà plus haut, signifie « demeure de la force » [1]. Vois donc comment une maison établit une protection au-dessus de ceux qui y habitent et les entoure de tous côtés. Et pourtant, si elle n'est pas solide et bien fortifiée, elle ne sera pas une « demeure de la force ».

Ainsi donc, pour pouvoir être appelé à bon droit Zabulon, et pour l'être vraiment, un zèle consommé doit-il protéger les plus faibles, par l'enseignement et la prière, contre les puissances qui règnent dans les airs, et les défendre, de tous côtés, contre les dangers auxquels le monde les expose. Et il doit persévérer, dans cette double tâche, en n'étant pas seulement infatigable, mais aussi invincible. Qu'il veille donc [2], il le faut, de ce côté-ci contre les embûches du démon, de ce côté-là contre les oppressions du monde. Qui que tu sois, si tu es fort de part et d'autre, tu es une « demeure de la force », et tu mérites vraiment d'être appelé Zabulon. Zabulon doit être plus prompt, ou même toujours plus disposé, à supporter des mauvais traitements qu'à en infliger. Et comme il est parfois nécessaire de se fâcher contre ceux qui lui sont soumis [3] en raison de leurs fautes, il s'afflige bien davantage, en

---

3. Sans être absolument indispensable au sens, le mot « subiectis » rend la phrase plus intelligible ; il a été omis par la plupart des manuscrits divisés en chapitres.

cogitur eos pro culpa percutere, quam cum cogitur pro
eorum defensione puniri. Libenter ergo se occurrentibus
periculis obicit, et contra saeuientium tempestatum procel-
25 las se sponte opponit. Alioquin frustra in littore maris habitat, frustra *in statione nauium* habitationem parat [a], si contra
marina mundanae pressurae discrimina trepidat, nisi tem-
pestatibus diu fatigatos, et tandem littoribus eiectos blande
excipiat et benigne foueat.

CAPVT XLIII

Quod ueri zelatoris sit uigilare, non solum contra
saeuitiam, sed etiam contra fraudulentiam

Zabulon, inquit, *in littore maris habitabit, et in statione
nauium, pertingens usque ad Sidonem* [a]. Quae ergo causa est,
putas, cur habitet in littore, nisi ut muniat extrema terrae, et
utpote habitaculum fortitudinis protegat infirmiora membra
5   Ecclesiae ? Illorum ergo se periculis opponit, quos assiduis
persecutionum procellis fatigari conspicit. Vt enim naufra-
gantibus semper paratus sit ad ferendum auxilium, manet,
ut de eo scriptum est, in *statione nauium* [b]. Diuturnis
namque temptationibus oppressos, et quasi quaedam nau-
10   fragia passos, et pene iam fractos, scit blanda consolatione
fouere, et ad statum securitatis erigere, et ad quemdam quasi
tranquillitatis portum reuocare. In hunc itaque modum
*Zabulon in littore maris habitabit, in statione nauium, per-
tingens usque ad Sidonem* [c].

---

23 punire

a. Cf. Gen. 49, 13
a. Gen. 49, 13 ‖ b. *Ibid.* ‖ c. *Ibid*

réalité, lorsqu'il est contraint de les frapper pour ces fautes que lorsqu'il est lui-même réduit à être puni pour avoir pris leur défense. C'est donc volontiers qu'il fait face aux dangers auxquels il est affronté, et c'est délibérément qu'il s'oppose à la violence des tempêtes et des orages. Autrement c'est en vain qu'il habite sur les bords de la mer ; c'est inutilement qu'il établit sa demeure *là où stationnent les navires* [a], s'il tremble devant les dangers de la mer, figure de ceux de ce monde, s'il n'accueille pas avec tendresse et ne réchauffe pas avec bonté ceux qui ont été longuement tourmentés par les tempêtes et rejetés finalement sur le rivage.

CHAPITRE XLIII

Qu'il appartient au véritable zélateur de veiller, non seulement contre la méchanceté, mais aussi contre la fourberie

Zabulon habitera au bord de la mer, dit l'Écriture, *et là où stationnent les navires ; il s'étendra jusqu'à Sidon* [a]. Quelle est donc la raison, à ton avis, pour laquelle il habite au bord de la mer, si ce n'est pour fortifier les frontières de la terre et pour que, comme il convient, la « demeure de la force » protège les membres les plus faibles de l'Église ? Il fait donc face aux dangers auxquels il voit exposés tous ceux qu'épuisent les orages incessants des persécutions. Afin d'être toujours prêt à porter secours à ceux qui font naufrage, il demeure, comme l'Écriture le dit à son sujet, *là où stationnent les navires* [b]. Ceux qu'accablent de continuelles tentations, qui font en quelque sorte naufrage et sont déjà pour ainsi dire brisés, il sait les réchauffer en les consolant avec tendresse, les relever pour les établir en sécurité et les reconduire dans une sorte de port de la tranquillité. C'est donc de cette manière que *Zabulon habitera au bord de la mer, là où stationnent les navires, et qu'il s'étendra jusqu'à Sidon* [c].

15 Extendens ergo se latius per littora maris, et huc illucque
discurrens, dum undique uigilat circa suorum protectionem,
dum ubique se parat contra hostium incursionem, *pertingit
etiam usque ad Sidonem* ᵈ. Sidon uenatio interpretatur, per
quam recte satis deceptionum fraudulentia intelligitur.
20 Satagit ergo Zabulon iste, non solum imbecilles quosque erigere contra furorem persequentium, sed quoslibet etiam
simplices eripere *de laqueo uenantium* ᵉ. *Ad Sidonem ergo
usque pertingit*, quotiens uersuti hominis insidias detegit,
quotiens falsorum fratrum fraudulenta consilia deprehendit,
25 qualium *sermo*, teste Apostolo, *ut cancer serpit* ᶠ. Hic est
enim ille laqueus uenatorum, et quasi quoddam rete spirituum malignorum animas simplices uenantium, lingua uidelicet adulantium, lingua detrahentium, seminantium inter
fratres discordias, concitantium iras, rixas. *Pertingit* ergo
30 Zabulon *usque ad Sidonem*, quotiens praeuenit insidiatorum
dolosam machinationem, siue malignorum spirituum, siue
perfidorum hominum. Scimus enim fieri huiusmodi uena-
tionem animarum, aliquando per occultam suggestionem
demonum, aliquando per apertam persuasionem hominum.
35 Verumtamen nouit utramque Zabulon caute deprehendere,
et in cautis detegere. Figit ergo fortitudinis suae habitaculum e regione maris, in confinio Sidonis, ut hinc uigilet
contra saeuitiam persequentium, illinc contra fraudulentiam
insidiantium, et impleatur quod de eo scriptum legitur :
40 *Zabulon in littore maris habitabit, in statione nauium, pertingens usque ad Sidonem* ᵍ.

---

d. Gen. 49, 13 ‖ e. Ps. 90, 3 (*liberauit me de laqueo uenantium,* Vulg.)
‖ f. II Tim. 2, 17 ‖ g. Gen. 49, 13

1. JÉRÔME, *Liber interpr.*, Gen., éd. P. de LAGARDE, p. 10, l. 17 (*CCSL*
72, p. 71) : « Sidona uenatio moeroris ».

En se déployant donc tout au long du bord de mer et en courant ici et là, tandis qu'il veille de tous côtés à la protection des siens, tandis qu'il se prépare partout à subir les incursions de l'ennemi, *il s'étendra même jusqu'à Sidon* [d]. Sidon signifie « chasse » [1]. On peut y reconnaître, assez justement, l'astuce et la fourberie. Ce Zabulon s'efforce donc, non seulement de rendre courage à tous les faibles, exposés aux fureurs de ceux qui les persécutent, mais d'arracher aussi les simples, quels qu'ils soient, au filet des chasseurs [e]. *Il s'étendra ainsi jusqu'à Sidon* chaque fois qu'il déjoue les ruses du fourbe, chaque fois qu'il surprend les desseins perfides des faux frères, de ceux dont le discours, au témoignage de l'Apôtre, s'insinue comme un chancre [f]. Ce filet des chasseurs, et ces sortes de rets à l'aide desquels les esprits malins font la chasse aux âmes simples, c'est la langue des flatteurs, la langue des médisants, de ceux qui sèment la discorde parmi leurs frères, de ceux qui suscitent les colères et les disputes. *Zabulon s'étendra donc jusqu'à Sidon* chaque fois qu'il prévient les manœuvres trompeuses des semeurs d'embûches, qu'il s'agisse de celles des esprits malins, ou de celles des hommes perfides. Nous le savons, en effet, cette espèce de chasse aux âmes est parfois l'effet des secrètes suggestions des démons, parfois celui des discours ouvertement persuasifs des hommes. Mais Zabulon sait déjouer ceux-ci et celleslà avec précaution et les mettre à nu chez tous ceux qui sont sur leurs gardes. Il fixe donc la demeure de sa force depuis les rivages de la mer jusqu'aux confins de Sidon. D'un côté il prend garde à la méchanceté des persécuteurs, de l'autre à la fourberie de ceux qui tendent des pièges. Ainsi s'accomplit ce que nous lisons à son sujet dans l'Écriture : *Zabulon habitera au bord de la mer, là où stationnent les navires ; il s'étendra jusqu'à Sidon* [g].

CAPVT XLIV

Quale sit uel quantum habere perfectum zelum animarum

Cogitet qui potest qualis sit hic filius, quanta sit eius uirtus, cuius officio quisque non solum seipsum contra uitia munit, sed etiam alios a peccati laqueis eripere contendit, et quorum non potest malitiam in melius mutare, nititur saltem resistendo reprimere. Nescio si potest homo aliquid a Deo in hac uita maius accipere ; ignoro an possit hac gratia interim maiorem aliquam Deus homini conferre, quam ut eius ministerio peruersi homines in melius mutentur, ut de filiis diaboli filii Dei ᵃ efficiantur.

An forte cuiquam maius uidebitur esse mortuos susci-
5 tare ? Ergone maius erit suscitare carnem iterum morituram, quam animam in aeternum uicturam ? Ergone maius erit carnem reuocare ad gaudia mundi, quam animae restituere gaudia coeli ? Ergone maius erit restituere carni bona transeuntia iterum peritura, quam animae reddere bona aeterna
10 in aeternum mansura ?

O qualis dos, quanta dignitas, talem gratiam a Deo accipere ! Non debuit Dei sponsa a sponso suo dotem aliam accipere, non decuit coelestem sponsum sponsa suae dotem aliam donare, quam ut per adoptionis gratiam possit multos
15 Deo filios gignere, et de filiis irae ᵇ filiisque gehennae ᶜ regni coelestis heredes ascribere ᵈ.

Merito ergo Zabulon nato exclamat mater eius Lia : *Dotauit me Deus dote bona* ᵉ. Videsne quale quantumue sit zelum iustitiae ueraciter possidere, et uitiorum odium ex

---

XLIV, 25 odium *om.*

---

a. Cf. I Jn 3, 10 (*In hoc manifesti sunt filii Dei et filii diaboli,* Vulg.) ‖
b. Cf. Éph. 2, 3 ‖ c. Cf. Matth. 23, 15 ‖ d. Cf. Jac. 2, 5 ‖ e. Gen. 30, 20

CHAPITRE XLIV

En quoi consiste le parfait zèle des âmes et combien il faut en être animé

Que celui qui en est capable considère quel est ce fils, et combien sa force est grande. Grâce à son ministère, chacun non seulement se fortifie lui-même contre les vices, mais encore s'efforce d'arracher les autres aux filets du péché, et chez ceux dont il ne peut corriger la méchanceté, il tâche au moins de lui résister et de la réprimer. Je ne sais si l'homme peut recevoir de Dieu, en cette vie, quelque chose de plus grand, j'ignore si Dieu peut accorder à l'homme, ici bas, une grâce plus grande, que celle de pouvoir, par son intervention, rendre meilleurs les hommes pervers afin que, de fils du diable, ils deviennent fils de Dieu [a].

Certains penseraient-ils, par hasard, qu'il est plus grand de ressusciter des morts ? Vaudrait-il donc mieux ressusciter une chair destinée à mourir de nouveau, qu'une âme destinée à vivre éternellement ? Vaudrait-il donc mieux rappeler la chair aux joies de ce monde, que de restituer à l'âme celles du ciel ? Vaudrait-il mieux restituer à la chair des biens qui passent et qui périront à nouveau, que de rendre à l'âme des biens éternels qui demeureront éternellement ?

O quel privilège, quel honneur, que de recevoir de Dieu une telle grâce ! L'épouse de Dieu ne devait pas recevoir d'autre dot ; il ne convenait pas que l'époux céleste en apportât une autre à son épouse, sinon de pouvoir, par la grâce de l'adoption, engendrer de Dieu de nombreux fils et ajouter les fils de la colère [b] et les fils de la géhenne [c] à la liste des héritiers du royaume des cieux [d].

C'est donc à juste titre qu'à la naissance de Zabulon sa mère Lia s'écrie : *Dieu m'a doté d'une dot excellente* [e]. Vois-tu ce que c'est et ce que cela représente, que posséder véri-

20 corde gerere, in ueritate exercere ? Qui talem filium genuit,
    cum Propheta fiducialiter psallit : *Omnem uiam iniquam
    odio habui* [f].

25

CAPVT XLV

Quomodo uel unde oriatur ordinatus pudor

Sed numquid post has sex uirtutum soboles saltem dabi-
tur cuiuis sine peccato uiuere, ut saltem post uitiorum
odium possit sine uitio esse ? Quis hoc praesumat ? Quis
hoc in hac uita uel sperare audeat, cum Apostolus dicat : *Si*
5 *dixerimus* quia *peccatum non habemus*, nosipsos *seducimus,*
et ueritas in nobis non est [a] ? Quis est, ut de ceteris taceam,
qui ipsa saltem peccata ignorantiae possit in hac uita plene
deserere, perfecte deuitare ?

Numquid uel ipsi qui aliorum culpas corripiunt se ab
10 omni peccati contagio penitus exuunt ? Immo eos saepe per
quos Deus aliorum errata corrigere disponit, ex magnae pietatis dispensatione grauiter cadere permittit, ut ex propria
culpa discant, quam misericordes in aliorum correptione
esse debeant. Sed quantum, putas, erubescunt, cum quali se
15 humilitate deiciunt, cum se in id unde alios corripiunt, uel
forte in aliquod grauius lapsos conspiciunt, qui aliis in statu
rectitudinis formam praebere debuerunt ? Quis, putas,
digne pensare sufficiat, quanta confusio corda eorum trans-
figat, cum in sua uita uideant quod iure ualeat ab ipsis etiam

---

f. Ps. 118, 128

a. I Jn 1, 8 (*Si dixerimus quoniam peccatum non habemus,* Vulg.)

tablement le zèle de la justice, que porter au fond de son cœur la haine des vices et de s'y exercer dans la vérité ? Celui qui a engendré un tel fils peut chanter en toute confiance avec le Prophète : *Tout chemin d'iniquité, je l'ai eu en haine* [f].

CHAPITRE XLV

Comment et d'où naît la honte bien ordonnée

Mais sera-t-il au moins donné, à chacun de ceux qui auront engendré ces six vertus, de vivre désormais sans péché, et au moins, après avoir commencé à haïr les vices, de pouvoir vivre sans vices ? Qui le présumerait ? Qui oserait même l'espérer en cette vie, alors que l'Apôtre déclare : *Si nous disons que nous sommes sans péché, nous nous séduisons nous-mêmes, et la vérité n'est point en nous* [a] ? Qui donc est capable, en cette vie, de fuir pleinement, au moins les seuls péchés d'ignorance, pour ne pas parler des autres, et de les éviter complètement ?

Est-ce que ceux-là même qui reprennent les autres de leurs fautes se sont complètement délivrés de toute contagion du péché ? Bien plus, par une disposition de sa grande bonté, Dieu permet souvent que ceux par lesquels il décide de corriger les errements des autres tombent eux-mêmes gravement, afin qu'ils apprennent, par leur propre faute, combien ils doivent se montrer miséricordieux lorsqu'ils réprimandent les autres. Mais à quel point ne doivent-ils pas rougir, à ton avis, à quel point ne doivent-ils pas se sentir humiliés, ceux qui devraient être pour les autres des modèles de rectitude, lorsqu'ils s'aperçoivent qu'ils sont eux-mêmes tombés dans les fautes qu'ils reprochent aux autres, parfois même dans de plus graves ? Qui donc, à ton avis, serait capable d'apprécier comme il convient, de quelle profonde confusion leurs cœurs sont traversés, lorsqu'ils découvrent,

20 reprehendi, quos pro culpa eorum reminiscuntur a se saepe
et acerbius corripi, et durius castigari ?

Hinc est quod post Zabulon nascitur Dina [b], quia nimium
saepe zelum, interueniente culpa, sequitur uerecundia.
Nichil enim aliud intelligimus per Dinam, nisi uerecundiam,
25 sed ordinatam. Solum peccatum erubescere, est bonam, est
ordinatam uerecundiam habere. Sed qui Zabulon nondum
gignere meruit, frustra Dinam se posse gignere credit.

CAPVT XLVI

Quis uel qualis sit ordinatus pudor

Disce prius peccatum odisse, et tunc illud incipies ueraciter erubescere. Si ueraciter odis, citius illud erubescis. Ille
pudor uerus esse cognoscitur, quem uitiorum odium praecedit et comitatur. Alioquin, si in peccato deprehenderis, et
5 deprehensus pudore confunderis, non te credo erubescere
culpam, sed infamiam. Non enim descendit uerecundia talis
tam de ipso peccato, quam de famae detrimento. Non est
ergo unde glorieris, quasi Dinam genueris. Habent utique
homines etiam peruersi uerecundiam, sed utinam bonam,
10 utinam ordinatam !

Nam utique si bonam haberent, peruersi forsitan non
essent. Peccatum etenim si perfecte erubescerent, non tam
facile committerent. Qualis, putas, pudor est erubescere
paupertatem, erubescere humilitatem ? Illud non pudet eos
15 erubescere, ad quod docendum non puduit coelestem

XLVI, 2 erubescis citius illud ‖ 6 uerecundia talis descendit ‖ 7 de : ab

b. Cf. Gen. 30, 21

dans leur propre vie, ce qui devrait être justement repris par ceux-là même qu'ils se souviennent d'avoir souvent et très sévèrement corrigés puis très durement châtiés pour leurs fautes ?

Voilà pourquoi, après Zabulon, c'est Dina qui vient au monde [b], parce que bien souvent, un zèle excessif, si une faute intervient, est suivi de honte. Nous ne pouvons voir en effet en Dina que la honte, mais la honte ordonnée. Rougir du seul péché, c'est éprouver une honte bonne, une honte ordonnée. Mais celui qui n'a pas encore mérité d'engendrer Zabulon, il a tort de se croire en mesure d'engendrer Dina.

CHAPITRE XLVI

Ce qu'est la honte ordonnée et en quoi elle consiste

Apprends d'abord à détester le péché, et tu commenceras alors à en rougir vraiment. Si tu le détestes vraiment, tu en rougiras rapidement. On reconnaît que cette honte est sincère, lorsqu'elle précède et accompagne la haine des vices. Autrement, si tu es surpris dans le péché et que, ainsi surpris, tu es saisi de honte, je ne crois pas que tu rougisses de ta faute, mais de ton déshonneur. Car cette honte procède beaucoup moins du péché lui-même, que du préjudice porté à ta réputation. Il n'y a donc pas lieu de t'en glorifier, comme si tu avais engendré Dina.

Même les hommes pervers, de toute façon, éprouvent de la honte. Mais si seulement elle était bonne, si seulement elle était ordonnée ! S'ils éprouvaient une honte vraiment bonne, en effet, peut-être ne seraient-ils pas pervers, et s'ils rougissaient pour de bon du péché, ils n'en commettraient pas si aisément. Quelle est cette honte, crois-tu, qui consiste à rougir de sa pauvreté, à rougir de son humble condition ? De cela ils n'ont pas à avoir honte de rougir, ceux à qui le

magistrum de coelo descendere : *Discite a me,* inquit, *quia mitis sum et humilis corde* [a]. At isti econtra magis abhominantes quam sectantes humilitatem, multo amplius erubescunt habere sordidam uestem quam sordidam mentem.

20 [§ 21] Quam multi hodie sunt, quos magis puderet in oratione fecisse barbarismum contra regulam Prisciani, quam protulisse mendacium in suo sermone contra regulam Christi. Sed quid haec de istis loquimur, qui saepe sua etiam crimina iactant, quandoquidem illi etiam qui spirituales 25 uidentur hunc pudorem haud facile superant ? Saepe dum in praedicationis officio proximorum utilitati deseruiunt, dum forte contra superbiam disputant, contingit eos superbire saepe, unde constat eos contra superbiam subtiliter disserere. Et si forte inter loquendum, quod fieri solet, breuem 30 accentum producerent, magis eos fortassis puderet de uitio orationis, quam de uitio elationis. Crede michi, non est credendum hanc esse illam uerecundiam, quam intelligere debemus per Dinam.

CAPVT XLVII

Quam sit rarum habere pudorem uerum

Vultis adhuc melius nosse quam sit rarum humanam uerecundiam perfecte calcasse, et hanc ueram et ordinatam habere, quod est Dinam genuisse ? Ecce de carnalibus

---

27 saepe superbire
XLVII, 3 quod : quodque

---

a. Matth. 11, 29.

céleste maître l'a enseigné sans avoir eu honte, à cet effet, de descendre du ciel : *Apprenez de moi, dit-il, que je suis doux et humble de cœur* [a]. Mais ceux-ci, à l'opposé, ayant plus de répugnance pour l'humilité que de désir de la pratiquer, rougissent beaucoup plus de la malpropreté de leur vêtement que de celle de leur conscience.

[§ 21] Qu'ils sont nombreux, aujourd'hui, ceux qui éprouveraient plus de honte à faire un barbarisme, dans leur discours, en manquant aux règles de Priscien, que de commettre un mensonge, dans leurs paroles, en manquant à la loi du Christ ! Mais que dire, à ce propos, de ceux qui vont jusqu'à tirer vanité de leurs crimes, puisque ceux-là même qui passent pour des hommes spirituels ne parviennent pas facilement à dominer une telle honte ? Bien souvent, alors qu'ils se dévouent pour le bien de leur prochain dans le ministère de la prédication, alors peut-être qu'ils discutent de l'orgueil, il leur arrive souvent de s'enorgueillir eux-mêmes en voyant avec quelle subtilité ils raisonnent contre l'orgueil. Et si d'aventure, dans le cours de leur discours, ils abrégeaient un accent, comme cela arrive, peut-être seraient-ils plus honteux d'avoir manqué aux règles du discours, que d'avoir péché par orgueil. Crois-moi, il ne faut pas nous imaginer qu'il s'agit là de la honte que Dina doit représenter pour nous.

CHAPITRE XLVII

Combien il est rare que l'on possède la véritable honte

Voulez-vous savoir mieux encore combien il est rare que l'on parvienne à fouler parfaitement la honte humaine et que l'on obtienne cette honte vraie et ordonnée, par où Dina est engendrée ? Mais laissons de côté les réalités charnelles ; ne

omitto, cum spiritualibus tantum interim sit michi sermo.
5 Ecce quisquis es qui te credis iam Dinam genuisse, si coge-
ris coram multitudine nudo corpore transire, numquid
posses non erubescere ? Cogita ergo si tantum confunderis,
quando immunda cogitatione in mente sordidaris. Cur te
iactes amplius Dinam genuisse, et ordinatam uerecundiam
10 habere, si minus erubescis pudenda cordis quam corporis, si
magis uereris uultum hominum quam conspectum angelorum ? Siccine magis est erubescendum quod Deus fecit
bene, quam quod tu male fecisti ? Certe illas etiam corporis
partes, quas pudenda uocamus, Deus fecit ; pudenda autem
15 cordis nonnisi tu fecisti ª.

Diligenter ergo consideranti recteque discernenti quam sit
rarum uel quam sit paucorum humanam uerecundiam plene
uicisse, et solam illam quae ordinata est possidere, non erit,
ut arbitror, unde amplius quis admirari debeat cur talem
20 prolem tam sero Lia concipiat uel pariat.

CAPVT XLVIII

Quid sit proprium pudoris

Sed ne de nominis ratione tacite praeterisse uideamur,
Dina iudicium istud interpretatur. Hoc itaque est illud iudicium quo quisque a propria conscientia conuenitur, conuincitur, condemnatur, et digna confusionis poena multatur. Si
5 enim sibi conscius non esset, non esset utique unde iure erubescere deberet. Et confusio quidem, si nulla poena esset,

---

19 cur *om.*

---

a. Cf. Matth. 15, 16-20 ; Mc 7, 19-23

1. Jérôme, *Liber interpr.*, Gen., éd. P. de Lagarde, p. 5, l. 8 (*CCSL* 72, p. 64) : « Dina iudicium istud ».

parlons pour le moment que des réalités spirituelles. Toi qui t'imagines, par exemple, qui que tu sois, avoir déjà donné le jour à Dina, si tu étais obligé de passer tout nu devant la foule, est-ce que tu pourrais ne pas en rougir ? Demande-toi donc si tu éprouves autant de confusion quand une pensée impure souille ton esprit. Pourquoi te vantes-tu tant d'avoir engendré Dina et de posséder une honte ordonnée, si tu rougis moins des parties honteuses de ton cœur que celles de ton corps, si tu crains davantage le regard des hommes que la présence des anges ? Faut-il donc rougir davantage de ce que Dieu a bien fait que de ce que toi, tu as mal fait ? C'est Dieu, certainement, qui a fait ces parties du corps que nous appelons honteuses, mais toi seul es l'auteur de ce qu'il y a de honteux dans ton cœur [a].

Pour celui, dès lors, qui considère avec attention et reconnaît honnêtement combien sont rares ou combien sont peu nombreux ceux qui ont vaincu toute honte humaine pour ne posséder que celle qui est ordonnée, il n'y aura pas de quoi s'étonner davantage, à mon avis, de ce que Lia conçoive ou engendre un tel enfant si tard.

CHAPITRE XLVIII

Quel est le propre de la honte

Mais pour ne pas avoir l'air de passer sous silence la signification du nom de Dina, rappelons que celui-ci veut dire « ce jugement » [1]. Ce jugement, c'est donc celui où chacun est convoqué, convaincu de crime, condamné par sa propre conscience, et où il est frappé de confusion comme d'une juste peine. S'il n'avait en effet conscience de lui-même, rien ne justifierait alors qu'il eût à rougir de lui-même. Quant à

non esset unde eam quisquam tam detestari uel tantum deuitare debuisset. Miro itaque modo mens cuiusque de propria
conscientia conuicta, et condigna confusione deiecta, uno
10 eodemque tempore ipsa contra seipsam dictat sententiam,
ipsa de seipsa sumit uindictam. Hoc itaque est illud iudicium in quo unus idemque est ille qui iudicat, et ille qui iudicatur, idem ipse qui condemnat, et idem ipse qui condemnatur, unus idemque puniens, et ipse qui punitur.

15   Non ergo sine causa fuit quod hoc tale iudicium Scriptura
sacra non sine demonstratione nominare uoluit. Istud enim
demonstrationem semper significat, et quid aliud haec adiec-
tio quam animum audientis in admirationem excitat ? Vere
iudicium mirabile dignumque admiratione, digneque pro-
20 nuntiandum cum demonstratione, in quo quidem iudicio
quanto quisque seipsum ardentius diligit, tanto in seipsum
acrius saeuit, et quo sibi parci uehementius cupit, tanto
minus ipse sibi parcit, quia quo amplius suam confusionem
formidat, eo acerbius sua quemque confusio uexat.

25   Sed hoc fortassis cuiquam mirandum uidetur, si haec inter
alias uirtutes digna annumeratur, cur per femineum et non
potius per uirilem sexum exprimitur ? Sed scimus omnes
quia in feminis quam in uiris, quamuis sit forma pulchritudinis maior, est tamen ad opera uirtutum constantia fortitu-
30 dinis minor. Quis nesciat uerecundia quamlibet honesta cordis robur quantum emolliat, et quam saepe fortia opera
praepediat, dum animus hominis ultra modum confundi
deuitat ? Est itaque Dina non uir, sed femina, non filius, sed
filia.

XLVIII, 14 idemque puniens et ipse qui punitur : idem qui punitur et
ipse qui punit ‖ 22 parci sibi

la confusion, si elle n'était point une peine, nul ne devrait avoir de raison de tant la redouter ou seulement de l'éviter. Étonnante est donc la manière dont l'esprit de chacun, dénoncé par sa propre conscience et frappé d'une confusion méritée, en un seul et même instant prononce lui-même une sentence contre lui-même et tire lui-même vengeance de lui-même. Voilà donc ce jugement, où celui qui juge et celui qui est jugé est un seul et le même, où c'est le même qui condamne et le même qui se condamne lui-même, un seul et le même qui punit et qui est lui-même puni.

Ainsi n'est-ce pas sans raison que la sainte Écriture n'a pas voulu mentionner le nom d'un tel jugement sans le faire précéder d'un démonstratif. Le pronom « ce », en effet, signifie toujours que l'on veut montrer quelque chose, et que peut faire d'autre une telle adjonction, si ce n'est provoquer l'étonnement de l'esprit qui l'entend ? Oui, c'est un jugement étonnant et digne d'admiration, digne aussi d'être prononcé avec ostentation, ce jugement où chacun s'épargne d'autant moins qu'il souhaite davantage qu'on l'épargne : plus il redoute en effet sa propre confusion, plus cruellement cette confusion l'accable.

Mais si la honte mérite d'être comptée parmi les autres vertus, peut-être certains se demanderont-ils avec étonnement pourquoi elle est représentée par un personnage du sexe féminin plutôt que du sexe masculin ? Nous savons tous, en effet, que si la femme, plus que l'homme, possède la grâce et la beauté, moindres sont en elle la constance et la force pour accomplir des œuvres vertueuses. Qui donc pourrait ignorer à quel point la honte, si honorable qu'elle puisse être, amollit l'énergie des cœurs et combien elle nuit souvent à l'exécution des actes qui exigent du courage, alors que l'esprit de l'homme évite toute confusion démesurée ? Dina n'est donc pas un homme, mais une femme, non pas un fils, mais une fille.

CAPVT XLIX

De utilitate et uenustate uerecundiae

Et forte non sine causa fuit quod, post natum Zabulon,
Deus Liae non filium, sed filiam dare decreuit, quae fratris
audaciam blande mitigaret, et furentis animos blanditiis deli-
niret. Habet enim, ut ex praedictis apparet, Zabulon impe-
5 tus uastos, et ingentes gerit animos. Sed sciunt, ut omnes
nouimus, feminae quam uiri tumentes animos blandius allo-
qui, et iratis dulcius blandiri. Valde ergo opportunum uidetur quod post Zabulon Dina nascitur, ut ex sororis lenitate
fratris ferocitas temperetur. Multum enim per omnem
10 modum zelantis animi impetum temperat, cum in seipso
inuenit quis unde erubescat. Haec utique est ratio, ni fallor,
cur post Zabulon Dina nascitur, ut eius modestia fratris sui
impetus moderetur.

Sed quia Dina nil uirile, nil magnificum molitur, tribum
15 in populo Israel facere non meretur. Immo etiam saepe, ut
dictum est, dum plus iusto confundi metuit, ad fortia et uiri-
lia non solum non conualescit, sed ea etiam praepedire
consueuit.

Sed quamuis pauida sit, utpote femina, ad opera fortitu-
20 dinis, inuenitur tamen prouida et circumspecta ad custodiam
honestatis, et quamuis nesciat placere per fortitudinem,
nouit placere per formae pulchritudinem. Est enim Dina
admirandae pulchritudinis et formae singularis, et quae
intuentium oculos in sui admiratione facile trahat, et admi-

XLIX, 14 uirile : utile

CHAPITRE XLIX

Utilité et beauté de la pudeur

Et sans doute n'est-ce pas sans raison que Dieu décida, après la naissance de Zabulon, de donner à Lia, non pas un fils, mais une fille qui tempérerait par sa douceur et apaiserait par ses caresses les ardeurs des colères de son frère. Comme il ressort de ce qui précède, Zabulon a en effet d'immenses élans ; il porte en lui des ardeurs démesurées. Mais on sait, nous l'avons tous appris, que les femmes savent mieux que les hommes parler avec tendresse aux esprits en effervescence et attendrir par leur douceur ceux que la colère anime. Il semble donc tout à fait opportun qu'après Zabulon, Dina vienne au monde, afin que la férocité du frère soit tempérée par la douceur de la sœur. Lorsque quelqu'un trouve en lui-même de quoi le faire rougir, cela modère en effet beaucoup, et de bien des manières, l'impétuosité d'une âme brûlant de zèle. Tempérer par sa modestie les élans de son frère, voilà donc, si je ne me trompe, la raison pour laquelle Dina vient au monde après Zabulon.

Pourtant, comme Dina n'entreprend rien de viril ni rien de grand, elle ne mérite pas de fonder une tribu dans le peuple d'Israël. Bien plus, comme elle redoute souvent plus qu'il ne convient, on l'a dit, de se couvrir de confusion, non seulement elle ne consacre pas ses forces à des actions courageuses et viriles, mais elle y fait d'ordinaire obstacle.

Mais bien que Dina soit remplie d'effroi, en tant que femme, devant des actes qui exigent du courage, on la trouve néanmoins prévoyante et circonspecte pour sauvegarder son honneur, et même si elle ne sait pas plaire par son courage, elle sait plaire cependant par sa grâce et sa beauté. La beauté de Dina est étonnante, en effet, et sa grâce incomparable ; elle provoque sans effort l'admiration de ceux qui portent

25 rantium animos cito sua dilectione alliciat. Quis enim ignorat quomodo modestia uerecundiae homines omnibus et
commendabiles reddat, et amabiles efficiat ? Vnde namque
est quod uerecundos homines fere semper ceteris carius
amplectimur, nisi quod in eis dum uerecundiae modestiam
30 modestiaeque gratiam miramur, Dinae quodammodo pulchritudine allicimur et pulchritudinis suae magnitudine in
eius amorem captiuamur ? O quam singularis huius Dinae
pulchritudo, quam celebris huius dilectio, cuius pulchritudinem pene nemo non miratur, cuius dilectione pene nemo
35 non delectatur ! Huius rei Sichem ille filius Emor testis sit,
qui ei tam ardenti amore inhaesit, ut mallet omnes mares
suos absque mora circumcidere, quam illam non habere [a].

CAPVT L

Quomodo uerecunda mens modestiae
metas transgreditur cum per superbiam
et uanam gloriam corrumpitur

O quam multi usque hodie sunt, qui quod pro Deo facere
noluerunt, saepe pro amore Dinae efficere non differunt, et
pudendorum superflua, quae pro Deo amputare debuerant,
orta confusionis occasione, pro euitando uerecundiae detri-
5 mento amputare non tardant, et malunt in amputandis uitae
suae superfluis circumcisionis molestiam subire, quam
impudentes uideri et sine uerecundia esse !

35 filius ille
L, 2 noluerunt : uoluerunt ‖ 9 qui : quod

a. Cf. Gen. 34, 15-24

sur elle leurs regards, et elle attire sur elle l'amour des cœurs qui l'admirent. De fait, qui donc ignore combien la modestie et la réserve rendent les hommes agréables à tous et dignes d'amitié ? D'où vient en effet que presque toujours nous entourons plus que les autres de notre affection les hommes pleins de réserve, sinon de ce qu'admirant en eux la modestie de cette réserve et l'élégance de cette modestie, nous sommes en quelque manière attirés par la beauté de Dina et que la grandeur de sa beauté nous rend captifs de son amour ? Quelle est incomparable, la beauté de cette Dina ! Que son amour est répandu ! Il n'y a personne, ou presque, qui n'admire sa beauté, personne ou presque que son amour ne charme ! Que Sichem, le fils d'Emor, en soit témoin, lui qui s'attacha à Dina d'un amour si ardent, qu'il préféra circoncire sur le champ tous les mâles de sa ville plutôt que de ne la point posséder [a].

CHAPITRE L

Comment une âme pleine de pudeur outrepasse les limites de la modestie lorsqu'elle se laisse corrompre par l'orgueil et la vaine gloire

Qu'ils sont nombreux, aujourd'hui encore, ceux qui ne tardent pas à faire, bien souvent, pour l'amour de Dina, ce qu'ils n'ont pas voulu faire pour l'amour de Dieu. S'il arrive qu'ils aient à rougir d'un superflu dont ils aient honte, ils s'en séparent aussitôt, afin d'éviter les conséquences fâcheuses de cette honte, et ils préfèrent supporter les désagréments d'une circoncision qui les prive de ce superflu plutôt que de paraître impudents et dépourvus de modestie, alors qu'ils auraient dû s'amputer de la sorte pour l'amour de Dieu.

Sed quis est Sichem, uel quis pater eius ? Vel quid sibi
uolunt huiusmodi nomina, Sichem qui interpretatur hume-
10 rus uel labor, et Emor, quod sonat asinus ? Sed si eorum
facta consulimus, qui sint citius inuenimus. Qui enim sunt,
qui solent non tam pro Deo quam pro Dina, non tam pro
conscientia quam pro uerecundia pudenda sua circumcidere,
qui, inquam, alii erunt, quam amor propriae excellentiae, et
15 amor uanae gloriae ? Talis filius de tali patre, de amore propriae excellentiae amor uanae gloriae.

Attende nunc ergo hunc Emor, quam sit stultus, et inue-
nies quam recte nuncupetur asinus. Videamus ergo unde
extollitur, unde glorietur. Si de eo quod non habet sed
20 habere se credit, hac, quaeso, stultitia quid stultius excogi-
tari poterit ? Si autem habet, audiat quid ei Apostolus dicat :
*Quid habes, quod non accepisti ? Si autem accepisti, quid
gloriaris quasi non acceperis* [a] ? Et quidem accepisse, non
accipientis, sed ueraciter est gloria dantis. Quid enim habet
25 homo proprium, nisi peccatum ? Et quale erit gloriari de
malo proprio, siue de bono alieno ? Talis utique gloriator,
quam uere est stultus, tam recte appellatur et asinus.

Sed et quod Sichem humerus uel labor dicitur, ad idem
pertinere uidetur. Humeris enim onera portamus, et hoc
30 agendo utique laboramus. Supponit itaque Sichem humerum suum ad portandum, et libenter desudat, sed ad solum
nomen sibi faciendum.

Recolamus modo quod de Ysachar legimus : *Ysachar,*
inquit, *asinus fortis, uidit requiem quod esset bona, et ter-*
35 *ram quod* esset *optima, et supposuit humerum suum ad por-*
tandum [b]. Ibi Ysachar asinum se reputat, et humerum suum

---

11 facta : facto ‖ 21 poterit : potest

---

a. I Cor. 4, 7 ‖ b. Gen. 49, 15

---

1. JÉRÔME, *Liber interpr.*, Gen., éd. P. de LAGARDE, p. 10, l. 22-23
(*CCSL* 72, p. 71) : « Sichem umeri aut labor ».
2. *Ibid.* p. 5, l. 24 (*CCSL* 72, p. 65) : « Emor asinus ».

Qui est donc Sichem, et qui est son père ? Ou plutôt que veulent dire ces noms de Sichem, qui se traduit par « épaule » ou « travail » [1], et celui d'Emor, qu'on traduit par « âne » [2] ? En fait, si nous examinons ce qu'ils font, nous voyons bien vite ce qu'ils sont. Qui sont-ils, en effet, ceux qui ont l'habitude de supprimer ce dont ils ont honte, non pas pour l'amour de Dieu, mais pour celui de Dina, non pas tant pour obéir à la conscience que pour éviter la honte ? Qui seront-ils d'autres, dis-je, que l'amour de la propre supériorité et celui de la vaine gloire ? L'amour de la vaine gloire qui naît de l'amour de la propre supériorité, voilà le fils qu'engendre un tel père.

Considère donc maintenant cet Emor, combien il est sot, et tu comprendras à quel point on a raison de le traiter d'âne. Voyons en effet de quoi il se vante, de quoi il se glorifie. Si c'est de ce qu'il ne possède pas mais qu'il croit avoir, pourra-t-on imaginer, je te le demande, sottise plus sotte que celle-là ? Mais si c'est de ce qu'il a, qu'il écoute au moins ce que lui dit l'Apôtre : *Qu'as-tu que tu n'aies pas reçu ? Et si tu l'as reçu, pourquoi te glorifier comme si tu ne l'avais pas reçu ?* [a] Car avoir reçu n'est pas à la gloire de celui qui a reçu, mais à celle, en toute vérité, de celui qui a donné. Qu'est-ce que l'homme possède en propre, en effet, si ce n'est le péché ? Et faudra-t-il se glorifier du mal qu'on a en propre ou du bien qu'on a reçu d'un autre ? Celui qui se glorifie de la sorte, aussi vrai qu'il est sot, aussi justement est-il appelé âne.

Mais que Sichem soit appelé « épaule » ou « travail », cela revient au même, car c'est sur nos épaules que nous portons des fardeaux, et ce faisant, de toute façon, nous travaillons. C'est pourquoi Sichem soumet son épaule au fardeau, et transpire volontiers, mais seulement pour se faire un nom.

Rappelons-nous seulement ce que nous avons lu dans l'Écriture à propos d'Issachar : *Issachar, âne robuste, a vu que le repos était bon et que la terre était excellente ; il a courbé son échine sous le fardeau* [b]. Ici, Issachar se considère comme

ad portandum inclinat. Hic Emor asinus dicitur, et Sichem
laboriosum humerum habere demonstratur. Videtis quia
quicquid agitur pro laetitia uera, totum exercetur pro laeti-
40 tia uana. Ysachar laborat pro requie quam uidit, Sichem pro
laudis uanitate quam concupiscit. Recte tamen non laborio-
sus, sed labor appellatur, quia per suum laborem ad ueram
requiem non perducitur. Quam autem recte labor dicatur,
testatur labor ypocritarum, qui tantum laborant pro adipis-
45 cendo uano fauore hominum.

CAPVT LI

Quomodo uerecunda mens ab intentionis sua
rectitudine deicitur

Hic itaque est ille Sichem, qui egredienti Dinae occurrit,
oppressamque corrumpit [a]. Integritatem ergo quam intus
fortassis conseruare potuit, egressa amittit. Nam quoniam
uerecundiae uenustas ab omnibus fere commendatur, lau-
5 datur, amatur, Dinam egredientem et intima sua deserentem,
et quae eam humiliare consueuerat infirmitatis suae memoriam cito obliuiscentem, subito hominum laudes excipiunt,
et eam, dum fauoribus demulcent, corrumpunt. Dum enim
in oblata laude delectatur, quid aliud quam per Sichem,
10 amorem uidelicet uanae gloriae, corrumpitur ? Verumtamen
tunc Dina corruptionis suae damna uiolentia quadam potius
quam uoluntate patitur, cum blandienti prauae delectationi
quantum potest reluctatur. Totiens enim Sichem quasi

---

43 quam : quod

a. Cf. Gen. 34, 2

un âne et il courbe son échine pour porter son fardeau ; là, on dit d'Emor qu'il est un âne, et on nous montre que Sichem a une épaule laborieuse : vous voyez que tout ce que l'on fait pour attirer la joie véritable, on peut le faire aussi pour une joie trompeuse. Issachar travaille pour parvenir au repos qu'il a vu, Sichem pour les vaines louanges qu'il désire. On a raison cependant de ne pas l'appeler « travailleur », mais « travail », parce que son travail ne le conduit pas au véritable repos. Et qu'on ait raison de l'appeler « travail », le travail des hypocrites l'atteste, eux qui ne travaillent que pour obtenir la faveur trompeuse des hommes.

CHAPITRE LI

Comment les intentions d'une âme pleine de pudeur sont détournées de leur rectitude

Voici donc ce Sichem : il court au devant de Dina qui sort de chez elle, la force et la viole [a]. L'intégrité qu'elle aurait peut-être réussi à conserver en demeurant chez elle, elle la perd en sortant. De fait, comme tous, ou presque tous, louent la beauté de la pudeur, en font l'éloge et l'aiment, les louanges des hommes accueillent Dina lorsque, perdant bien vite le souvenir d'une faiblesse qui l'humiliait, elle sort et abandonne l'intimité de sa demeure ; mais ces marques de faveur qui la charment, la corrompent. Trouver tant de plaisir aux louanges qu'on lui décerne, en effet, est-ce autre chose que se laisser violer par Sichem, c'est-à-dire par l'amour de la vaine gloire ? C'est par la violence, il est vrai, plus qu'avec son consentement, que Dina subit les dommages de ce viol, car elle résiste autant qu'elle le peut au plaisir coupable qui la charme. Oui, chaque fois que Sichem

nolentem opprimit, quotiens mentem corruptionis suae
15 confusionem erubescentem, et iccirco fortiter reluctantem,
etiam inuitam usque ad turpem delectationem trahit.

Sed quid, putas, causae accidit quae eam sua intima deserere et ad exteriora uagari compulit, nisi quod saepe dum
infirma nostra nimis erubescimus, ne forte alii easdem infir-
20 mitates in se sentiant mirari incipimus, et uidetur nobis
quoddam solatii genus inuenisse, si deprehendamus nos in
nostra saltem deiectione uel socios habere ? Inde fit ut incipiamus aliorum studia curiosius quaerere, nunc uultum,
nunc gestum totiusque corporis habitum frequenter cir-
25 cumspicere, eorum occulta ex aliorum relatu libenter addiscere. Dum igitur Dina in aliis animarum statum ex signis
exterioribus deprehendere nititur, quid aliud quam sua deserens ad uidendas mulieres foras egreditur forisque uaga-
tur [b] ? Dum ergo Dina mulierum formas curiose circumspi-
30 cit, alias multum, alias minus pulchras nimirum inuenit. Et
dum secum tacita saepe comparat, quam multas pulchritudinis suae magnitudine longe antecedat, quid mirum si appetitus eam uanae gloriae uehementius pulsat ? Cuius impetum dum resistendo repellere non sufficit, quid aliud quam
35 uiribus Sichem uicta succumbit ?

LI, 19 ne : unde

---

b. Cf. Gen. 34, 1

l'étreint, même contre son gré, chaque fois il emporte en de honteuses délectations, quoique malgré elle, une âme quui rougit de honte à la vue de sa déchéance et qui, pour ce motif, combat avec courage.

Mais qu'est-ce qui peut bien contraindre Dina, à ton avis, à quitter ainsi l'intimité de sa demeure et à errer au dehors, si ce n'est qu'en rougissant souvent de nos faiblesses, et d'une manière exagérée, nous en venons à nous demander avec étonnement si d'autres, d'aventure, ne souffriraient pas des mêmes infirmités. Il nous semble que nous trouverions une sorte de soulagement si au moins, dans notre infortune, nous avions des compagnons. De là vient que nous nous mettons à nous enquérir avec curiosité des dispositions des autres, à examiner souvent, autour de nous, tantôt leur visage, tantôt leurs gestes, tantôt l'attitude de leur corps tout entier, à nous enquérir volontiers de leurs comportements secrets d'après ce que les autres nous en rappportent. Lorsque Dina s'efforce ainsi de surprendre, à travers des signes extérieurs, les états d'âme des autres, fait-elle autre chose, en se quittant elle-même, que de s'en aller au dehors pour regarder les femmes et errer dehors ça et là [b] ? Tandis donc qu'elle regarde tout autour, avec curiosité, les apparences de ces femmes, elle découvre, bien sûr, que certaines sont très belles, que d'autres le sont moins. Et lorsque, silencieuse, elle constate souvent en elle-même que la grandeur de sa beauté surpasse largement celle de beaucoup d'autres, quoi d'étonnant si des désirs de vaine gloire l'ébranlent profondément ? Et lorsque sa résistance est impuissante à repousser ces assauts, comment pourrait-elle faire autre chose que de succomber, vaincue, aux violences de Sichem ?

CAPVT LII

Quomodo sub uno eodemque tempore, unde una
corrumpitur, inde aliae uirtutes quandoque nutriuntur

Notandum sane quod uno eodemque tempore, et Dina
corrumpitur, et eius in suis pecoribus pascendis fratres
occupantur [a]. Mens etenim quae caritate ceterisque uirtutibus pollet, sicut de suis malis dolere, sic et de proximorum
5 bonis gaudere solet. Dum igitur proximorum uitam lus-
trando eorum bona considerat, suaque cum illorum bonis
comparat, sicut non potest suis saepe fauoribus non fauere,
sic et de aliorum eam bonis congratulari erit necesse. Mens
utique pia dum aliorum profectum, aliorum defectum,
10 horum infirmitatem, illorum perfectionem diligentius intuetur, uariis nimirum, nunc his, nunc illis uicissim affectibus
tangitur. Incipit ergo pro aliis timere, pro aliis dolere, de his
bona, de illis meliora sperare. Videt in aliis quae diligat, pro
quibus et gaudeat, inuenit in quibusdam quae iuste abhor-
15 reat, pro quibus et iuste dolere debeat.

In hunc itaque modum, dum affectus boni simplicibus
cogitationibus alludunt, quae ex inspecta et sibi complacita
proximorum disciplina hinc inde occurrunt, quid aliud
fratres Dinae, filii Liae, quam pecora sua pascunt ? Videsne
20 quomodo uno eodemque tempore, aliud uerus amor
proximi, atque aliud operatur uanus amor sui ? Verus amor
proximi pascendis pecoribus fratrum pascua praestat, uanus
amor sui corruptionis Dinae occasionem administrat.

LII, 14 inuenit + et

a. Cf. Gen. 34, 5

CHAPITRE LII

Comment, en un seul et même moment,
ce qui détruit une vertu en conforte parfois d'autres

Mais il faut bien remarquer qu'au moment même où Dina est violée, ses frères sont occupés à faire paître leurs troupeaux [a]. De fait, autant l'âme qui est riche de charité et autres vertus gémit d'ordinaire du mal qui est en elle, autant elle se réjouit du bien qu'elle découvre en son prochain. Tandis donc qu'elle observe la conduite de ceux qui lui sont proches et qu'elle considère le bien qui est en eux en le comparant à celui qui est en elle, de même qu'il lui est souvent impossible de rester insensible aux compliments qu'on lui adresse, de même ne peut-elle s'empêcher de se réjouir du bien qu'elle remarque chez les autres. Lorsqu'elle considère avec attention, en tout cas, les progrès des uns et les défaillances des autres, la faiblesse de ceux-ci et la perfection de ceux-là, l'âme pieuse éprouve sans aucun doute des sentiments variés, qui s'emparent d'elle tour à tour. Elle se met ainsi à craindre pour les uns, à éprouver de la peine pour les autres, à espérer de bonne choses pour ceux-ci, de meilleures pour ceux-là. Elle voit chez d'autres ce qu'elle peut aimer et ce qui peut la réjouir. Elle découvre chez certains ce dont elle doit avec raison avoir horreur et ce dont elle doit s'attrister à juste titre.

Lorsque les choses se passent ainsi, tandis que de bons sentiments jouent avec les simples pensées qui lui viennent, d'ici ou de là, à la vue du comportement de ses proches et qui lui font plaisir, qu'est-ce que tout cela signifie, sinon que les frères de Dina font paître leurs troupeaux ? Vois-tu comment, en un seul et même moment, le véritable amour du prochain accomplit une chose et le vain amour de soi en accomplit une autre ? Le véritable amour du prochain procure des pâturages aux troupeaux de ses frères afin qu'ils puissent y paître, le vain amour de soi fournit à Dina l'occasion de se laisser violer.

Quod autem res patrem non latet, etiam priusquam ad
25 fratres sermo perueniret, quid aliud nobis insinuat, nisi
quod corruptelae notitia animum prius per cogitationem
quam per affectum pulsat ? Sed cum res diutius in corde uersatur, saepius per cogitationem replicatur, quandoque usque
ad cordis intima penetrat, cordisque affectum transuerberat.
30 Cum igitur rei sollicitudine animus afficitur uariisque affectibus uicissim tangitur, iam usque ad filios Liae, fratres
autem Dinae, sermo peruenisse non dubitatur.

CAPVT LIII

Cum quanta instantia uel cautela corrigenda
sit intentio deprauata

Sed quomodo, putas, insaniunt, cum sororis suae corrup-
tionem iam ignorare uel saltem dissimulare ulterius non
possunt ? Quid enim de eis ait Scriptura, nisi quod irati sunt
ualde [a], et iterum quod essent saeuientes ob stuprum soro-
5 ris suae [b] ?
Docet utique nos haec fratrum ira, uel potius insania,
quantum sibi debeat quisque irasci, qualiter indignari, quomodo seipsum arguere, quam acriter increpare, cum se
agnoscat conscientiam suam inani gloriatione foedasse.
10 Debet ergo, quicumque est, ad sanandum mentis tumorem,
infirmitates suas ante oculos ponere, et culpas suas, sine quibus nemo hanc uitam transigit, ad memoriam reuocare,

---

29 intima cordis
LIII, 4 ualde : uade ‖ 9 agnoscit

---

a. Cf. Gen. 34, 7 ‖ b. Cf. Gen. 34, 13

Que ce fait ait été connu de son père avant même que la nouvelle en parvînt à ses frères, qu'est-ce donc que cela nous enseigne, sinon que l'esprit parvient à la connaissance de son péché, par la pensée, avant même que l'affection en soit émue ? Mais lorsque la chose occupe longtemps le cœur et repasse souvent dans la pensée, elle pénètre parfois jusqu'au plus intime de l'être et transperce les dispositions du cœur. Si donc l'esprit est rongé de souci après ce qui s'est passé et s'il est touché en retour de sentiments variés, c'est que la nouvelle, il n'en faut pas douter, est arrivée jusqu'aux oreilles des fils de Lia, les frères de Dina.

CHAPITRE LIII

Avec quelle application et quelles précautions il faut redresser l'intention qui s'est écartée du droit chemin

Mais comme ils perdent la tête, n'est-ce pas, lorsqu'ils ne peuvent plus ignorer ou au moins dissimuler plus longtemps le viol de leur sœur ! Que dit en effet l'Écriture à leur sujet, sinon qu'ils se mirent dans une violente colère [a] et, plus loin, qu'ils étaient en fureur à cause du déshonneur de leur sœur [b] ?

Cette colère, ou plutôt cette démence des frères de Dina nous apprend avec quelle violence doit s'emporter contre lui-même, comment doit s'indigner contre lui-même, comment doit s'accuser lui-même, quels sévères reproches doit s'adresser quiconque reconnaît que sa conscience l'a déshonoré par vaine gloire. Pour guérir cette enflure de l'âme, chacun, quel qu'il soit, doit donc garder ses infirmités présentes à ses yeux, se remettre en mémoire ses fautes, ces

quam inhonesta saepe in opere, quam indigna in ore, quam
immunda uerset in cogitatione diligenter attendere, ut inde
15 manifeste colligat quam multa in suis moribus inuenire
queat, quae iure debeant amputari, si uere uult et non impudenter gloriari. Cum igitur huiusmodi conditionis retractatio mente reuoluitur, quid aliud quam cum filio Emor circumcisionis pactum statuitur ᶜ ? Nam quid est aliud dicere :
20 Morum tuorum pudenda abscide, quam : Masculorum tuorum praeputia circumcide ᵈ ? Et quid est dicere : Alioquin
non poteris non impudenter gloriari, quam : Alioquin non
poteris Dinae copulari ᵉ ? Si enim Sichem gloriatio, si Dina
uerecundia, quid aliud erit gloriatio impudens, gloriatio sine
25 uerecundia, quam Sichem sine Dina ?

Recte autem inueteratae consuetudines quae difficile
superantur, per masculinum sexum designantur. Isti sunt
mares quos fratres Dinae circumcidi uoluerunt ᶠ ; teste
tamen Scriptura, hanc circumcisionis conditionem Sichem in
30 dolo proposuerunt ᵍ. Ecce, ut facile aduertere possimus,
nullo modo marito tali sororem suam dare disponebant, et
quamuis propositae conditionis conuentionem explere
potuisset, nullatenus tamen eum tali matrimonio dignum
iudicabant. Et quidem etiam si possemus omnia inhonesta
35 nostra de nostra penitus uita amputare, et ab omnibus
omnino mundari, nichilominus tamen deberemus non de
nostris meritis, sed tantum in Domino gloriari.

Et iccirco fortassis fratres Dinae dura ei proponebant, ut
eum de sororis suae copula omnino desperarent. Sed para-

---

c. Cf. Gen. 34, 13-24 ‖ d. Cf. Gen. 34, 15 ‖ e. Cf. Gen. 34, 13 ‖ f. Cf.
Gen. 34, 15 ‖ g. Cf. Gen. 34, 13

fautes dont nul ne peut être exempt durant sa vie, considérer avec attention que d'actions malhonnêtes il a souvent
commises, que de propos honteux il a tenus, à combien de
pensées impures il s'est laissé aller ! Qu'il comprenne, à partir de là, que de choses il peut découvrir, dans sa manière de
vivre, qui devraient être justement retranchées s'il veut vraiment se glorifier et le faire sans impudence. Lors donc qu'il
retourne sans cesse en son esprit l'examen d'une telle condition, que fait-il d'autre que conclure un pacte de circoncision avec le fils d'Emor [c] ? Qu'est-ce en effet que de dire :
Retranche de ta vie tout ce que tu y trouves de honteux,
sinon : Circoncis tous tes mâles [d] ? Et qu'est-ce que dire :
Autrement tu ne pourras te glorifier sans impudence, sinon
dire : Autrement tu ne pourras épouser Dina [e] ? De fait, si
l'action de se glorifier est représentée par Sichem et la
pudeur par Dina, se glorifier impudemment, se glorifier sans
pudeur, sera-ce autre chose que Sichem sans Dina ?

C'est avec raison, en effet, que les habitudes invétérées,
celles dont on ne peut se débarrasser qu'avec difficulté, sont
représentées par le sexe des mâles. Ce sont ces mâles que les
frères de Dina ont voulu faire circoncire [f] ; mais, au témoignage de l'Écriture, c'est par ruse qu'ils ont imposé cette
condition à Sichem [g]. En réalité, nous pourrions aisément le
constater, ils n'étaient pas du tout disposés à donner leur
sœur à un tel mari, et bien que celui-ci eût été en mesure de
respecter la condition qu'on lui avait imposée et qui avait
fait l'objet d'une convention, les frères de Dina ne le
jugeaient absolument pas digne d'un pareil mariage. De fait,
même s'il nous était possible de retrancher, jusque dans les
profondeurs de notre existence, tout ce qu'il y a en nous de
malhonnête et de nous en purifier complètement, nous
devrions pourtant, ne pas tirer gloire de nos propres
mérites ; ne nous glorifions que dans le Seigneur.

D'ailleurs, c'était peut-être pour faire perdre à Sichem
tout espoir d'épouser leur sœur que les frères de Dina lui

40 tior est Sichem quaelibet uel quamlibet aspera tolerare,
quam adamatae Dinae diuortia sustinere. Et fit quidem
saepe, quod et superius praelocuti sumus, ut ea quae ab
animo extorquere non potuimus, quando pro Deo illa facere
disponebamus, eadem ipsa sit nobis facile perficere, cum pro
45 eis timemus incurrere detrimenta uerecundiae.

CAPVT LIV

Quomodo uel quam caute oporteat intentionem mutare
et morum honesta non deserere

Quid ad ista dicemus ? An forte melius erit tacite gemere
quam aliquid respondere, qui ista negare non possumus ?
Illud sane dixerim quod Dinae fratribus merito displicuit,
merito eos placare non potuit circumcisio, quae non tam pro
5 Deo quam pro Dina, non tam pro institutione diuina quam
pro uerecundia humana facta fuit.

Malum tamen in eis fuit iustae seueritatis modum excedere, et in ulciscenda iniuria aequitatis mensuram minime
seruasse. Merito ergo Iacob inconsultam eorum audaciam
10 redarguit, seueritatemque tam indiscretam iuste reprehen-
dit [a]. O quanto satius erat uiros, quamuis non tam pro Deo
quam pro Dina circumcisos, ad uerum Dei cultum paulatim
perducere, quam inopinata et repentina morte percutere !

Hinc itaque colligat, hinc diligenter attendat, quomodo
15 quisque debeat circumcisis suis parcere, quos tamen se
meminit non propter Deum circumcidisse. Qui sunt istius

44 nobis ipsa sit ‖ 45 timeamus
LIV, 3 Dinae : digne ‖ 6 fuit facta

a. Cf. Gen. 34, 30

1. Cf. *supra* L.

imposaient de si dures conditions. Mais Sichem est prêt à subir n'importe qu'elle épreuve, si pénible qu'elle soit, plutôt que d'avoir à supporter d'être séparé de Dina, sa bien-aimée. Il arrive en effet souvent, comme nous l'avons dit précédemment [1], que les choses que nous n'avons pas réussi à retrancher de notre esprit lorsque nous nous disposions à le faire pour l'amour de Dieu, nous parvenons aisément à en venir à bout lorsque nous craignons d'encourir, à cause d'elles, l'opprobre de la honte.

CHAPITRE LIV

Comment et avec quelles précautions il faut changer d'intention sans rien perdre de son honnêteté

Que dirons-nous de tout cela ? Nous qui ne pouvons nier ces faits, peut-être vaudrait-il mieux pleurer en silence qu'y répondre ? Je voudrais dire cependant que cette circoncision a déplu à juste titre aux frères de Dina, qu'elle n'a pu à juste titre les apaiser, puisqu'elle avait moins pour objet de plaire à Dieu qu'à Dina, qu'elle était moins destinée à obéir au précepte divin qu'à éviter une honte humaine.

Les frères de Dina ont mal agi, pourtant, en allant au-delà des exigences d'une juste sévérité et en ne respectant pas du tout les limites de l'équité lorsqu'ils ont vengé cet affront. C'est donc avec raison que Jacob leur reproche leur audace imprudente, et c'est à juste titre qu'il blâme leur sévérité si indiscrète [a]. Comme il eût mieux valu conduire peu à peu ces hommes à honorer Dieu avec sincérité, bien qu'ils aient été circoncis moins pour Dieu que pour Dina, au lieu de les frapper à l'improviste d'une mort soudaine !

Qu'on tire de cet exemple une conclusion, qu'on y apprenne bien comment chacun doit traiter avec ménagements ce qu'il a circoncis en lui, même s'il se souvient qu'il

modi circumcisi, nisi mores non bona intentione correcti ?
Nec tamen in talibus debemus morum honesta destruere,
sed intentionem mutare. Errant ergo, utique errant, qui abi-
ciunt opera bona, quamuis forte inchoata sint intentione
20 mala. Erratuum ergo suorum ultores huiusmodi quid aliud
faciunt, quam super circumcisos cum Symeon et Leui
irruentes uiolenter occidunt [b] ?

CAPVT LV

Qua maxime consideratione debeamus intentionis deprauationem castigare

Opere pretium est, illud etiam diligenter attendere quo-
nam modo tam pauci tantam potuerunt stragem efficere. Sed
nimirum adiuuit eos electa opportunitas temporis, quando
ipsos circumcisos et ab istis occidendos oppresserat acerbi-
5 tas doloris. Ad hoc electus est circumcisionis dies ille tertius
in quo, teste Scriptura, dolor solet esse grauissimus [a]. Sed qui
sunt isti dies, uel cur tantum dicuntur esse tres ? Si per noc-
tem ignorantia, recte per diem intelligitur notitia. Primus
itaque dies est cognitio eorum quae sunt extra nos, secun-
10 dus dies cognitio eorum quae sunt intra nos, dies tertius
cognitio eorum quae sunt supra nos. Extra nos corporalia,
intra nos spiritualia, supra nos diuina.

LV, 4 istis : ipsis

---

b. Cf. Gen. 34, 24-25
a. Cf. Gen. 34, 25

ne s'est point circoncis pour l'amour de Dieu ! Qu'a-t-on circoncis de cette manière, sinon les comportements qui n'ont pas été redressés avec une intention bonne ? Nous ne devons pourtant pas détruire ce qu'il y a d'honnête dans ces comportements, mais modifier notre intention. Ils se trompent donc, ils se trompent profondément, ceux qui rejettent les œuvres bonnes, pour peu qu'elles aient pu être entreprises avec une intention mauvaise. Ceux qui se vengent de la sorte de leurs propres errements, que font-ils alors, sinon, avec Siméon et Lévi, se jeter avec violence sur ceux qu'ils ont fait circoncire et les massacrer [b] ?

CHAPITRE LV

Par quelle considération devons-nous principalement redresser notre intention

Mais il vaut la peine d'examiner aussi avec soin comment il a pu se faire qu'un si petit nombre d'hommes fassent un tel carnage. Ce qui les a beaucoup aidés, à vrai dire, c'est d'avoir choisi le moment opportun. Une cruelle souffrance accablait ceux qui venaient d'être circoncis et qu'ils allaient massacrer. C'est la raison pour laquelle ils ont choisi le troisième jour suivant la circoncision, celui durant lequel, selon l'Écriture, la douleur est généralement la plus aiguë [a]. Mais quels sont ces jours, et pourquoi dit-on qu'il n'y en a que trois ? Si la nuit signifie l'ignorance, le jour doit donc représenter la connaissance. Le premier jour signifie ainsi la connaissance des choses qui sont en dehors de nous, le second celle des choses qui sont au dedans de nous, la troisième celle des choses qui sont au-dessus de nous. En dehors de nous les réalités corporelles, au-dedans les réalités spirituelles, au-dessus les réalités divines.

Eorum itaque qui se circumcidunt, uerumtamen non propter Deum hoc faciunt, prima consideratio esse debet,
15 uel potius esse solet, cum diligenter attendunt quid asperitatis extrinsecus pertulerunt. Secunda consideratio esse debet quid intus adquisierunt per tot cruciatus corporis, immo quantum intus ueraciter perdiderunt per naeuum sinistrae intentionis. Tertia consideratio erit quid retribu-
20 tionis de Deo expectare debeant, quem simulatae seruitutis obsequio non tam placasse quam exasperasse non dubitant.

Primo itaque die considerationis primae recurrit ad memoriam amputata licentia amatae consuetudinis, et absque dubio dolor efficitur, dolor utique grauis, quia non
25 relinquitur sine dolore quod possidebatur cum amore. Secundo die considerationis secundae inuenit se animus per detrimenta corporis peruenisse ad damna mentis, et fit utique dolor quanto iustior, tanto fortassis et grauior. Tertio die considerationis tertiae deprehendit se grauia pertulisse
30 de sententia propria, sed grauiora expectare debere de sententia diuina. Hic est ille dies tertius in quo, testante Scriptura, dolor solet esse grauissimus [b]. Quantus enim, putas, dolor mentem transuerberat, cum diligenter considerat malum quod pertulit, malum quod commisit, malum
35 quod promeruit ; malum quod pertulit exterius in cruciatu corporis, malum quod contraxit intrinsecus in reatu criminis, malum quod promeruit diuinitus in conspectu creatoris. Profecto non solum grauiter, sed etiam grauissime doluit quisquis inutiliter circumcisorum ad hanc diem peruenire
40 potuit.

b. Gen. 34, 25

Chez ceux dès lors qui se font circoncire, mais qui ne le font pas pour l'amour de Dieu, la considération qui doit être la première, ou plutôt qui l'est d'ordinaire, consiste en l'examen attentif des difficultés qui les ont frappés de l'extérieur. La seconde considération doit porter sur ce que leur ont fait gagner tant de tourments infligés à leur corps, ou, mieux encore, sur tout ce qu'ils ont intérieurement mais réellement perdu par la faute de leurs intentions perverses. La troisième considération portera sur le châtiment qu'ils doivent attendre de Dieu qui a été beaucoup moins apaisé qu'exaspéré, ils n'en peuvent douter, par l'hommage de leur feinte soumission.

Ainsi, durant le premier jour, celui de la première considération, revient à la mémoire la liberté des habitudes aimées auxquelles on a renoncé ; cela ne se passe certainement pas sans douleur, et une douleur vraiment difficile à supporter, car on ne quitte pas sans peine ce dont on jouissait avec amour. Durant le second jour, celui de la seconde considération, l'esprit découvre que c'est par les maux du corps qu'il est parvenu aux dommages de l'âme, et la peine est sans doute d'autant plus juste qu'elle est plus lourde. Durant le troisième jour, celui de la troisième considération, il comprend que les maux qu'il a endurés sont le résultat de le sentence qu'il a lui-même prononcée, mais qu'il doit s'attendre à en subir de plus durs de la sentence divine. C'est bien ce troisième jour au cours duquel, selon l'Écriture, la douleur est habituellement la plus aiguë [b]. Qu'elle est grande en effet, n'est-ce pas, la souffrance qui traverse l'esprit lorsqu'il considère avec attention le mal qu'il a subi, celui qu'il a commis, celui qu'il a mérité ; le mal qui lui est venu de l'extérieur à travers les tourments infligés à son corps, le mal qui l'a marqué intérieurement lorsqu'il a accompli le péché, le mal qu'il a mérité de la part de Dieu, en présence de son Créateur. La souffrance de quiconque a atteint ce troisième jour après avoir été circoncis sans profit n'est donc pas seulement pénible, elle est suprêmement pénible.

CAPVT LVI

Quod mens in omni corruptione sua debeat
et patienter dolere et de sua correctione non desperare

Debet tamen mens sui criminis conscia et de sua infirmitate confusa, et patienter dolere et de sua correctione non
desperare. Oportet eam sane, et dolere de corruptione, et
sperare nichilominus de correctione, ut per moderatum
5 dolorem afflicta, et per spei fiduciam erecta, et satisfaciat de
praeterito, et prouideat de futuro. Superius autem iam diximus quomodo dolorem et spem per Symeonem et Leui
intelligere debemus. Isti sunt duo illi Dinae fratres, Symeon
et Leui, iniuriarum suarum ultores saeui, sed utinam quam
10 fortes tam forent et discreti ! Ad Symeon pertinet satisfacere
de eo quod male factum est, ad Leui pertinet animum erigere ad id quod in posterum prouidendum est. Si ergo doles
de corruptione, desperes autem de correctione, est ibi
Symeon, sed solus. Si negligis de satisfactione praeteriti,
15 speres tamen de cautela futuri, est ibi Leui, sed solus. Ad
tantum ergo negotium necesse est ut uterque conueniat, et
uterque alteri opem ferat.

LVI, 13 ibi : tibi

1. Cf. *supra* IX-X.

CHAPITRE LVI

Que l'esprit doit souffrir avec patience
de tout ce qu'il y a en lui de corrompu,
mais sans désespérer de se corriger

L'esprit qui a pris conscience de son péché et que sa faiblesse remplit de confusion, doit sans doute et s'en affliger en le supportant et ne pas désespérer de se corriger. Oui, il faut à la fois qu'il pleure sa déchéance et qu'il ne désespère pas pour autant de son redressement, de telle sorte qu'affligé par une douleur qui ne dépasse pas une juste mesure et relevé par une confiance chargée d'espérance, il rende satisfaction pour le passé et se prémunisse pour l'avenir. Nous avons d'ailleurs déjà dit plus haut pourquoi nous devions reconnaître en Siméon et en Lévi la douleur et l'espérance [1]. Siméon et Lévi, ce sont les deux frères de Dina. Ils ont cruellement vengé l'atteinte portée à leur honneur. Mais que n'ont-ils eu autant de discernement que de vigueur ! A Siméon il appartient d'obtenir satisfaction pour le mal qui a été accompli ; à Lévi, de rendre courage à l'esprit afin qu'il prenne ses précautions pour l'avenir. Si donc tu pleures ta déchéance, mais sans garder l'espoir de te relever, Siméon est là, mais il est seul ; si tu négliges de satisfaire pour le passé, mais tout en espérant être à l'abri du mal pour l'avenir, Lévi est là, mais il est seul. Il est donc indispensable, dans une si grande affaire, que tous deux viennent ensemble et que chacun d'entre eux vienne au secours de l'autre.

CAPVT LVII

Quomodo uel quam caute per exprobrationem
peccati uel per exactionem debiti
debeat corrupta mens flagellari

Sed considerandum est iterum quod saepe in eo quod fortiter agunt, modum iusti libraminis excedunt, quod facile
conuincimus ex hoc eorum opere quod inter manus habemus. Arreptis enim gladiis, confoederatos sibi societatis
5 pacto uiolenter occidunt, et pro unius pudicitia uiolata, tot
uirorum tam subitam stragem fecerunt [a].

Gladius Symeonis exprobratio, gladius Leui est exactio.
Solet enim Symeon corruptae menti exprobrare uehementer
malum quod fecit, Leui uero solet uehementer exigere
10 bonum quod fieri oportuit. Quid igitur aliud est eos his gladiis pugnare, quam exprobrationis et exactionis stimulis
mentem flagellare ? His stimulis quorumdam mens uehementer accensa, saepe inconsolabiliter plangit ea etiam quae
nullo modo potest euitare. His stimulis exagitata, ea etiam
15 saepe inchoare praesumit, quae nullatenus ualet consum-
mare. Hinc illa quorumdam immoderata tristitia, hinc illa
etiam indiscreta abstinentia, quae non solum uires corporis,
uerum etiam uirtutem euacuat mentis. Quosdam etenim,
saeuiente Symeone, uidimus tam irrationabili tristitia absor-
20 beri, ut nullius possent aliquatenus consolatione releuari.
Alios cognouimus per immoderatam abstinentiam tam
grauiter corruisse, ut nulla postmodum deliciarum copia,

LVII, 18 euacuat uirtutem

a. Cf. Gen. 34, 25-29

CHAPITRE LVII

De quelle manière et avec quelle prudence on doit,
pour punir l'esprit corrompu, lui reprocher son péché
ou exiger de lui l'acquittement de sa dette

Mais il faut observer de nouveau qu'en agissant avec une telle vigueur, Siméon et Lévi dépassent souvent les limites d'un juste équilibre. Leur action, telle que nous la touchons ici du doigt, nous en convainc aisément. S'étant en effet saisis de leurs glaives, ils passent furieusement par les armes ceux à qui ils s'étaient alliés par un pacte d'amitié, et c'est pour la violence faite à la vertu d'une seule femme qu'ils massacrent inopinément un si grand nombre d'hommes [a].

Le glaive de Siméon représente les reproches, celui de Lévi les exigences. De fait, Siméon a l'habitude de reprocher avec véhémence à l'esprit corrompu le mal qu'il a commis ; mais Lévi a celle d'exiger de lui avec violence, qu'il fasse le bien qu'il aurait dû faire. Cette bataille qu'ils livrent ainsi, armés de leurs glaives, signifie-t-elle autre chose que la peine infligée à l'esprit par l'aiguillon de leurs reproches et de leurs exigences ? Mais parmi ceux dont l'esprit a été violemment excité par de tels aiguillons, il en est souvent qui vont jusqu'à se plaindre, sans pouvoir s'en consoler, de choses qu'ils ne peuvent éviter. Harcelés de la sorte, il leur arrive même, bien souvent, de s'engager avec présomption dans des entreprises dont ils sont tout à fait incapables de venir à bout. De là, chez certains, une tristesse excessive, de là encore une abstinence indiscrète qui n'épuise pas seulement les forces du corps, mais aussi la vigueur de l'esprit. Siméon ainsi déchaîné, nous en avons vu qui étaient plongés dans une tristesse si déraisonnable que personne ne pouvait, si peu que ce soit, les consoler et les réconforter. Nous en avons connu d'autres qu'une abstinence excessive avait tellement abattus que, par la suite, ni l'abondance des mets délicats, ni

nulla coquorum diligentia posset eis satisfacere. Ecce bellatores isti, Symeonem loquor et Leui, quomodo pugnant,
25 qualiter se uindicant. Quid est enim aliud eos, arreptis gladiis, Dinae amatores interficere [b], quam exprobratione
ineuitabilium uel exactione impossibilium, eousque non
solum uires corporis, uerum etiam uigorem mentis atte-
nuare, ut pro humana saltem uerecundia non possit se mens
30 a suis excessibus temperare ?

Vnde eis recte per Iacob dicitur : *Symeon et Leui fratres,
uasa iniquitatis bellantia, in consilium eorum non ueniat
anima mea, et in coetu eorum non sit gloria mea* [c]. O quales
bellatores, qui dum fortiter egisse uideri uolunt, pacis suae
35 socios tam crudeliter quam uiolenter occidunt ! *Vasa iniquitatis bellantia* [d], sed *in consilium eorum non ueniat anima
mea* [e]. O uiros inconsultos, qui dum id praesumunt quod
efficere non possunt, illud etiam amittunt quod efficere
potuerunt ! *In consilium ergo eorum non ueniat anima mea,
40 et in coetu eorum non sit gloria mea* [f]. Non est bona gloriatio ambulare in magnis et in mirabilibus super se [g], quo possit quasi de sua gloriari uirtute. Non est, inquam, huiusmodi
bona gloriatio. *In coetu ergo eorum non sit gloria mea, quia,*
inquit, *in furore suo occiderunt uirum, et in uoluntate sua
45 suffoderunt murum* [h].

---

24 Symeon ‖ 37 id : hic

b. Cf. Gen. 34, 25 ‖ c. Gen. 49, 5-6 (*in coetu illorum,* Vulg.) ‖ d. Gen.
49, 5 ‖ e. Gen. 49, 6 ‖ f. *Ibid.* ‖ g. Cf. Ps. 130, 1 ‖ h. Gen. 49, 6

l'habileté des cuisiniers ne parvenaient à les satisfaire. Voilà donc comment combattent ces guerriers, je parle de Siméon et de Lévi, de quelle manière ils se vengent ! Que signifie en effet, le fait que Siméon et Lévi, s'étant saisis de leurs glaives, aient massacré les amants de Dina [b], sinon qu'en blâmant l'inévitable et en exigeant l'impossible, on en arrive à affaiblir non seulement les forces du corps, mais aussi la vigueur de l'esprit, à tel point que l'esprit n'est plus capable, ne serait-ce que par une pudeur tout humaine, de modérer ses propres excès ?

Jacob a donc raison, lorsqu'il dit, à leur sujet : *Siméon et Lévi sont frères ; ce sont des vases d'iniquité qui vont au combat ; que mon âme n'entre point dans leurs conseils et que ma gloire ne soit point en leur compagnie* [c]. Oui, quels combattants ! Tandis qu'ils veulent avoir l'air d'agir avec courage, ils massacrent ceux avec qui ils sont en paix avec autant de violence que de cruauté ! *Ce sont des vases d'iniquité qui vont au combat* [d], mais *que mon âme n'entre point dans leurs conseils* [e]. Hommes dépourvus de sens ! Tandis qu'ils ont la présomption d'entreprendre ce dont ils ne sont pas capables, ils renoncent même à ce qu'ils auraient été capable de faire ! *Que mon âme n'entre* donc *point dans leurs conseils, et que ma gloire ne soit point en leur assemblée* [f]. Ce n'est pas une bonne manière de se glorifier que de prendre un chemin de grandeurs et de prodiges plus hauts que soi [g], afin de pouvoir, par là, se glorifier comme de sa propre vertu. Non, dis-je, une telle manière de se glorifier n'est pas de bon aloi. *Que ma gloire ne soit* donc *point en leur compagnie, parce que*, ajoute Jacob, *ils ont tué un homme dans leur colère, et que par leur volonté ils ont creusé une sape sous la muraille* [h].

CAPVT LVIII

Quomodo per nimiam afflictionem mens quandoque
usque ad impudentiam effrenatur

Quid per uirum, nisi uigor mentis, quid per murum, nisi
disciplina intelligitur corporis ? Vir itaque ille, amator
Dinae, tunc ueraciter occiditur, quando per afflictionem
nimiam, uigore mentis exhausto, usque ad apertam impu-
5　dentiam animus effrenatur. Tunc amator Dinae, absque
dubio, gladio perit, quando per afflictionis nimietatem uigor
mentis eousque deficit, ut a suis, ut dictum est, excessibus
pro humana saltem uerecundia se temperare non possit.
Tunc murus destruitur, quando per immoderatam abstinen-
10　tiam rigor prioris disciplinae penitus dissipatur.
　　Sed hoc est in huiusmodi bellatoribus prae omnibus
admirabile, immo super omnia detestabile, quod nullius
unquam quamlibet prudentis uiri consilio adquiescunt,
immo nec proprie saltem experientiae cedunt, nec tunc qui-
15　dem cum iam incipiunt et corpore deficere, et corde tabescere. Quorum pertinacia maledictionis iaculo percutitur,
cum ad illos per Iacob dicitur : *Maledictus furor eorum, quia
pertinax, et indignatio eorum, quia dura* [a]. Mirabilis pertinacia, sed non minor insania, ab impetu cursus sui, a deuio
20　erroris sui, non nisi solo impossibilitatis freno posse retineri.
Ecce quomodo praeliari norunt *uasa iniquitatis bellantia* [b],
ecce quanta faciunt, ecce quanta fiunt pro Dina. Pro Dina
masculi circumciduntur, pro Dina circumcisi perimuntur.
Totum hoc fit pro Dina, totum pro humana uerecundia.

LVIII, 12 super : supra

---

a. Gen. 49, 7 ‖ b. Gen. 49, 5

CHAPITRE LVIII

Comment une souffrance excessive peut déchaîner parfois l'esprit jusqu'à l'impudence

Que faut-il entendre par « homme », sinon la vigueur de l'esprit, et par « muraille », sinon la maîtrise du corps ? Cet homme dès lors, celui qui aime Dina, est véritablement tué lorsqu'une souffrance excessive a épuisé en lui toute force d'âme, jusqu'à déchaîner en son esprit une impudence qui s'affirme ouvertement. Celui qui aime Dina périt alors sans aucun doute par le glaive, lorsque, sous l'empire d'une souffrance excessive, toute force d'âme l'abandonne, à tel point qu'il n'est même plus capable de modérer ses propres excès, ne serait-ce comme on l'a dit, que par une pudeur humaine. La muraille, quant à elle, est minée lorsqu'une abstinence immodérée dissipe totalement la rigueur de la première discipline.

Mais ce qui est plus étonnant que tout, ce qui est même plus que tout détestable, chez de pareils combattants, c'est qu'ils ne s'en remettent jamais au jugement d'un autre, quelque prudent qu'il soit, et que, plus grave encore, ils ne se fient pas à leur propre expérience, pas même lorsque leur corps commence à défaillir et leur cœur à trembler. C'est leur opiniâtreté que Jacob frappe d'une parole de malédiction, lorsqu'il s'écrie, à leur propos : *Maudite soit leur fureur parce qu'elle est obstinée et leur indignation, parce qu'elle est cruelle* [a]. Obstination étonnante, mais folie qui ne l'est pas moins, que de ne pouvoir être retenu, dans sa course impétueuse dans l'égarement de son erreur, que par le seul frein de l'impossible. Voilà donc comment savent livrer bataille *ces vases d'iniquité qui vont au combat* [b] ! Voilà quels exploits ils accomplissent, voilà quels exploits s'accomplissent pour l'amour de Dina ! C'est pour Dina que les mâles sont circoncis, c'est pour Dina que ces circoncis sont massacrés ! Tout cela se produit pour l'amour de Dina, tout cela par suite d'une honte humaine.

CAPVT LIX

Quod nec ordinata uerecundia sit bona nisi sit
et moderata

Sed miraris forte, cum humanam uerecundiam superius
reprobauimus, cur eam modo ad Dinam pertinere doceamus, cum per Dinam solam ordinatam uerecundiam intelligere debeamus. Sed aliud est homines erubescere propter
5 Deum, et aliud eosdem erubescere propter seipsum. *Sic
luceat lux uestra,* dicit Scriptura, *ut uideant opera uestra
bona, et* glorificetur Pater uester *qui in coelis est* [a]. Bonum
est ergo erubescere infamiam, non tam ad nostram quam ad
gloriam diuinam. Et hoc est forte Dinam exire, hominum
10 infamiam propter Deum erubescere. Nam tunc procul
dubio Dina intus inuenitur, quando de occultis etiam suis
coram Deo conscientia nostra confunditur. Homines itaque
propter Deum erubescere, est bonam uerecundiam habere,
et qualem non dubitamus ad Dinam pertinere. Verecundia
15 itaque talis et ordinata est, et iuxta aliquid recte humana dici
potest. Reuera tamen huiusmodi bona est, si non sit nimia.
Certe si Dina adhuc paruula esset, uel intra thalami sui
secreta seipsam cohiberet, corruptionis maculam non incurrisset, et tantorum malorum causa non extitisset.

LIX, 2 reprobauerimus ‖ 5 seipsos

a. Matth. 5, 16

CHAPITRE LIX

Que la honte ordonnée elle-même n'est pas bonne
si elle n'est pas accompagnée de modération

Mais au moment où nous venons de condamner la honte humaine, peut-être te demandes-tu avec étonnement pourquoi nous enseignons à présent qu'elle se rapporte à Dina, alors que nous ne devrions voir en Dina que la honte ordonnée. C'est que, pour les hommes, rougir à cause de Dieu est une chose, rougir à cause de soi-même en est une autre. *Que votre lumière brille*, dit l'Écriture, *de telle sorte que les hommes voient vos œuvres bonnes et que votre Père, qui est dans les cieux, en soit glorifié* [a]. Ainsi est-il bon de rougir de son propre déshonneur, non pas tant pour notre propre gloire que pour celle de Dieu. Et peut-être que sortir, pour Dina, c'est cela : rougir à cause de Dieu du déshonneur subi devant les hommes. Car Dina se trouve chez elle, sans aucun doute, lorsque notre conscience est remplie de confusion devant Dieu pour ce qui demeure caché en elle. Que les hommes rougissent à cause de Dieu, c'est donc éprouver une bonne honte, et on ne peut douter que ce soit le cas pour Dina. Une telle confusion à la fois est ordonnée et peut à juste titre, en un certain sens, être dite humaine. Une honte de cette sorte n'est vraiment bonne, pourtant, que si elle n'est pas excessive. Certes, si Dina avait été encore une petite fille, ou si elle s'était elle-même enfermée dans le secret de sa chambre, elle n'aurait point été exposée à la souillure d'un viol et elle n'aurait point été la cause de si grands maux.

CAPVT LX

De principalium affectuum numero et ordinandi modo
compendiosa recapitulatio

Haec est Dina quae post Ysachar et Zabulon nascitur,
quia post degustatum internae dulcedinis gaudium, et post
uerum uitiorum odium, quanto uerius, tanto uehementius
quisque de sua infirmitate confunditur. Per Ysachar etenim
5 intelligimus gaudium conscientiae, per Zabulon odium mali-
tiae, per Dinam uenustatem uerecundiae, et sunt quidem hi
nouissimi tres liberorum Liae. Quos si cum quatuor supe-
rioribus annumeramus, septem esse absque dubio inuenimus.
Principales enim affectus septem esse longe superius iam
10 diximus, quos cum in nobis ordinamus, in numerum uirtutum redigimus. Primo itaque ordinatur timor, deinde dolor,
post hos spes et amor. Post hos quatuor ordinantur laetitia
et ira, nouissime autem omnium uerecundia.
Itaque nichil aliud est Iacob huiusmodi liberos ex Lia
15 genuisse, quam animum affectionis suae motus ordinando
dignam uirtutum sobolem de seipso procreasse. Per Ruben
igitur primogenitum Iacob intelligimus ordinatum timorem,
per Symeonem ordinatum dolorem, per Leui et Iudam ordinatam spem et ordinatum amorem. Per Ysachar autem intel-
20 ligitur ordinata laetitia, per Zabulon ordinata ira, per Dinam
ordinata uerecundia.

1. Cf. *supra* VII.

CHAPITRE LX

Brève récapitulation du nombre des affections principales
et de la manière dont celles-ci doivent être ordonnées

Telle est Dina, qui vient au monde après Issachar et
Zabulon, parce que, après avoir goûté aux joies de la douceur intérieure et avoir pris vraiment en haine le péché, chacun éprouve, de son infirmité, une honte d'autant plus vive
qu'elle est plus sincère. En Issachar, en effet, nous reconnaissons la joie de la conscience, en Zabulon la haine du mal,
en Dina le charme de la pudeur. Ce sont là les trois derniers
des enfants de Lia. Si nous les ajoutons aux quatre aînés,
nous constatons, sans erreur possible, qu'ils sont sept.

Mais nous avons déjà dit, beaucoup plus haut, que les
affections principales étaient au nombre de sept, et que
lorsque nous les ordonnons, au dedans de nous, nous les faisons entrer au nombre des vertus [1]. Ainsi met-on en premier
la crainte, puis la douleur, et après elles l'espérance et
l'amour. Après ces quatre affections on range la joie et la
colère, et enfin, la dernière de toutes, la pudeur.

Que Jacob ait engendré de Lia de tels enfants, cela ne
signifie donc rien d'autre que ceci : en mettant de l'ordre
dans les mouvements de son affection, l'esprit a fait naître
en lui-même une noble lignée de vertus. En Ruben, le fils
aîné de Jacob, nous reconnaissons donc la crainte ordonnée,
en Siméon la douleur ordonnée, en Lévi et en Juda l'espérance ordonnée et l'amour ordonné. En Issachar on reconnaît la joie ordonnée, en Zabulon la colère ordonnée, en
Dina la pudeur ordonnée.

CAPVT LXI

Quod affectus ordinati ueraciter sunt boni
si sunt et moderati

Sciendum autem quod affectus isti tunc ueraciter credun-
tur boni, quando sunt non solum ordinati, sed etiam moderati. Saepe namque cum discretionis moderamen excedunt,
uirtutis nomen amittunt. Sed hoc fortassis melius per exem-
5 plum ostendemus ; quapropter de ipso fratrum primogenito
exempla sumamus. Certe si timor immoderatus periculosus
non esset, Iacob ad Ruben loquens minime dixisset : *Effusus
es sicut aqua ; non crescas, quia ascendisti cubile patris tui, et
maculasti stratum eius* ª. Si per Ruben debemus ordinatum
10 timorem intelligere, cur, quaeso, iubet eum Iacob non crescere, nisi quia malum est in quolibet ordinato timore
modum aequitatis excedere ?

CAPVT LXII

Quibus modis timor mensuram aequitatis transgreditur

Duobus autem modis hic filius aequitatis mensuram saepe
supergreditur, aut quia circa unum aliquid nimis extenditur,
aut quia ad innumera uel etiam inutilia passim dilatatur.
Quis Iudam neget post proditionis scelus iure timere
5 debuisse ? Sed illud in eo quis non uideat supra omnia exe-

---

LXI, 5 quapropter : si
LXII, 2 nimis : minus ‖ 4 neget Iudam

---

a. Gen. 49, 4

CHAPITRE LXI

Que les affections ordonnées sont vraiment bonnes
si elles sont aussi modérées

Il faut savoir, cependant, que ces affections peuvent être véritablement considérées comme bonnes, lorsqu'elles ne sont pas seulement ordonnées, mais aussi modérées. Bien souvent, en effet, lorsqu'elles échappent au contrôle de la discrétion, elles perdent le nom de vertu. Mais peut-être le montrerons-nous mieux à l'aide d'un exemple. Prenons donc celui que nous offre lui-même le premier-né de ces frères. Si une crainte immodérée n'était point une cause de périls, Jacob, s'adressant à Ruben, ne lui aurait certainement pas dit : *Tu t'es répandu comme l'eau ; ne grandis pas, parce que tu es monté sur la couche de ton père et que tu as souillé son lit* [a]. Si nous devons reconnaître en Ruben la crainte ordonnée, pourquoi donc Jacob lui défend-il de croître, je le demande, sinon parce qu'il est malsain, pour la crainte ordonnée, quelle qu'elle soit, de dépasser la juste mesure ?

CHAPITRE LXII

De quelles manières il arrive à la crainte
d'outrepasser la juste mesure

Il y a deux façons, pour ce fils, de souvent dépasser la juste mesure, soit qu'il se laisse exagérément obséder par un unique objet, soit qu'il se répande, de tous côtés, pour d'innombrables, voire d'inutiles raisons. Qui pourrait nier que Judas, coupable du crime de trahison, aurait dû à juste titre être rempli de crainte ? Mais qui ne verrait que le plus exé-

crabile fuisse, quod dum in suo timore modum seruare
noluit uel nesciuit, semetipsum desperando malum quod
corrigere potuit, detestabiliori exitu quam exordio cumu-
lauit ? Sed illa timoris nimietas quae se passim ad multipli-
10 cia rerum effundit facilius decipit, perfectis etenim uiris
quandoque subrepit. Quis namque praelatorum quamlibet
perfectus, dum subiectis suis uitae necessaria prouidet, ita
sollicitudinis suae curas temperet, ut pro aduersis rerum
casibus nunquam plus iusto formidet ? Pertinet autem ad
15 Ruben tunc tantum timor huiusmodi, cum surgit quidem, et
non ex amore mundi, sed de dilectione proximi. Sed quis
enumerare sufficiat omnes ancipites incommodorum casus
hinc indeque surgentium, pro quibus eum trepidare cogit,
etsi non sua, suorum saltem infirmitas subiectorum ? Et quis
20 non uideat quam sit difficile, immo quam pene impossibile,
iustae formidinis metas nunquam excedere ?

Inde fit saepe ut quanto quis prudentior, tanto inueniatur
et sollicitior ; et quanto quisque nouit perspicacius circum-
stantium periculorum casus ancipites prospicere, tanto cogi-
25 tur timidae sollicitudinis suae habenas multiplicius relaxare.
De quo et illud conuenienter intelligitur, quod ad Ruben per
Iacob dicitur : *Effusus es sicut aqua ; non crescas* [a]. Solet enim
per aquam quandoque carnis prudentia, sicut per uinum
intelligi saepe spiritualis intelligentia. Haec aqua cuique tunc
30 in uinum uertitur, quando, aspirante Deo, per exterioris
scientiae scalam ad inuisibilium intelligentiam subleuatur,
quando *inuisibilia Dei a creatura mundi per ea quae facta
sunt intellecta conspiciuntur* [b]. Huiusmodi aqua cuique eo
amplius abundat, quo eius animus in exteriorum scientia

26 ad : a ‖ 29 spiritualis : specialis ‖ 33 cuique aqua

a. Gen. 49, 4 ‖ b. Rom. 1, 20

crable, en lui, fut dans sa crainte de n'avoir pas voulu garder la mesure, ou de ne l'avoir pas su, de s'être lui-même désespéré d'une faute qu'il aurait pu réparer et d'avoir ajouté à une entreprise détestable une issue plus détestable encore ? Mais la crainte excessive, qui se développe en tous sens pour de multiples motifs, trompe plus aisément encore et s'insinue parfois jusque chez les parfaits. Quel est en effet le supérieur, si parfait qu'il soit, qui modère ses inquiétudes et ses soucis, lorsqu'il doit pourvoir aux nécessités de ceux qui lui sont soumis, au point de ne jamais redouter plus qu'il ne convient les infortunes et les adversités ? Une crainte de cette sorte, cependant, n'appartient à Ruben que lorsqu'elle ne naît point de l'amour du monde, mais de l'amour du prochain. Qui peut énumérer pourtant tous les désagréments et les incertitudes qui surgissent, ici ou là, et qui font trembler un supérieur conscient, sinon de sa propre faiblesse, du moins de celle de ses subordonnés ? Et qui ne pourrait voir combien il est difficile, et même presque impossible, de ne jamais dépasser les limites d'une crainte raisonnable ?

De là vient souvent que plus on est prudent, plus on est aussi tourmenté ; et que plus on est capable de prévoir avec perspicacité les incertitudes et les dangers qui surviennent de toute part, plus on doit laisser se relâcher, de mille manières, les rênes d'une craintive inquiétude. C'est bien ainsi qu'il faut comprendre ce que Jacob dit à Ruben : *Tu t'es répandu comme l'eau ; ne grandis pas* [a]. Comme on reconnaît souvent en effet dans le vin l'intelligence spirituelle, on a parfois coutume de voir en l'eau la prudence de la chair. Cette eau est changée en vin lorsque, sous l'inspiration divine, après avoir gravi les échelons de la science des réalités extérieures, quelqu'un est soulevé jusqu'à l'intelligence des réalités invisibles ; lorsque *ce qui est invisible en Dieu, depuis la création du monde, est rendu visible à l'intelligence par les choses qui ont été faites* [b]. Cette eau est donnée à chacun avec d'autant plus d'abondance, que l'esprit se

35 copiosius se dilatat. Haec utique aqua quanto uberius
excrescit, dum omnia caute circumspicit, tanto procul dubio
formidolosae sollicitudinis siluam densiorem gignit et latius
expandit. Vnde recte hic dicitur : *Effusus es sicut aqua, non
crescas.* c Cauendum itaque summopere est, cum mundanae
40 scientiae aqua abundat, ne multiplicis sollicitudinis timor
ultra mensuram excrescat.

CAPVT LXIII

Ad quam impudentem euagationem nimius
timor mentem prostituit

Certe cum Ruben adhuc paruulus esset, et annos pueriles
ageret, patris sui cubile incestare non praesumpsit, uel quia
non potuit, uel quia minime ausus fuit. Adultus tamen in
tantam, ut de ipso legitur, prorupit audaciam, ut patris sui
5 corrumperet concubinam, Balam uidelicet, Rachelis ancillam a.
Sed si per Balam imaginatio intelligitur, quomodo, putamus, huiusmodi ancilla corrumpitur ? Sed quae est Balae
corruptio, nisi cogitationis uel imaginationis inordinata et
10 impudens euagatio ? In tantum enim quandoque timor
superfluus imaginationem, non dicam corrumpit, sed pro-
stituit, ut quidem in tempore orationis a suis se fornicatio-
nibus temperare uix aut omnino non possit. Cum enim prae
nimia sollicitudine inter orandum etiam saepe mundanorum
15 negotiorum fantasias mens per imaginationem recipit, quid

c. Gen. 49, 4
a. Cf. Gen. 35, 22

répand davantage dans la connaissance des choses extérieures. Mais plus ces eaux se gonflent, dans leur abondance,
lorsque l'esprit considère toutes choses avec prudence et circonspection, plus elles font croître et s'étendre sur de larges
espaces, on n'en peut douter, l'épaisse forêt des craintives
anxiétés. C'est donc à juste titre qu'il est ici écrit : *Tu t'es
répandu comme l'eau ; ne grandis pas* [c]. Lorsque l'eau de la
science de ce monde devient abondante, il faut prendre
garde, avec le plus grand soin, que la crainte engendrée par
d'innombrables soucis ne dépasse la mesure.

CHAPITRE LXIII

A quelles honteuses divagations
une crainte excessive prostitue l'esprit

Certes, lorsqu'il était encore petit enfant et durant les premières années de son âge, Ruben n'osa point souiller par un
inceste le lit de son père, soit qu'il en ait été incapable, soit
qu'il n'en ait pas eu la témérité. Mais devenu adulte, une si
grande audace s'empara de lui, lit-on dans l'Écriture, qu'il
séduisit la concubine de son père, Bala, servante de Rachel [a].
Dès lors, si Bala représente l'imagination, comment
croyons-nous que cette servante peut être séduite ? Qu'est-
ce donc que la corruption de Bala, sinon le vagabondage de
la pensée ou de l'imagination, désordonné et impudique ?
Oui, il peut arriver qu'une crainte excessive, je ne dis pas
corrompe, mais prostitue à tel point l'imagination, que celle-
ci parvient à peine, ou ne parvient pas du tout, à se garder
de ses fornications au temps de la prière. En effet, si jusque
dans la prière, sous l'empire d'une inquiétude exagérée, l'esprit reçoit souvent, de son imagination, les phantasmes des

aliud Bala quam ad fornicationes Ruben sinum suum expandit ? Cogita nunc ergo quam sit ineptum ut eo tempore quo
debes pro aeternis malis remouendis Domino supplicare,
incipias temporalia tantum pericula prae oculis habere et illa
20 sola corde reuoluere, illorum propter quae ueneras obliuisci,
illa quorum obliuisci debueras sola reminisci. Hinc est quod
mens saepe quae prius solebat per imaginationem sola sibi
futurorum bona uel mala omni hora anteponere, postmodum per superfluum timorem subacta non possit uel ad
25 modicum saecularium curarum incursus a cordis secretario
excludere.

Quia igitur saepe imaginatio per superfluum timorem ad
tam impudentem cogitationum euagationem deducitur,
recte ad Ruben pater suus de corruptione Balae ei impro-
30 perando loquitur : *Effusus es sicut aqua, non crescas, quia
ascendisti cubile patris tui, et maculasti stratum eius* [b].

CAPVT LXIV

De ui uel efficacia timoris sine quo nec mala deserimus
nec bona inchoamus

Sed ut de hoc affectu aliquid loquamur apertius, maiorem
prae ceteris, siue ad bonum, siue ad malum, efficientiam
habere uidetur. Siquidem ab illo frequenter a suo mens rectitudinis statu deicitur, sed quolibet modo deiecta, sine illo

---

LXIII, 25 curarum saecularium ‖ 28 impudentem : imprudentem
LXIV, 2 efficientiam : efficaciam

b. Gen. 49, 4

affaires de ce monde, que se passe-t-il, sinon que Bala abandonne son corps aux fornications de Ruben ? Pense donc maintenant combien il est absurde, au moment même où tu dois supplier le Seigneur d'éloigner de toi les maux éternels, de te mettre à n'avoir sous les yeux et à ne dérouler dans ton cœur que les périls de ce monde, à oublier ceux pour lesquels tu étais venu, et à te souvenir seulement de ceux que tu aurais dû oublier. De là vient que souvent l'esprit, qui avait auparavant l'habitude de ne se représenter à toute heure, en imagination, que les biens et les maux à venir, écrasé désormais par une crainte exagérée, ne parvient plus à éviter, si peu que ce soit, l'irruption des soucis de ce siècle au plus profond de son cœur.

C'est donc parce que l'imagination se laisse souvent entraîner, par une crainte exagérée, à de si honteuse divagations, que le père de Ruben a raison de lui dire, en lui reprochant d'avoir corrompu Bala : *Tu t'es répandu comme l'eau ; ne grandis pas, parce que tu es monté sur la couche de ton père et que tu as souillé son lit* [b].

CHAPITRE LXIV

De la force et de l'efficacité de la crainte
sans laquelle nous ne nous éloignons pas du mal
et ne commençons pas à faire le bien

Mais pour dire de cette affection quelque chose de plus clair, notons qu'elle semble produire plus d'effets que les autres, que ce soit pour le bien ou que ce soit pour le mal. C'est par elle, en effet, que l'esprit est souvent détourné de sa rectitude naturelle, mais quelle que soit l'abjection dans laquelle il est tombé, il ne se relève jamais sans elle. Qui peut

5   nunquam reparatur. Quis enim de quouis peccato quamlibet paruo sine timore liberatur ? Sine timore mala nostra
nunquam deserimus, sine timore bona operari nec saltem
inchoamus. Nonne de eo hoc illa Iacob manifeste uerba
loquuntur, si recte intelliguntur, ubi dicitur : *Ruben primo-*
10 *genitus meus, tu fortitudo mea, principium doloris mei, pri-*
mus in donis, maior imperio ᵃ ? Vbi et illud sequitur de quo
aliqua iam diximus : *Effusus es sicut aqua, non crescas* ᵇ.

Quomodo autem iste Ruben sit primogenitus, uel quomodo sit principium doloris, ex superius iam dictis satis, ut
15 arbitror, manifestum est ; quomodo autem sit eius fortitudo,
et cetera quae de eo dicuntur facile ostendi potest. *Tu,*
inquit, *fortitudo mea* ᶜ. Quis enim in illo unquam praelio
uictor extitit, ubi spiritus aduersus carnem, caro aduersus
spiritum concupiscit ᵈ ? Quis, inquam, tam numerosum
20 concupiscentiarum suarum exercitum debellauit, si sine
timore pugnauit ? Recte ergo primogenitus, quia a timore
Domini omne bonum inchoatur ; recte fortitudo dicitur,
quia per timorem Domini cor contra concupiscentias suas
roboratur ; recte principium doloris sui, quia timorem
25 Domini utilis dolor comitatur. Vt enim animi dolor cuique
suus sit, et sibi utilis existat, necesse est ut eum timor
Domini praecedat : *Primus,* inquit, *in donis, maior imperio* ᵉ.

[§ 22] Inter omnia Dei dona quae ad salutem hominis
spectare uidentur, primum et principale donum bona uolun-
30 tas esse cognoscitur, per quam in nobis diuinae similitudi-
nis imago reparatur. Quicquid homo agat, bonum esse non
potest, nisi ex bona uoluntate procedat. Quicquid ex bona

---

a. Gen. 49, 3 (*prior in donis, maior imperio,* Vulg.) ‖ b. Gen. 49, 4 ‖ c.
Gen. 49, 3 ‖ d. Cf. Gal. 5, 17 ‖ e. Gen. 49, 3

être en effet délivré, sans la crainte, d'un péché quelconque, si léger qu'il soit ? Sans la crainte nous ne renonçons jamais à notre mal, sans elle nous ne commençons même pas à faire le bien. N'est-ce pas d'elle qu'il s'agit, de toute évidence, dans ces paroles que prononce Jacob, si nous les comprenons bien, là où il est dit : *Ruben, mon premier-né, tu es ma force et le commencement de ma douleur ; tu es le premier par tes dons, plus grand par ta puissance* [a]. Ces paroles sont suivies de celles dont nous avons déjà dit quelques mots : *Tu t'es répandu comme l'eau ; ne grandis pas* [b].

Comment ce Ruben est-il le premier-né, ou comment est-il le commencement de la douleur ? Cela ressort assez clairement, me semble-t-il, de ce qui a été dit plus haut. Mais comment est-il la force de son père ? Cela, comme tout ce qui est dit de lui par la suite, peut être facilement montré. *Tu es ma force* [c], dit l'Écriture. Qui donc a jamais remporté la victoire dans cette bataille, là où l'esprit s'oppose à la chair, là où les désirs de la chair s'opposent à ceux de l'espritd [d] ? Qui, dis-je, a mis en déroute l'armée innombrable de ses concupiscences, s'il a combattu sans la crainte ? C'est donc avec raison qu'il est appelé « premier-né », car tout bien commence par la crainte du Seigneur ; avec raison qu'il est appelé « force », car le cœur est fortifié contre ses concupiscences par la crainte du Seigneur ; avec raison qu'il est appelé « commencement de sa douleur », car une féconde douleur accompagne toujours la crainte du Seigneur. Enfin, pour que la douleur de chacun lui soit propre et lui soit profitable, il est nécessaire que la crainte du Seigneur lui ouvre la route : *Tu es le premier par tes dons, plus grand par ta puissance* [e].

[§ 22] Parmi tous les dons de Dieu que l'on voit se rapporter au salut de l'âme, on sait que le premier et le principal est la bonne volonté. C'est grâce à elle que l'image et la ressemblance de Dieu sont restaurées en nous. Rien de ce que fait l'homme ne peut être bon, si son action ne procède

uoluntate fit, malum esse non poterit. Sine bona uoluntate, omnino saluari non potes ; cum bona uoluntate, omnino
35 perire non potes. O donum mirabile, o donum singulare ! Hoc est illud primum uel principale donum, quod primo-genito Ruben tribuitur, quia absque dubio per timorem Domini uoluntas mala in bonam commutatur. Cur itaque *primus in donis* [f] non sit, qui primum et principale donum
40 accipit ? Primum, quia a bona uoluntate bonum omne inchoatur ; principale, quia bona uoluntate hominibus uti-lius nichil datur.

CAPVT LXV

De principalitate timoris et aliis affectibus qui quibus principentur

Primus in donis, maior imperio [a]. Quis hunc Ruben prae ceteris imperio maiorem esse neget, qui ceteris omnibus fratribus suis persaepe etiam imperare solet ? Ante eius conspectum Leui cedit, quia, superueniente timore, spes
5 cadit. Ad eius imperium saepe Iudas secedit, Zabulon acce-dit, quia, cogente timore, saepe caritas refrigescit, odium exurgit. Ad nutum ipsius Ysachar egreditur, et Symeon ingreditur, quia, subintrante timore, saepe et gaudium exclu-ditur, et dolor admittitur.
10 Vidimus quomodo Ruben quandoque fratribus suis etiam imperare consueuit ; uideamus quomodo imperium suum prae ceteris latius extendit. Certe alia sunt quae amamus, alia sunt quae odio habemus, sed pro utrisque timere solemus, dum saepe ista amittere, illa formidamus incurrere. Diuidunt

---

LXV, 17 ad haec : ad hoc

f. Gen. 49, 3
a. *Ibid.*

d'une volonté bonne. Rien de ce qui aura été accompli par une volonté bonne ne pourra être mauvais. Sans volonté bonne tu ne peux absolument pas être sauvé ; avec une volonté bonne, tu ne peux absolument pas être perdu. Don admirable, don singulier ! Voilà le don premier et principal qui est accordé à Ruben, le premier-né, car c'est par la crainte du Seigneur, sans aucun doute, que la mauvaise volonté est changée en bonne volonté. Pourquoi donc ne serait-il pas *premier par ses dons* [f], celui qui reçoit le don premier et principal ? Premier, parce que tout bien commence par la volonté bonne ; principal parce que rien de plus utile n'est donné aux hommes que la volonté bonne.

CHAPITRE LXV

De la prépondérance de la crainte et des autres affections qui exercent leur pouvoir les unes sur les autres

Premier par ses dons, plus grand par sa puissance [a]. Qui niera que ce Ruben dispose d'un pouvoir plus grand que les autres, lui qui va si souvent jusqu'à donner des ordres à ses frères ? En sa présence, Lévi se retire, car l'espérance s'évanouit lorsque la crainte survient. A son commandement, Juda souvent s'éloigne et Zabulon s'avance, car souvent, sous l'empire de la crainte, la charité se refroidit et la haine s'éveille. Sur un signe de lui, c'est Issachar qui sort et Siméon qui entre, car bien souvent, si la crainte en vient à subrepticement se glisser, la joie s'éloigne et la douleur arrive.

Nous avons vu comment Ruben commande parfois à ses frères ; voyons comment son autorité s'étend plus loin que la leur. Certes, autres sont les choses que nous aimons, autres celles que nous détestons, mais les unes et les autres font l'objet de nos craintes, car nous redoutons trop souvent la perte des unes et la rencontre des autres. Judas et

15 itaque Iudas et Zabulon inter se regnum, sed Ruben se
extendit ad totum, quia uerus amor ad sola bona, uerum
odium ad sola mala, timor se effundit ad haec et ad illa.
Zabulon in partis suae partem fratrem suum admittit
Symeonem ; pro aduersis siquidem dolemus, sed non pro
20 omnibus, quia non omnia sustinemus. Leui quam Iudas
imperio est minor, multo tamen quam Ysachar imperio est
maior ; plura enim sunt quae debemus diligere, quam quae
audeamus sperare. Sed constat nichilominus copiosiorem
esse materiam sperandi quam gaudendi, quia habita de qui-
25 bus gaudemus pauca sunt ad ea quae habenda speramus.
Iudas itaque et Zabulon imperii sui magnitudine ceteros
fratres uincunt, uerumtamen ad mensuram Ruben extendere
se minime possunt. Omnes itaque Ruben antecedit, qui
ceteris praeuios longe post se relinquit. Omnia enim quae
30 constat homines amare, sperare, odisse, pro quibus dolere
uel gaudere solent, multiplicis timoris causas ex se gignere
ualent. Saepe etenim circa unam rem quam diligimus, plures
timendi causas inuenimus. Quot modis siquidem perdi
potest, tot timoris occasiones dare potest.

35 Multum itaque regnum suum Ruben iste dilatat, sed uires
ei administrat, non solum multiplicitas occultorum, sed
etiam mutabilitas apparentium. De quo enim securus esse
possum, qui nil habeo quod perdere non possum ? Quando
hic ad scientiae certitudinem pertingo, qui innumerabiliter
40 plura nescio quam scio ? Quia igitur timor ceteris affectibus
latius diffunditur, recte Ruben fratrum comparatione imperio maior esse perhibetur, et ne crescat a patre suo prohibe-
tur, sed eo uidelicet tempore quo sicut aqua diffusus erat,
quando iam patris cubile ascenderat, stratumque eius iam
45 maculauerat. *Ruben*, inquit, *primogenitus meus, tu fortitudo*
mea, principium doloris mei, primus in donis, maior impe-

---

29 praeuios : primus

Zabulon divisent donc entre eux le pouvoir, mais Ruben l'exerce sans partage, car le véritable amour ne se tourne que vers le bien, la véritable haine seulement vers le mal, la crainte vers le bien comme vers le mal. Zabulon laisse à Siméon une part de sa part ; nous souffrons en effet des adversités, mais pas de toutes, parce que nous n'avons pas à les supporter toutes. Lévi a moins de pouvoir que Judas, mais il en a beaucoup plus qu'Issachar, car nous devons aimer plus de choses que nous n'osons en espérer. Il est clair cependant que l'objet de nos espérances dépasse largement celui de nos jouissances, car les biens que nous possédons et dont nous jouissons sont peu de chose en regard de ceux que nous espérons posséder. Le pouvoir de Juda et de Zabulon dépasse donc de beaucoup celui de leurs autres frères ; il ne peut pourtant atteindre la dimension de celui de Ruben. Ruben les dépasse donc tous, puisqu'il laisse loin derrière lui ceux qui précèdent tous les autres. De tout ce que les hommes aiment, espèrent ou détestent, en effet, de tout ce dont ils sont accoutumés de se plaindre ou de se réjouir, de tout cela peuvent naître de multiples sujets de crainte. Souvent, de fait, pour une seule chose que nous aimons, nous trouvons plusieurs raisons de trembler, et autant il peut y avoir de manières de la perdre, autant il peut y avoir d'occasions de craindre.

Ce Ruben accroît donc largement son pouvoir. Ce qui lui donne des forces, cependant, ce n'est pas seulement le grand nombre des motifs cachés qui l'animent, mais la mobilité des apparences elle-même. De quoi puis-je être assuré, en effet, moi qui n'ai rien que je ne puisse perdre ? Quand parviendrai-je, ici bas, aux certitudes de la science, moi qui ignore infiniment plus de choses que je n'en connais ? Puisque la crainte se répand beaucoup plus largement que les autres sentiments, c'est donc avec raison que l'on considère Ruben, par comparaison avec ses frères, comme ayant plus de puissance, et c'est avec raison que son père lui interdit de gran-

rio ; effusus es sicut aqua, non crescas, quia ascendisti cubile
patris tui, et maculasti stratum eius [b]. Ecce Ruben quantum
malum praesumpsit, quia ultra modum excreuit. Cito
50 magnum periculum incurritur, si timor noster per discretionem non moderatur.

CAPVT LXVI

Quomodo uirtutes in uitia uertantur nisi
per discretionem moderentur

Sic et de aliis affectibus credere debemus, periculosos quidem esse, nisi eos intra aequitatis metas coerceamus. Certe
quam malum sit dolorem et spem modum excedere ex prae-
dicto Symeonis et Leui facto facile possumus aduertere, de
5 quibus per Iacob dicitur : *Maledictus furor eorum, quia per-*
tinax, et indignatio eorum, quia dura [a].

Caute ergo circa omnes debet custodiri, ut non solum sint
ordinati, sed etiam moderati. Timor enim nimius saepe cadit
in desperationem, dolor nimius in amaritudinem, spes
10 immoderata in praesumptionem, amor superfluus in adula-
tionem, laetitia superuacua in dissolutionem, ira intemperata
in furorem. In hunc itaque modum uirtutes in uitia uertun-

---

47 cresces

---

b. Gen. 49, 3-4
a. Gen. 49, 7

---

1. Les quatre mots « laetitia superuacua in dissolutionem » sont omis
par d'assez nombreux manuscrits.

dir. C'était au temps, il est vrai, où il s'était répandu comme l'eau, alors qu'il était déjà monté dans le lit de son père et qu'il avait déjà souillé sa couche : *Ruben, mon premier-né,* dit Jacob, *tu es ma force et le commencement de ma douleur ; tu es le premier par tes dons, plus grand par ton autorité ; tu t'es répandu comme l'eau, ne grandis pas, parce que tu es monté sur la couche de ton père et que tu as souillé son lit* [b]. Voilà donc Ruben. Il s'est rendu coupable d'un si grand mal parce qu'il a grandi d'une manière excessive. Nous allons rapidement vers de grands dangers, si la crainte, en nous, n'est point tempérée par la discrétion.

CHAPITRE LXVI

Comment les vertus se transforment en vices si elles ne sont pas modérées par la discrétion

Nous devons en dire autant des autres affections : elles peuvent être en effet dangereuses, si nous ne les contenons pas dans les limites de l'équité. Certes, le comportement de Siméon et de Lévi dont il est question plus haut peut nous faire comprendre aisément à quel point il est mauvais de se laisser aller à une douleur ou à une espérance excessives. C'est à leur sujet, en effet, que Jacob s'écrie : *Maudite soit leur frénésie, parce qu'elle est opiniâtre, et leur indignation, parce qu'elle est cruelle* [a].

Chacun doit donc contrôler avec soin toutes ses affections, de telle sorte qu'elles ne soient pas seulement ordonnées, mais aussi modérées. Une crainte excessive, en effet, devient souvent désespoir ; une douleur trop vive, amertume ; une espérance sans mesure, présomption ; un amour exagéré, adulation ; une joie inutile, dissipation [1] ; une colère incontrôlée, fureur. Ainsi donc les vertus se transforment en

tur, si per discretionem minime moderentur. Videsne quemadmodum ceterae omnes uirtutem discretionis requirant,
15 ne uirtutis nomen amittant ?

CAPVT LXVII

Quomodo uel quam sero oriatur discretio
cum sit prima proles rationis

Hic est ille Ioseph qui quidem sero nascitur, sed a patre
plus ceteris amatur [a]. Quis enim nesciat uera bona animi sine
discretione nec posse acquiri, nec posse conseruari ? Merito
ergo illa uirtus singulariter diligitur, sine qua nulla conqui-
5 ritur, nulla consummatur, nulla conseruatur.

Sed uix sero talem filium accipere meremur, quia ad discretionis perfectionem non sine magno usu, non nisi per
magna experimenta erudimur. Prius nos oportet in singulis
uirtutibus exerceri, et quid in unaquaque possimus experiri,
10 quam possimus de omnibus plenam scientiam percipere et
de singulis sufficienter iudicare. Multa quidem de discretione legendo, multa discimus audiendo, multa ex insito
nobis rationis iudicio, uerumtamen nunquam de hac ad plenum erudimur sine experientiae magisterio. Post omnes
15 sequi oportet, qui de omnibus iudicare debet.

Primum ergo est ut satagamus singulis uirtutibus studium
frequens impendere, quod dum facimus, necesse est nos saepius cadere. Oportet ergo nos saepe resurgere, et per fre-

a. Cf. Gen. 37, 3-4

vices, si elles ne sont aucunement contrôlées par la discrétion. Ne vois-tu pas qu'il en va de même pour les autres affections ? Elles ont toutes besoin de la vertu de discrétion pour ne pas perdre le nom de vertu.

CHAPITRE LXVII

Comment et combien tardivement apparaît la discrétion, première-née de la raison

C'est là ce Joseph, qui vient sans doute au monde bien tard, mais que son père aime plus que tous les autres [a]. Qui donc ignore que sans la discrétion, les vrais biens de l'esprit ne peuvent être ni acquis, ni conservés ? Oui, elle mérite d'être aimée d'un amour singulier, cette vertu sans laquelle aucune autre n'est acquise, ni rendue parfaite, ni conservée.

Mais nous ne méritons que bien tardivement de recevoir un tel fils, car on ne peut être formé à la parfaite discrétion que par une longue pratique, que par une grande expérience. Il faut que nous nous exercions à pratiquer les vertus une par une et que nous fassions l'expérience, pour chacune d'entre elles, de ce dont nous sommes capables, avant que nous puissions avoir de toutes une connaissance parfaite et porter sur chacune d'elles un jugement suffisant. Sans doute apprenons-nous, sur la discrétion, beaucoup de choses en lisant, beaucoup de choses en écoutant, beaucoup de choses en nous fiant au jugement inné de la raison ; jamais cependant nous n'en sommes pleinement instruits sans les leçons de l'expérience. Il faut qu'elle vienne après toutes les autres, cette vertu qui doit juger toutes les autres.

La première chose à faire est donc de nous donner beaucoup de mal et de consacrer beaucoup d'efforts à la pratique de chaque vertu ; ce faisant, il est inévitable que nous tombions souvent, mais il faut nous relever souvent et

quentem lapsum addiscere qua uigilantia, qua cautela opor-
20 teat uirtutum bona adquirere uel custodire. Sic sic, dum
longo usu uirtutum disciplina addiscitur, quandoque mens
diu exercitata ad plenam morum discretionem perducitur, et
quasi de nato Ioseph iure laetatur. Ante huius natiuitatem,
eius fratres, dum adhuc omnia sine discretione agunt,
25 quanto ultra uires suas multa praesumunt, tanto saepe dete-
rius atque deformius ruunt. Vnde est, sicut iam diximus,
quod post eos Dina nascitur [b], quia frequenter deformem
lapsum pudoris confusio comitatur. Sed post natam Dinam
et quasi per confusionis ignominiam, fratres sui inueniunt,
30 et per experimentum addiscunt nichil melius esse quam
consilio regi, quia *melior est uir prudens uiro forti* [c]. *Vir enim*
prudens loquitur uictorias [d], *et qui cum consilio cuncta agit* [e],
in aeternum non paenitebit [f]. Cum igitur consilii necessaria
utilitas per experimentum cognoscitur, et per studium atten-
35 tius quaeritur et inuenitur, Ioseph quodammodo nascitur,
per quem uirtus discretionis intelligitur.

Patet autem ratio cur ancillarum nulla, cur nec ipsa quidem Lia, sed Rachel sola potuerit talem filium gignere ;
siquidem non est sensualitatis, non imaginationis, non
40 denique ipsius affectionis, sed solius est rationis discernere,
sicut et intelligere. Si igitur per Rachel rationem intelligimus, cur non nisi de Rachel Ioseph nasci possit citius inuenimus, quia quod de sola ratione discretio oriatur, minime
dubitamus. Talis proles de tali matre, Ioseph de Rachele,
45 discretio de ratione.

---

b. Gen. 30, 21 ‖ c. Sag. 6, 1 (*Melior est sapientia quam uires et uir pru-*
dens quam fortis, Vulg.) ; Prou. 16, 32 (*Melior est patiens uiro forti,* Vulg.)
‖ d. Prov. 21, 28 (*Vir oboediens loquetur uictoriam,* Vulg.). ‖ e. Prov. 13,
16 (*Astutus omnia agit cum consilio,* Vulg.). ‖ f. Ps. 109, 4 (*et non paenite-*
bit eum, tu es sacerdos in aeternum, Vulg.) ; cf. Hébr. 7, 21.

---

1. Cf. *supra* XLV.

apprendre, par ces chutes répétées, quelle vigilance et quelles précautions sont nécessaires pour acquérir et conserver le trésor des vertus. Oui, vraiment, si une longue pratique lui enseigne à discipliner ses vertus, l'esprit durablement exercé est conduit parfois jusqu'à un parfait discernement de ses comportements, et c'est à juste titre qu'il se réjouit, pour ainsi dire, de la naissance de Joseph. Avant sa naissance, ses frères agissent encore en toutes circonstances sans discernement, et plus les nombreux risques qu'ils prennent sont au dessus de leurs forces, plus ils se précipitent dans le mal et s'y avilissent. Voilà pourquoi, nous l'avons déjà dit [1], Dina vient au monde après eux [b], car la confusion et la honte accompagnent fréquemment une vilaine chute. Après la naissance de Dina, cependant, ses frères découvrent, en quelque sorte, l'ignominie de leur honte, et ils apprennent par expérience qu'il n'y a rien de tel que d'être dirigé par le conseil, car *l'homme prudent vaut mieux que l'homme vigoureux* [c]. *L'homme prudent raconte en effet ses victoires* [d], *et celui qui agit toujours avec conseil* [e] *ne s'en repentira pas pour l'éternité* [f]. Ainsi, lorsqu'on a appris par expérience l'utilité et la nécessité de la vertu de conseil, et qu'on la cherche et la trouve grâce à un effort toujours vigilant, c'est Joseph, en qui nous reconnaissons la vertu de discrétion, qui en quelque sorte vient au monde.

On comprend dès lors pourquoi aucune des servantes, pourquoi même pas Lia, mais seule Rachel a pu engendrer un tel fils. Ce n'est point en effet à la sensibilité, ni à l'imagination, ni même, en fin de compte, à l'affection, mais seulement à la raison qu'il appartient de faire preuve de discernement, comme il lui appartient de faire acte d'intelligence. Si donc nous voyons en Rachel la raison, nous découvrons aussitôt pourquoi Joseph ne peut naître que de Rachel, car la discrétion, nous n'en pouvons douter, ne procède que de la raison et d'elle seule. Une telle postérité naît d'une telle mère, Joseph naît de Rachel, la discrétion de la raison.

CAPVT LXVIII

De discretionis utilitate uel eius proprietate

[§ 23] Hic est ille Ioseph, qui solus inter fratres tunica talari uestitur [a], quia sola illa actio ad consummationis talum debitique finis terminum perducitur, quae per discretionis prudentiam moderatur. Hic est ille Ioseph qui a patre plus
5 cunctis fratribus amatur [b], quia cunctarum uirtutum uirtus custos ceteris iure praefertur. Hic est ille Ioseph ille somniator somniorumque interpretator [c], quia uera discretio in ipso temptationis articulo, inter ipsa suggestionum fantasmata, ex eorum qualitate futura pericula deprehendit, et aliis
10 quibuslibet ad cogitationum suarum confessionem imminentium malorum insidias detegit, et de futuris periculis cautos reddit. Hic est ille Ioseph quem aemulantur sui [d], uenerantur alieni, quem uendunt Hebraei [e], emunt Aegyptii [f], quia citius consilio acquiescunt, faciliusque alienae pruden-
15 tiae cedunt erroris sui tenebras cognoscentes, quam de sua iustitia uel prudentia praesumentes. Hic est ille Ioseph, sponsus uirginis [g], amator non uiolator castitatis, quia discretio custos non corruptor esse solet internae puritatis. Hic est ille puer et nuntius, qui beato Iob in omni percussione
20 sua solus remanere potuit, qui ei perpetrata damna statim renuntiare studuit [h], quia nisi per discretionem uirtutum damna animus nec cognoscit, nec corrigit.

LXVIII, 16 iustitia tua ‖ 19 percussione : persecutione

a. Cf. Gen. 37, 3.23 ‖ b. Cf. Gen. 37, 4 ‖ c. Cf. Gen. 37, 5-10.19 ‖ d. Cf. Gen. 37, 11 ‖ e. Cf. Gen. 37, 28 ‖ f. Cf. Gen. 37, 36 ‖ g. Cf. Matth. 1, 16.18-19 ; Lc 1, 27 ‖ h. Cf. Job 1, 14-19

1. Les douze mots « Hic est ille Ioseph qui a patre plus cunctis fratribus amatur » ont été omis par un certain nombre de manuscrits. Cependant, ils paraissent devoir être maintenus.

CHAPITRE LXVIII

De l'utilité de la discrétion
et de ce qui lui appartient en propre

[§ 23] C'est Joseph qui, seul de tous ses frères, est vêtu d'une tunique allant jusqu'aux talons [a], parce que seule peut être conduite jusqu'à son plein accomplissement et jusqu'à son terme définitif, l'action que gouvernent la prudence et la discrétion. C'est ce Joseph que son père aime plus que tous ses frères [b] [1], parce qu'il est légitime de préférer aux autres cette vertu qui est la gardienne de toutes les autres. C'est ce Joseph, que visitent les songes et qui les interprète [c], parce que la véritable discrétion, à l'instant même ou apparaît la tentation et à travers les phantasmes qui en sont eux-mêmes porteurs, discerne, d'après leur nature, les dangers à venir, et parce que, à tous ceux qui lui avouent leurs pensées, elle découvre en quels funestes pièges ils sont menacés de tomber et les met ainsi en garde contre les périls auxquels ils sont exposés. C'est ce Joseph que les siens jalousent [d], mais à qui les étrangers rendent hommage, que les Hébreux mettent en vente [e], mais que les Égyptiens achètent [f], parce que ceux qui reconnaissent en quelles ténèbres leur erreur les a jetés font plus rapidement confiance aux conseils de la raison et s'en remettent plus aisément à la prudence d'autrui, que ceux qui se fient d'avance à leur propre justice ou à leur propre prudence. C'est ce Joseph, époux de la Vierge [g], qui aime la chasteté et se garde de la violer, parce que la discrétion doit protéger la pureté intérieure, et non pas la corrompre. C'est lui, ce serviteur et ce messager qui seul put demeurer au bienheureux Job en chaque calamité et qui se chargea de lui faire part sans tarder des malheurs advenus [h], parce que l'esprit ne peut ni connaître ni réparer, si ce n'est grâce à la discrétion, les dommages subis par les vertus.

Nescit puer ille cum pereuntibus perire ; nescit discretio
per rerum detrimenta, per temptationum augmenta deficere,
25 sed proficere. Quanto enim acrioribus temptationibus urge-
mur, quanto crebrioribus periculis exercemur, tanto perfectius ad discretionem erudimur, et saepe aliarum uirtutum
damna, discretionis sunt lucra. Nouit itaque Ioseph non
solum cum crescentibus crescere, non solum cum profi-
30 cientibus proficere, uerum etiam ex fratrum defectu ad profectum tendere, et ex aliorum detrimentis prudentiae lucra
adquirere. Merito talis filius Ioseph nuncupatur. Ioseph
siquidem augmentum interpretatur. Vnde recte de ipso per
patrem eius dicitur : *Filius accrescens, Ioseph, filius accres-*
35 *cens, et decorus aspectu* [i]. Recte itaque augmentum nominatur, recte *filius accrescens* dicitur, qui semper augmentatur,
cuius incrementum usque in finem non finitur.

CAPVT LXIX

Quam sit utile et item quam sit difficile
discretioni perfecte obtemperare

Quanta autem huius uirtutis sit excellentia testantur ipsa
Ioseph somnia, testantur patris eius uerba, ubi legitur : *Num
ego, et mater tua, et fratres tui adorabimus te super terram* [a] ? Hunc Ioseph et pater, et mater, et fratres adorant,
5 quia aut spontanea uoluntate, aut coacti necessitate quandoque discretioni obtemperant.

Per discretionem siquidem sol ille mundi intellectualis,
interior ille oculus cordis, intentio uidelicet mentis, dirigi-

---

LXIX, 3 num : nunquid

i. Gen. 49, 22
a. Gen. 37, 10

---

2. Jérôme, *Liber interpr.*, Gen., éd. P. de Lagarde, p. 7, l. 20 (*CCSL*
72, p. 67) : « Ioseph augmentum ».

Ce serviteur ne peut périr avec ceux qui périssent ; la discrétion n'est pas diminuée, mais grandie, par les revers de
fortune ou par l'accroissement des tentations. Plus les âpre-
tés de la tentation nous pressent, en effet, plus la fréquence
des périls nous harcèle, plus notre apprentissage de la discrétion se perfectionne, et les dommages subis par les autres
vertus sont souvent des profits pour la discrétion. Joseph ne
sait donc pas seulement grandir avec ceux qui grandissent,
pas seulement progresser avec ceux qui progressent, mais il
sait aussi tirer profit des défaillances de ses frères et faire
bénéficier sa prudence des dommages subis par les autres.
Un tel fils mérite donc d'être appelé Joseph. Joseph signifie
en effet « accroissement » [2]. De là vient que son père dit de
lui avec raison : *C'est un fils qui va en grandissant, Joseph ;*
un fils qui va en grandissant, et qui est de belle apparence [i].
On a donc raison de l'appeler « accroissement », raison de
dire qu'il est *un fils qui va en grandissant*, lui qui toujours
se développe, lui dont la croissance n'a jamais de fin.

CHAPITRE LXIX

Combien il est utile et combien il est également difficile
d'observer une parfaite discrétion

De la grandeur et de l'excellence de cette vertu, les songes
de Joseph portent eux-mêmes témoignage. Les paroles de
son père en témoignent aussi, là où il est écrit : *Devrons-*
nous, et moi, et ta mère, et tes frères, nous prosterner jusqu'à
terre, devant toi [a] ? Le père, la mère et les frères de ce Joseph
se prosternent devant lui, parce qu'il leur arrive de se confor-
mer aux exigences de la discrétion, soit qu'ils le fassent librement et spontanément, soit que la nécessité les y contraigne.

C'est la discrétion, en effet, qui montre la direction à
suivre à ce soleil de l'intelligence, à cet œil intérieur du cœur

tur ; per discretionem de qua oritur subtilitas rationis acui-
10 tur ; per discretionem tota illa uirtutum fraterna germanitas
modificatur, et uirtutum quaelibet, quae eius consilio non
acquiescit, quae se discretioni non subdit, citius uirtutis
nomen amittit. Ipse est qui fratrum suorum negligentias non
negligit, ipse est qui eorum excessus arguit. Ipso praesente,
15 non licet eis quicquam ultra uires praesumere, ipso praesente, nichil per negligentiam praetermittere. In eius praesentia non eis licet siue ad dexteram, siue ad sinistram declinare, nil segniter, nil praecipitanter agere, nil ante tempus
praesumere, nil ultra temporis oportunitatem differre.
20   Hinc illa inter ipsum et fratres discordia grauis, et ira pene
implacabilis, de qua Scriptura non tacet, cum manifeste pronuntiet quia *oderant eum fratres sui, nec poterant ei quicquam pacifice loqui* [b]. Monita enim Ioseph uidentur eis ualde
grauia, dura instituta, consilia importabilia [c]. Quid enim
25 durius, quid difficilius, quam nil faciendum negligere, et in
omni suo facto nunquam modum perturbare, nunquam
ordinem confundere, nunquam mensuram excedere ? Crede
michi, nichil a se animus difficilius extorquet, quam ut in
omni affectione sua modum seruet. Saepe etenim fratres
30 Ioseph magnum aliquid molientes, dum eis undique accla-
matur : *Euge, euge* [d], solent non solum ad inutilia, uerum
etiam ad impossibilia conatus sui manus extendere.
Frequenter siquidem animi affectus ex huiusmodi adulantium acclamatione ad immoderatam praesumptionum auda-
35 ciam effrenatur, immo etiam, multotiens per ipsam mentis

10 illa tota ‖ 20 ira : ita ‖ 22 quia : qui ‖ 27 ordine ‖ 35 per ipsam *om.*

b. Cf. Gen. 37, 4 ‖ c. Cf. Matth. 23, 4 ‖ d. Cf. Ps. 34, 21.25 ; 39, 16 ;
69, 4

qu'est l'intention de l'esprit ; c'est par la discrétion, d'où elle tire son origine, que la subtilité de l'esprit elle-même s'aiguise ; c'est par la discrétion qu'une règle est imposée à la communauté fraternelle des vertus tout entière, comme à chacune d'entre elles, et s'il en est une qui n'acquiesce pas à son conseil, qui ne respecte pas la discrétion, elle perd aussitôt le nom de vertu. C'est Joseph qui ne laisse point passer les négligences de ses frères, c'est lui qui les reprend de leurs excès. S'il est présent, il ne leur est pas permis d'entreprendre tout ce qui serait au-dessus de leurs forces ; s'il est présent, d'omettre quoi que ce soit par négligence. En sa présence, il ne leur est pas permis de faire le moindre écart, soit à droite, soit à gauche, ni de faire quoi que ce soit avec paresse ou précipitation, ni d'agir avant le temps, ni de laisser passer le moment opportun.

De là vient, entre lui et ses frères, cette discorde fâcheuse, cette ire presque implacable, que l'Écriture ne tait point, puisqu'elle proclame clairement *que ses frères le haïssaient, et qu'ils ne pouvaient rien lui dire en termes pacifiques* [b]. Les avertissements de Joseph leur semblent en effet trop sévères, ses instructions trop dures, ses conseils insupportables [c]. De fait, quoi de plus dur, quoi de plus difficile, que de ne rien négliger de ce qu'on doit faire, et, en tout ce qu'on fait, de ne jamais troubler la manière de faire, de ne jamais déranger l'ordre, de ne jamais dépasser la mesure ? Crois-moi, il n'y a rien de plus difficile, pour l'esprit, que de se forcer lui-même à garder la mesure dans toutes ses affections. Bien souvent, en effet, tandis que les frères de Joseph accomplissent quelque chose d'important et qu'on leur crie de toutes part : « Bravo, bravo » [d], ils ont accoutumé de porter leurs mains et leurs efforts vers des entreprises non seulement inutiles, mais même impossibles. Il arrive ainsi fréquemment que les affections de l'esprit, sous les acclamations de flatteurs de cette sorte, laissent se déchaîner leurs audaces présomptueuses et sans limites, mieux encore, que ces audaces

intentione deprauata, usque ad ypocrisis crimen deducitur atque deicitur.

Hoc est illud crimen pessimum, et prae ceteris abhominandum, quia Deo prae omnibus odiosum, de quo Ioseph
40 fratres suos apud patrem accusat, sicut Scriptura ipsa manifeste declarat, cum dicit : *Accusauit* Ioseph *fratres suos apud patrem crimine pessimo* ᵉ. Vitium quod Deus singulariter detestatur, nullum aliud quam ypocrisis rectius intelligitur. Augustino namque attestante, « simulata aequitas non est
45 aequitas, sed duplex iniquitas ». Hoc uitium per Ioseph detegitur, quando insidians malum per discretionem deprehenditur et arguitur. Hoc uitium tunc filios corrumpit, hoc uitium tunc pater corrigit, quando affectum tangens durius pulsat, diutius occupat, uerumtamen animum usque ad
50 consensum non inclinat.

CAPVT LXX

De multiplici officio uerae discretionis

Pertinet itaque ad Ioseph non modo hoc uitium, sed quodlibet insidians malum et latens adhuc prouide circumspicere, caute prouidere, callide deprehendere, citius detegere, acerbius arguere. Ad officium Ioseph spectat cura et
5 custodia omnium fratrum suorum ; ad ipsum spectat disciplina singulorum, ad ipsum dispositio gerendorum, ad ipsum prouidentia futurorum. Ad eius officium pertinet diligenter attendere, frequenter discutere quantum animus cotidie proficiat, uel quantum forte deficiat, quibus cogita-

---

e. Gen. 37, 2

1. AUGUSTIN, *Enarrationes in psalmos*, LXIII, 11, éd. E. DEKKERS et I. FRAIPONT, *CCSL* 39, 1956, p. 614, *PL* 36 ; 765 : « Simulata aequitas, sed duplex iniquitas, quia et iniquitas et simulatio ».

elles-mêmes ayant dépravé à de multiples reprises les intentions de leur cœur, ces affections soient attirées par le péché d'hypocrisie et qu'elles y tombent.

Voilà le crime très grave et qu'il faut avoir en abomination, plus que tout autre, parce que c'est celui que Dieu déteste par dessus tout, celui dont Joseph accuse ses frères en présence de son père. L'Écriture le proclame clairement, lorsqu'elle dit : *Joseph accusa ses frères d'un crime très grave, en présence de son père* [e]. On ne peut vraiment voir autre chose, en ce vice que Dieu exècre d'une manière particulière, que l'hypocrisie. Augustin en porte témoignage : « L'équité simulée n'est pas l'équité, mais une double iniquité [1]. » Ce vice est dévoilé par Joseph, lorsque la discrétion surprend le mal dans ses embuscades et le dénonce. Au même moment ce vice corrompt les fils et leur père les en corrige, lorsqu'il atteint l'affection, le frappe avec dureté, s'en empare longuement, sans que pourtant il entraîne l'esprit jusqu'au consentement.

CHAPITRE LXX

Des multiples devoirs de la véritable discrétion

Il appartient donc à Joseph, non seulement de considérer ce vice avec circonspection et prévoyance, de s'en prémunir avec soin, de le surprendre avec habileté, de le démasquer avec rapidité, de le dénoncer avec beaucoup de sévérité, mais d'en faire tout autant pour n'importe quel mal qui approcherait d'une manière insidieuse et cachée. C'est le devoir de Joseph de prendre soin de tous ses frères et de veiller sur eux ; c'est à lui qu'il appartient de régler la conduite de chacun, à lui de diriger leurs actes, à lui de pourvoir à leur avenir. Il est de son devoir d'observer attentivement, d'examiner souvent, de combien l'esprit progresse chaque jour, ou

10 tionibus magis incursetur, quibus affectibus frequentius tan-
gatur.

Ipse debet non solum uitia cordis, uerum etiam inualitu-
dines corporis perfecte cognoscere, et secundum quod
unumquodque exigit, salutis remedia quaerere, quaesita
15 adhibere.

Ipsum nosse oportet non solum uitia sua, sed et gratia-
rum munera et uirtutum merita, sed et ipsa diligenter distinguere, et quae sint bona naturae, uel quae dona gratiae,
subtiliter pensare. Promptum habere debet quibus tempta-
20 tionum machinis malignus eum spiritus impugnet, quantis
spiritualium gaudiorum consolationibus abundet, quam frequenter diuinus eum spiritus uisitet, quomodo ab ipso cum
sit unus non tamen uniformiter eodemque modo semper
tangitur, sed nunc spiritu sapientiae, nunc spiritu intellectus,
25 nunc spiritu consilii, uel aliis quibuslibet eius effectibus
repletur.

Et ut totum breuiter concludam, debet hic noster Ioseph
totum interioris et exterioris hominis statum et habitum, in
quantum possibile est, plene cognoscere, nec solum qualis
30 sit, uerum etiam qualis esse debeat, subtiliter quaerere, diligenter inuestigare.

CAPVT LXXI

De gemina prole rationis, gratia uidelicet discretionis
et gratia contemplationis

Per hunc itaque Ioseph animus assidue eruditur, et quandoque perducitur ad plenam cognitionem sui, sicut per ute-

LXX, 12 ipse + Ioseph

1. Au lieu de « Ipse », plusieurs manuscrits ont écrit « Ipse Ioseph ».
Bien qu'il ne modifie pas le sens de la phrase, cet ajout, qui apparaît seu-

de combien peut-être il régresse, quelles pensées surtout l'assaillent, quels sentiments le touchent plus fréquemment.

Il [1] ne doit pas seulement connaître, et d'une manière parfaite, les défauts du cœur, mais aussi les infirmités du corps, et selon ce que chacun d'eux exige, il doit chercher des remèdes salutaires et appliquer ceux qu'il se sera procurés.

Il ne faut pas non plus qu'il ne connaisse que ses vices, mais il doit connaître aussi les dons de la grâce et les mérites de la vertu, et il faut encore qu'il les distingue avec soin, qu'il apprécie avec exactitude quels sont les biens de la nature et quels sont les dons de la grâce. Il ne doit pas perdre de vue par quelles machinations et quelles tentations l'esprit malin l'attaque, combien sont abondantes les joies et les consolations spirituelles dont il déborde, combien fréquentes en lui les visites de l'Esprit divin, comment ce dernier, bien qu'il soit unique, ne le touche pas toujours selon un mode uniforme et de la même manière, mais le remplit tantôt de l'esprit de sagesse, tantôt de l'esprit d'intelligence, tantôt de l'esprit de conseil, ou de quelqu'un de ses autres effets.

Et pour conclure tout cela brièvement, notre Joseph doit connaître parfaitement, autant que cela est possible, l'état et les dispositions de l'homme intérieur et extérieur, pris dans sa totalité, et il doit chercher avec subtilité, se demander avec soin, non seulement quel il est, mais quel il doit être.

CHAPITRE LXXI

De la double descendance de la raison : la grâce de la discrétion et la grâce de la contemplation

Grâce à Joseph, dès lors, l'esprit ne cesse de s'instruire ; il parvient ainsi, parfois, jusqu'à la pleine connaissance de

---

lement dans quelques manuscrits divisés en chapitres, ne semble pas venir de l'original ; il n'a pas été maintenu.

rinum eius fratrem Beniamin quandoque subleuatur ad
contemplationem Dei. Sicut enim per Ioseph gratiam dis-
5 cretionis, sic per Beniamin intelligimus gratiam contemplationis. Vterque de eadem matre nascitur, quia et Dei cognitio et sui ex ratione percipitur.

Longe post Ioseph Beniamin gignitur [a], quia animus qui
in sui cognitione diu exercitatus pleneque eruditus non est,
10 ad Dei cognitionem non sustollitur. Frustra cordis oculum
erigit ad uidendum Deum, qui nondum idoneus est ad
uidendum seipsum. Prius discat homo cognoscere inuisibilia sua, quam praesumat posse apprehendere inuisibilia
diuina. Prius est ut cognoscas inuisibilia spiritus tui, quam
15 possis esse idoneus ad cognoscenda inuisibilia Dei.
Alioquin, si non potes cognoscere te, qua fronte praesumis
apprehendere ea quae sunt supra te ?

CAPVT LXXII

Quomodo per plenam cognitionem sui subleuetur animus ad contemplationem Dei

Praecipuum et principale speculum ad uidendum Deum,
animus rationalis absque dubio inuenit seipsum. Si enim
inuisibilia Dei *per ea quae facta sunt intellecta conspiciun-*
tur [a], ubi, quaeso, quam in eius imagine cognitionis uestigia
5 expressius impressa reperientur ? Hominem secundum ani-

LXXI, 15 cognoscendum
LXXII, 5 reperiuntur

a. Cf. Gen. 35, 16-19
a. Rom. 1, 20

soi, tandis que grâce à Benjamin, son frère utérin, il lui arrive aussi d'être soulevé jusqu'à la contemplation de Dieu. De même en effet que nous reconnaissons en Joseph la grâce de la discrétion, de même voyons-nous en Benjamin la grâce de la contemplation. L'un et l'autre naissent de la même mère, car c'est par la raison que l'on parvient à la connaissance de Dieu et à celle de soi.

Benjamin vient au monde longtemps après Joseph [a], car l'esprit qui ne s'est pas longuement exercé à la connaissance de soi et n'en a pas été pleinement instruit n'est point soulevé jusqu'à la connaissance de Dieu. C'est en vain qu'il lève le regard de son cœur pour voir Dieu, celui qui n'est pas encore capable de se voir lui-même. Que l'homme apprenne d'abord à connaître ce qui est invisible en lui-même, avant de s'estimer capable d'atteindre les mystères invisibles de Dieu. Il faut que tu connaisses les réalités invisibles de ton esprit, avant de pouvoir être apte à connaître les réalités invisibles de Dieu. D'ailleurs, si tu ne peux te connaître toi-même, quelle audace de prétendre atteindre ce qui est au-dessus de toi ?

CHAPITRE LXXII

Comment l'esprit est soulevé jusqu'à la contemplation
de Dieu par la parfaite connaissance de soi

C'est en lui-même, sans aucun doute, que l'esprit raisonnable trouve le premier et le principal miroir pour voir Dieu. En effet, si *les réalités invisibles de Dieu sont rendues visibles à l'intelligence par le moyen de ses œuvres* [a], où donc, je le demande, trouve-t-on des traces plus expressives, propres à nous les faire connaître, que celles qui ont été imprimées

mam ad Dei similitudinem factam et legimus et credimus [b],
et iccirco quamdiu *per fidem et non per speciem ambula-*
mus [c], quamdiu adhuc *per speculum et in enigmate uide-*
mus [d], ad eius, ut ita dixerim, imaginariam uisionem aptius
10 speculum quam spiritum rationalem inuenire non possumus. Tergat ergo speculum suum, mundet spiritum suum,
quisquis sitit uidere Deum suum. Hoc itaque speculum non
desinit uerus Ioseph tenere, tergere et indesinenter inspicere.
Tenere, ne deorsum corruens terrae per amorem inhaereat ;
15 tergere, ne inanium cogitationum puluere sordescat ; inspicere, ne ad inania studia intentionis suae oculum reflectat.

Exterso autem speculo et diu diligenter inspecto, incipit
ei quaedam diuini luminis claritas interlucere, et immensus
quidam insolitae uisionis radius oculis eius apparere. Hoc
20 lumen oculos eius irradiauerat, qui dicebat : *Signatum est*
super nos lumen uultus tui, Domine ; dedisti laetitiam in
corde meo [e]. Ex huius igitur luminis uisione quam admira-
tur in se, mirum in modum accenditur animus et animatur
ad uidendum lumen quod est supra se. Ex hac, inquam,
25 uisione, uidendi Deum flammam desiderii concipit et fiduciam sumit. Mens itaque quae iam uisionis huius desiderio
flagrat, si iam sperat quod desiderat, iam se Beniamin conce-
pisse cognoscat. Sperando enim concipit, desiderando par-
turit, et quanto amplius crescit desiderium, tanto appropin-
quat ad partum.

---

13 et *om.* ‖ 15 inanium : in inanium ‖ 25 concipit : conspicit

---

b. Cf. Gen. 1, 26 ‖ c. Cf. II Cor. 5, 7 ‖ d. Cf. I Cor. 13, 12 ‖ e. Ps. 4, 7

dans son image ? Nous lisons dans l'Écriture et nous croyons que l'homme, en son âme, a été fait à la ressemblance de Dieu [b], et c'est pourquoi, aussi longtemps que *nous cheminons dans la foi et non dans la vision* [c], aussi longtemps que *nous voyons dans un miroir et en énigme* [d], nous ne pouvons trouver de miroir plus apte à nous procurer, si j'ose dire, une vision de son image, que l'esprit raisonnable. Que quiconque aspire à voir son Dieu nettoie son miroir, purifie son esprit. Ce miroir, certes, le véritable Joseph ne cesse de le tenir, de le nettoyer, de le regarder constamment : de le tenir, de peur qu'en tombant il ne reste attaché avec amour à la terre ; de le nettoyer, de peur que la poussière des vaines pensées ne le souille ; de le regarder, de peur que l'œil de son intention ne se détourne vers de vaines recherches.

Mais ce miroir une fois nettoyé et longtemps regardé avec attention, une certaine clarté lumineuse et divine commence à briller par intermittences, et un certain rayon sans limites, dans une vision insolite, apparaît à ses yeux. C'est des rayons de cette lumière qu'avaient été frappés les yeux de celui qui disait : *Sur nous s'est levée la lumière de ton visage, Seigneur ; de joie, tu as rempli mon cœur* [e]. A cette vision de lumière en lui, qui le comble d'admiration, l'esprit s'enflamme d'une étonnnante manière ; le voilà animé du désir de voir la lumière qui est au-dessus de lui. A cette vision, dis-je, il conçoit un ardent désir de voir Dieu, et il prend confiance. L'esprit qui brûle déjà du désir de cette vision doit donc savoir que si elle espère déjà ce qu'elle désire, c'est qu'elle a déjà conçu Benjamin. C'est en espérant, en effet, qu'elle conçoit, en désirant qu'elle enfante, et plus intensément s'accroît son désir, plus le moment de la naissance approche.

CAPVT LXXIII

Quam sit arduum uel difficile gratiam
contemplationis obtinere

Sed scimus nichilominus, nam et hoc, Scriptura docente,
didicimus, quia *spes quae differtur affligit animum* [a]. Nichil
enim sic afficit animum, quomodo impatiens desiderium.
Quid autem huius uisionis dulcedine expetitur salubrius,
5 quid sentitur suauius, quid animus experitur iocundius ?
Nouit hoc Rachel, nam nec rationem hoc latere potest, quia
in huius suauitatis comparatione omnis dulcedo amara est.
Hinc est quod nec studium suum laxare, nec desiderium
suum temperare potest. Hinc illa tanta parientis anxietas, et
10 doloris immensitas [b]. Vnde namque, putas, tanta doloris
magnitudo, nisi ex indesinenti studio, et impatienti desiderio ? Crescit cotidie, et ex desiderio labor, et ex labore dolor.
Augmentatur assidue, et ex studio desiderium, et ex desiderio studium. Scit tamen Rachel hoc negotium supra uires
15 suas esse, nec tamen ualet studium suum uel desiderium
temperare. Ad tantam namque gratiam nunquam pertingit
mens per propriam industriam. Dei est hoc donum, non
hominis meritum. Sed absque dubio talem tantamque gratiam accipit nemo, sine ingenti studio et ardenti desiderio.
20 Nouit hoc Rachel, et iccirco studium multiplicat, et desiderium suum cotidianis incrementis acrius inflammat.

In tanta namque cotidiani conatus anxietate, in huiusmodi
doloris immensitate, et Beniamin nascitur, et Rachel moritur [c], quia cum mens hominis supra seipsam rapitur, omnes

---

LXXIII, 7 amara : amare ‖ 20 hoc : haec

---

a. Prov. 13, 12 (*spes quae differtur affligit animam,* Vulg.) ‖ b. Cf. Gen.
35, 17-18 ‖ c. Cf. Gen. 35, 19

CHAPITRE LXXIII

Combien il est ardu et difficile d'obtenir la grâce
de la contemplation

Mais nous n'en savons pas moins, car nous l'avons appris
par l'enseignement de l'Écriture, que *l'espérance retardée
afflige l'esprit* [a]. Rien n'affecte autant l'esprit, en effet, qu'un
désir impatient. Or qu'est-ce que l'esprit peut attendre de
plus salutaire que cette vision ? Que peut-il goûter de plus
suave ? Que peut-il éprouver de plus agréable ? Rachel le
sait bien, car la raison non plus ne peut ignorer que toute
douceur, comparée à une telle suavité, est amère. De là vient
qu'elle ne peut relâcher son ardeur, ni modérer son désir.
De là vient aussi l'extrême anxiété de cette parturiente et
l'étendue de sa souffrance [b]. D'où peut en effet venir une si
grande souffrance, crois-tu, si ce n'est d'un effort incessant
et d'un désir impatient ? Chaque jour le désir fait grandir la
peine, et la peine la souffrance. Le désir est sans cesse accru
par l'effort et l'effort par le désir. Rachel sait bien, pourtant,
qu'une telle entreprise est au-dessus de ses forces, mais elle
n'est pas capable pour autant de modérer son effort ou son
désir. De fait, l'esprit ne peut jamais obtenir une si grande
grâce par sa propre activité. Il s'agit là d'un don de Dieu,
non d'une récompense due à l'homme. Il est incontestable,
cependant, que personne ne reçoit une grâce pareille et aussi
considérable sans beaucoup d'efforts et sans être animé d'un
désir ardent. Rachel le sait bien ; c'est pourquoi elle multiplie ses efforts et elle attise chaque jour avec plus d'ardeur
les flammes de son désir.

Mais dans les extrêmes angoisses de cet effort quotidien,
dans l'immensité de cette douleur, à la fois Benjamin vient
au monde et Rachel vient à mourir [c], car lorsque l'esprit de
l'homme est ravi au-dessus de lui-même, il passe au-delà de

25 humanae ratiocinationis angustias supergreditur. Ad illud
enim quod, supra se eleuata, et in extasi rapta, de diuinita-
tis lumine conspicit, omnis humana ratio succumbit. Quid
enim Rachelis interitus, nisi rationis defectus ?

CAPVT LXXIV

De illo contemplationis genere quod est supra rationem

Beniamin itaque nascente, Rachel moritur, quia mens ad
contemplationem rapta, quantus sit humanae rationis defectus experitur. Nonne Rachel mortua tunc erat, et omnis
humanae rationis sensus in Apostolo defecerat, cum dice-
5 bat : *Siue in corpore, siue extra corpus, nescio, Deus scit* a ?
Nemo ergo se existimet ad illius diuini luminis claritatem
argumentando posse penetrare ; nemo se credat humana
illud ratiocinatione posse comprehendere. Si enim aliqua
argumentatione adiri potuisset, lumen illud diuinum, utique
10 inaccessibile non fuisset. Denique Apostolus gloriatur ad
illud se non quidem isse, sed absque dubio raptum fuisse :
Scio, inquit, *hominem, siue in corpore, siue extra corpus, nescio, Deus scit, raptum huiusmodi usque ad tertium coelum* b.
Sed quod est coelum hoc tertium quod est inter terram et
15 coelum, hoc est inter corpus et spiritum ? Sed alia est dignitas spiritus humani, alia autem spiritus angelici, et longe alia
est excellentia Spiritus diuini. Humani siquidem spiritus
dignitatem, qui subiacet poenae et culpae, longe supergredi-

a. II Cor. 12, 3 ‖ b. II Cor. 12, 2

toutes les limites du raisonnement humain. Élevée au-dessus d'elle-même et ravie en extase, toute raison humaine succombe, en effet, en présence de ce qu'elle voit de la lumière divine. Que signifie donc la mort de Rachel, sinon la défaillance de la raison ?

CHAPITRE LXXIV

Du genre de contemplation
qui est au-dessus de la raison

Rachel meurt, en effet, lorsque Benjamin vient au monde, parce que l'esprit ravi par la contemplation apprend par expérience à quel point la raison humaine est défaillante. Rachel n'était-elle pas morte, et tout exercice de la raison humaine ne s'était-il point évanoui en l'Apôtre, lorsqu'il disait : *Est-ce en mon corps, ou hors de mon corps, je ne sais, Dieu le sait* [a] ? Que nul ne s'estime donc capable de pénétrer jusqu'à la clarté de cette lumière divine par des argumentations ; que nul ne se croie capable de la saisir par des raisonnements humains. S'il avait été en effet possible d'y accéder par quelque argumentation, cette lumière divine n'aurait point été inaccessible. D'ailleurs, l'Apôtre ne se glorifie pas d'être allé jusqu'à elle, mais, sans aucun doute, d'y avoir été ravi : *Je connais un homme*, dit-il, *fut-ce dans son corps ou hors de son corps, je ne sais, Dieu le sait, qui fut ainsi ravi jusqu'au troisième ciel* [b].

Mais quel est ce troisième ciel ? C'est celui qui est entre la terre et le ciel, celui qui est entre le corps et l'esprit. Autre est cependant la dignité de l'esprit humain, autre aussi celle de l'esprit angélique, mais tout autre l'éminente supériorité de l'Esprit divin. La dignité de l'esprit humain, soumis à la peine et au péché, est sans doute de beaucoup surpassée par

tur utriusque expers, excellentia scilicet angelicae naturae,
20 sed incomparabiliter utrosque praecedit Spiritus ille qui fecit
utrumque. Ad horum igitur coelorum quodlibet cuiusuis
animus tunc ueraciter erigitur, quando terrenarum cogitationum ima deserens, in eorum contemplatione defigitur.
Ad primum itaque coelum pertinet cognitio sui, ad tertium
25 autem pertinet contemplatio Dei. Ad hoc itaque tertium
coelum quis, putas, ascendit, nisi qui et descendit ^c, Filius
hominis qui est in coelo ? Itaque, etsi sint *qui ascendunt
usque ad coelos et descendunt usque ad abyssos* ^d, non tamen
ascendunt nisi forte ad primum et secundum, non enim pos-
30 sunt usque ad tertium. Ad hoc utique coelum homines rapi
possunt, nam ipsi ascendere omnino non possunt.

Possumus tamen illam quae in hac uita haberi potest Dei
cognitionem tribus gradibus distinguere, et secundum tri-
plicem graduum differentiam per tres coelos diuidere. Aliter
35 siquidem Deus uidetur per fidem, aliter cognoscitur per
rationem, atque aliter cernitur per contemplationem. Prima
ergo uisio ad primum coelum, secunda ad secundum, tertia
pertinet ad tertium. Prima est infra rationem, secunda cum
ratione, tertia supra rationem. Ad primum itaque et secun-
40 dum contemplationis coelum homines sane ascendere possunt, sed ad illum quod est supra rationem, nisi per mentis
excessum supra seipsos rapti nunquam pertingunt. Quod
autem per Beniamin illud contemplationis genus quod supra

LXXIV, 22 erigitur : exigitur ‖ **32** illa ‖ **38** secunda cum ratione *om.*

---

c. Cf. Éph. 4, 10 ‖ d. Ps. 106, 26

---

1. La plupart des manuscrits omettent les trois mots : *secunda cum
ratione* que le contexte d'énumération et de répétition paraît exiger. Ces
trois mots apparaissent dans une dizaine de manuscrits anciens, avec des
variantes qui leur sont propres et qui témoignent de l'hésitation des

la perfection de la nature angélique qui n'est soumise ni à l'une ni à l'autre. Mais l'Esprit qui créa l'esprit humain et l'esprit angélique les dépasse incomparablement l'un et l'autre. L'esprit humain est donc véritablement élevé jusqu'à l'un de ces cieux lorsqu'il s'attache à les contempler, en désertant les basses pensées de la terre. Au premier ciel appartient donc la connaissance de soi ; au troisième appartient la contemplation de Dieu. Qui donc, crois-tu, monte jusqu'à ce troisième ciel, sinon celui qui en est aussi descendu [c], le Fils de l'homme qui est au ciel ? C'est pourquoi, bien qu'il y en ait qui *montent jusqu'aux cieux et descendent jusqu'aux abîmes* [d], ils ne peuvent pourtant pas monter, sauf peut-être jusqu'au premier et au second ciel, mais pas jusqu'au troisième. A ce troisième ciel, en effet, les hommes peuvent être ravis, mais ils ne peuvent absolument pas monter eux-mêmes.

Nous pouvons néanmoins distinguer trois degrés dans la connaissance qu'il est possible d'atteindre de Dieu en cette vie, et compte tenu de la triple différence qu'on observe entre ces degrés nous pouvons distinguer trois cieux. Autre chose est en effet voir Dieu par la foi, autre chose le connaître par la raison, autre chose le saisir par la contemplation. La première vision correspond au premier ciel, la seconde au second, la troisième au troisième. La première est au-dessous de la raison, la seconde est avec la raison [1], la troisième est au-dessus de la raison. Les hommes peuvent donc, sans doute, monter jusqu'au premier et au second ciel de la contemplation, mais ils n'atteignent jamais celui qui est au-dessus de la raison, à moins d'être ravis au-dessus d'eux-mêmes par le transport de l'esprit. Que nous devions reconnaître en Benjamin ce genre de contemplation qui est au-

copistes. Il est possible que l'omission remonte « à l'original ou à un archétype issu directement de l'original », J. CHÂTILLON, « Le *De duodecim patriarchis...* », *Revue d'histoire des textes*, 21, 1991, p. 166.

rationem est intelligere debeamus, ex matris eius morte
45 conuenienter satis conicere possumus.

CAPVT LXXV

De supereminentia spiritualium theoriarum

Ad huiusmodi ergo contemplationis celsitudinem quaelibet
creaturarum cognitio angusta est, et in imo iacet, et terrae
more in coeli respectu uix puncti uicem tenet. Ad cognitionem siquidem Creatoris, quantalibet cognitio creaturarum,
5 quid aliud est quam quod terra ad coelum, quod centrum
ad totius circuli ambitum ?

Habet tamen haec terra, habet haec inferior inferiorum
scientia montes et colles, campos et ualles. Secundum differentiam creaturarum, erit et differentia scientiarum. Vt enim
10 ab imo incipiamus, magna est distantia inter corpus et corpus. *Siquidem sunt corpora terrestria, sunt et corpora coeles-
tia* [a]. Maior tamen est distantia cuiuslibet corporis ad spiritum, quam quorumlibet et quamlibet dissimilium corporum.

LXXV, 2 et[2] *om.*

---

a. Cf. I Cor. 15, 40

---

2. On peut comparer les distinctions qu'opère Richard entre foi, raison
et contemplation avec ce que dit Hugues de Saint-Victor du rapport entre
la raison et la foi, dans *De sacramentis*, I, 3, 30, *PL* 176, 231 D : « Il est des
énonciations qui viennent de la raison, d'autres sont selon la raison, outre
celles qui sont contre la raison. Celles qui viennent de la raison sont nécessaires ; celles qui sont selon la raison sont probables ; admirables celles qui
sont au-dessus de la raison ; incroyables celles qui sont contre la raison.
Les deux extrêmes sont incompatibles avec la foi. Ce qui vient de la raison
est tout à fait connu et ne peut être cru puisqu'on le sait ; de même, ce qui
est contre la raison ne peut être cru d'aucune façon, puisque toute raison
est repoussée et qu'aucune raison ne donne son acquiescement. Donc, cela
seul est objet de la foi qui est selon la raison ou au-dessus de la raison. »

dessus de la raison, c'est ce que la mort de sa mère nous permet de conclure raisonnablement [2].

CHAPITRE LXXV

De la suréminence des contemplations spirituelles

En comparaison d'une contemplation aussi élevée, la connaissance des créatures, quelle qu'elle soit, est donc étroite et se traîne au ras du sol ; elle est comme la terre en face du ciel, qui occupe à peine la place d'un point. Relativement à celle du Créateur, en effet, la connaissance des créatures, si étendue qu'elle soit, est-elle autre chose que ce que la terre est au ciel, ce que le centre d'un cercle est à sa circonférence tout entière ?

Cette terre pourtant, cette science inférieure des choses inférieures, a ses montagnes et ses collines, ses plaines et ses vallées, et à la différence des créatures correspond la différence des sciences. Commençons par le bas. Il y a une grande distance entre corps et corps, car *il y a des corps terrestres et il y a des corps célestes* [a]. Mais la distance qui sépare n'importe quel corps de l'esprit est plus grande que celle,

Dans le premier genre, la foi est aidée par la raison et la raison perfectionnée par la foi, parce que ce que l'on croit est conforme à la raison. Si la raison ne comprend pas la vérité de ce qui est dit, elle ne s'oppose pas du moins à ce que l'on y croie. En ce qui est au-dessus de la raison, la foi n'est aidée par aucune raison, car la raison ne saisit pas ce que la foi croit, et cependant, il y a quelque chose qui avertit la raison de vénérer la foi qu'elle ne comprend pas ». Traduction empruntée à R. BARON, *Hugues et Richard de Saint-Victor*. Introduction et choix de textes, Paris, 1961, p. 28-29. Texte repris par le chancelier Pierre de Poitiers (†1205), dans le sermon *Non coques edum in lacte matris sue*, Ex. 34, 26, cité par J. LONGÈRE, *Œuvres oratoires de maîtres parisiens au XIIᵉ siècle. Étude historique et doctrinale*, t. 1, Paris, 1975, p. 319 ; t. 2, p. 242, n. 20.

Sed ipsorum spirituum alii sunt irrationales, alii sunt ratio-
15 nales.

Oculos ergo quasi in imo defixos habere uidentur, qui
sola adhuc corporea mirantur. Sed iam quasi ad alta ascendunt, qui se ad spiritualium inuestigationem conuertunt.
Animus qui ad scientiae altitudinem nititur ascendere, pri-
20 mum et principale sit ei studium seipsum cognoscere.
Magna altitudo scientiae, semetipsum perfecte cognouisse.
Mons magnus et altus, plena cognitio rationalis spiritus.
Omnium mundanarum scientiarum cacumina mons iste
transcendit, omnem philosophiam, omnem mundi scientiam
25 ab alto despicit. Quid tale Aristoteles, quid tale Plato inuenit, quid tanta philosophorum turba tale inuenire potuit ?
Vere et absque dubio, si hunc montem ingenii sui acumine
ascendere potuissent, si ad seipsos inueniendos eorum eis
studia sufficerent, si seipsos plene cognoscerent, nunquam
30 idola coluissent, nunquam creaturae collum inclinarent,
nunquam contra creatorem ceruicem erigerent. Hic *defecerunt scrutantes scrutinio* [b]. Hic, inquam, defecerunt, et in
hunc montem minime ascendere potuerunt. Ascendat *homo
ad cor altum, et exaltabitur Deus* [c].

35 Disce, homo, cogitare, disce cognoscere teipsum, et ascendisti ad cor altum. Quantum cotidie in tui cognitione pro-
ficis, tantum ad altiora super tendis. Qui ad perfectam
cognitionem sui peruenit, iam montis uerticem apprehendit.

---

27 acumini ‖ 29 cognouissent ‖ 30 inclinassent ‖ 31 erexissent ‖ 33 poterant ‖ 35 cognoscere : cogitare ‖ 37 super : semper

---

b. Ps. 63, 7 ‖ c. Ps. 63, 7-8 (*Accedet homo ad cor altum,* Vulg.)

quelle qu'elle soit, qui sépare des corps si dissemblables qu'ils soient. Et parmi les esprits eux-mêmes, les uns sont dépourvus de raison, d'autres sont doués de raison.

Ils semblent donc avoir pour ainsi dire les yeux tournés vers le bas, ceux qui n'admirent encore que les choses corporelles, mais ils les lèvent déjà pour ainsi dire vers le haut, ceux qui se tournent vers la recherche des réalités spirituelles. L'esprit qui tente de s'élever aux sommets de la connaissance, qu'il cherche premièrement et principalement à se connaître lui-même. C'est une science très élevée que la parfaite connaissance de soi ; c'est une grande et haute montagne que la connaissance de l'esprit doué de raison. Le sommet de cette montagne dépasse ceux de toutes les sciences de ce monde ; il regarde de haut toute philosophie, toute science de ce monde. Qu'est-ce qu'Aristote, qu'est-ce que Platon ont trouvé de pareil ? Qu'est-ce que la foule immense des philosophes a pu découvrir de semblable ? Assurément et sans aucun doute, si l'acuité de leur intelligence leur avait permis de faire l'ascension de cette montagne, si leurs efforts leur avaient donné le moyen de se découvrir eux-mêmes, s'ils étaient parvenus à la pleine connaissance d'eux-mêmes, jamais ils n'auraient rendu de culte aux idoles, jamais ils n'auraient baissé la tête devant une créature, jamais ils n'auraient redressé la nuque face à leur Créateur. C'est ici que *ceux qui cherchaient se sont égarés dans leurs recherches* [b] ; c'est ici, dis-je, qu'ils ont défailli, sans pouvoir faire l'ascension de cette montagne. *Que l'homme gravisse le sommet de son cœur, et Dieu sera exalté* [c].

Apprends, homme, à penser, apprends à te connaître toi-même, et tu as gravi le sommet de ton cœur. Plus tu apprends, chaque jour, à mieux te connaître toi-même, plus tu approches davantage des hauteurs. Celui qui est parvenu à la parfaite connaissance de soi, celui-là alors a atteint le sommet de la montagne.

CAPVT LXXVI

Quam sit rarum uel quam iocundum spirituales theorias
in usum adducere et in oblectamentum uertere

O quam rari sunt, uel quia nolunt, uel quia nequeunt, qui
huc usque ascendunt ! Rarum ualde in hunc montem ascendere, sed multo rarius in eius uertice stare, et ibi moram
facere, rarissimum autem ibi habitare, et mente requiescere :
5   *Quis*, inquit, *ascendet in montem Domini, aut quis stabit in
loco sancto eius* ᵃ ? Prius est ascendere, postea stare. In
stando quidem labor, sed in ascendendo maior. Multi quidem in ipsa ascensione defecerunt propter nimium laborem
ascendendi, multi ab arduo eius uertice ocius descenderunt
10 propter laborem standi. Hoc fortassis eis intolerabile uide-
batur, quoniam non solum in hunc montem nisi per
magnum laborem non ascenditur, uerum etiam non sine
magna difficultate ibi immorari non datur.

Sed forte iam ascendisti, iam ibi stare didicisti, nec hoc
15 sufficiat tibi. Disce ibi habitare et mansionem facere, et qua-
licumque mentis euagatione abstractus illuc semper redire.
Absque dubio per multum usum quandoque uertetur tibi in
oblectamentum, in tantum ut absque ulla laboris difficultate
possis ibi assiduus esse, quinimmo poena potius tibi sit alibi
20 quam ibi moram aliquam facere. Mira iocunditas in hoc
monte sine labore morari posse, Petro attestante, qui tanta
et tam insolita suauitate allectus exclamat : *Bonum est nos
hic esse* ᵇ. O felicem qui potuit in hunc montem ascendere,

LXXVI, 6 ascendere est ‖ 16 euagationem ‖ semper : super

a. Ps. 23, 3 ‖ b. Matth. 17, 4 ; 9, 33 ; Mc 9, 4

CHAPITRE LXXVI

Combien il est rare et combien il est agréable de jouir
des contemplations spirituelles et de s'y complaire

Qu'ils sont peu nombreux, ceux qui montent jusque là,
soit parce qu'ils ne le veulent pas, soit parce qu'ils ne le peuvent pas ! Il est très rare que l'on gravisse cette montagne,
mais il est beaucoup plus rare qu'on se maintienne sur ce
sommet et qu'on s'y attarde, et il est infiniment plus rare
qu'on y demeure et qu'on s'y repose en esprit : *Qui donc
fera l'ascension de la montagne du Seigneur,* dit le Psalmiste,
et qui se tiendra en son saint lieu [a] ? Il faut d'abord monter,
il faut ensuite se tenir. Se tenir exige sans doute un effort,
mais monter en demande un plus grand. Beaucoup, en
vérité, ont défailli au cours même de l'ascension, à cause de
l'effort considérable que celle-ci demandait ; beaucoup sont
redescendus au plus vite de ce sommet escarpé à cause de la
difficulté qu'on éprouve à s'y tenir. Tout cela leur paraissait
sans doute impossible à supporter : on ne peut, en effet, gravir cette montagne qu'au prix d'un grand effort, mais on ne
peut pas non plus y demeurer sans grande difficulté.

Il se peut néanmoins que tu y sois déjà monté, que tu aies
déjà appris à t'y tenir, sans que cela te suffise. Apprends à
y habiter et à y établir ta demeure, et à toujours y revenir si
je ne sais quelle divagation de l'esprit t'en éloigne. Il n'est
pas douteux qu'une longue fréquentation de cette demeure
deviendra pour toi, un jour ou l'autre, pleine de charme, à
tel point que tu pourras rester là, en permanence, sans
aucune difficulté et sans aucun effort ; il te sera même plus
pénible de te trouver ailleurs que de t'attarder là. Quelle joie
merveilleuse que de pouvoir demeurer sur cette montagne
sans effort ! Pierre en témoigne, lorsque, séduit par une douceur aussi grande et aussi insolite, il s'écrie : *Il est bon pour
nous d'être ici* [b]. Heureux celui qui a pu faire l'ascension de

et mente requiescere ! O quam magnum, o quam rarum !
25 *Domine, quis habitabit in tabernaculo tuo, aut quis requies-*
cet in monte sancto tuo ᶜ ?

Et quidem magnum est ascendere posse et stare, maius
tamen est posse inhabitare, posse requiescere. Ascendere et
stare est uirtutis, inhabitare et requiescere est felicitatis.
30 Vtrumque utique magnum, utrumque admiratione dignum.
Vtrumque Propheta miratur, sed illud pro magnitudine dif-
ficultatis, istud pro magnitudine iocunditatis. Admiratio dif-
ficultatis est illa exclamatio : *Quis ascendet in montem*
Domini, aut quis stabit in loco sancto eius ᵈ ? Admiratio
35 iocunditatis est illa exclamatio : *Domine, quis habitabit in*
tabernaculo tuo, aut quis requiescet in monte sancto tuo ᵉ ?
Ascendere et stare, o quanta qualisque fortitudo ; inhabitare
et requiescere, o quanta qualisque beatitudo ! Quis ad id
operis idoneus, quis hoc munere dignus ? *Domine, quis*
40 *ascendet,* Domine, *quis stabit in monte sancto* tuo ᶠ ?
Domine, quis habitabit, Domine, *quis requiescet in monte*
sancto tuo ᵍ ? *Emitte lucem tuam et ueritatem tuam, ipsa me*
deduxerunt et adduxerunt in montem sanctum tuum et in
tabernacula tua ʰ.

35 habitauit ‖ 39 opus ‖ 41 domine quis requiescet — tuo *om.*

c. Ps. 14, 1 ‖ d. Ps. 23, 3 ‖ e. Ps. 14, 1 ‖ f. Cf. Ps. 23, 3 ‖ g. Ps. 14, 1 ‖
h. Ps. 42, 3

1. Les mots « o quanta qualisque » ont été omis par de nombreux
témoins, par suite de la présence de similitudes verbales.

cette montagne et s'y reposer en esprit ! Que cela est grand, que cela est rare ! *Qui donc, Seigneur, établira sa demeure dans ton tabernacle ? Qui se reposera sur ta montagne sainte* [c] ?

Car c'est une grande chose, en vérité, que de pouvoir monter et de pouvoir se tenir, mais c'en est une plus grande que de pouvoir établir sa demeure, que de pouvoir se reposer. Monter et se tenir est le propre de la vertu, établir sa demeure et se reposer est le propre de la félicité. Ce sont là deux grandes choses, dignes d'admiration l'une et l'autre. Le Prophète les admire l'une et l'autre, mais il admire la première à cause de la grandeur de sa difficulté, la seconde à cause de la grandeur de la joie procurée. Dans son admiration pour la difficulté, il s'écrie : *Qui fera l'ascension de la montagne du Seigneur, et qui se tiendra en son saint lieu* [d] ? Dans son admiration pour la joie procurée, il s'écrie : *Qui donc, Seigneur, établira sa demeure dans ton tabernacle ? Qui se reposera sur ta montagne sainte* [e] ? Monter et s'y tenir, quelle grande et admirable force ! Établir sa demeure et s'y reposer, quelle grande et merveilleuse félicité !* [1] Qui est capable d'une telle entreprise ? Qui est digne d'un tel don ? *Qui donc, Seigneur, fera cette ascension, qui se tiendra, Seigneur, sur ta montagne sainte* [f] ? *Qui habitera, Seigneur, qui reposera, Seigneur, sur ta montagne sainte* [g] ? *Envoie ta lumière et ta vérité. Elles me conduiront et m'introduiront sur ta montagne sainte et dans tes tabernacles* [h].

CAPVT LXXVII

Quod frustra nitimur ad summa sine praeueniente gratia

Videsne quod non nisi ueritas in hunc montem deducit et
adducit ? Ipsa ducit, ipsa est quae perducit. Libenter sequor
ueritatem, non habeo suspectum talem ducem. Nouit ueritas ducere, nescit ueritas seducere. Sed *quid est ueritas* ?
5 Quid tu dicis, doctor bone, doctor Christe, *quid est ueri-*
tas [a] ? *Ego sum*, inquit, *uia, ueritas et uita* [b]. Sequatur ergo
ueritatem, qui uult ascendere in montem. Sequere Christum,
quicumque cupis ascendere in montem istum. Docente
Euangelista didicimus quia *assumpsit Ihesus* discipulos suos,
10 *Petrum* uidelicet, *Iacobum et Iohannem, et duxit eos in*
montem excelsum seorsum [c]. Ducuntur ergo discipuli Ihesu
sursum et seorsum, ut possint apprehendere montem istum
excelsum. Via ardua, uia secreta et multis incognita, quae
ducit ad montis huius fastigia. Illi soli, ut arbitror, sine
15 errore currunt, illi soli sine impedimento perueniunt, qui
Christum sequuntur, qui a ueritate ducuntur. Quisquis ad
alta properas, securus eas, si te praecedit ueritas, nam sine
ipsa frustra laboras. Tam non uult fallere, quam non ualet
falli ueritas. Christum ergo sequere, si non uis errare.

LXXVII, 19 ueritatis falli

a. Jn. 18, 38 ‖ b. Jn. 14, 6 ‖ c. Matth. 17, 1 ; Mc 9, 1 ; Lc 9, 28

CHAPITRE LXXVII

Sans une grâce prévenante, nous nous efforçons
en vain d'atteindre ces sommets

Ne vois-tu pas que seule la vérité nous guide et nous
entraîne vers cette montagne ? C'est elle qui nous y conduit,
c'est avec elle que nous y parvenons. J'obéis avec joie à la
vérité ; je n'ai aucune crainte sous la conduite d'un tel guide.
La vérité sait nous conduire ; la vérité ne peut nous égarer.
Mais *qu'est-ce que la vérité* ? Que dis-tu toi-même, ô bon
docteur, Christ docteur, *de ce qu'est la vérité* [a] ? *Je suis la
voie, la vérité et la vie*, dit-il [b]. Qu'il suive donc la vérité,
celui qui veut faire l'ascension de cette montagne. Suis le
Christ, toi, qui que tu sois, qui désires faire l'ascension de
cette montagne. L'enseignement de l'Évangéliste nous a
appris que *Jésus prit avec lui* ses disciples, *Pierre, Jacques et
Jean*, et qu'il les emmena *à l'écart, sur une haute montagne* [c].
Les disciples de Jésus sont donc emmenés sur la hauteur et
à l'écart, afin qu'ils puissent gravir cette haute montagne.
C'est un chemin pénible, un chemin secret, inconnu du
grand nombre, celui qui conduit au sommet de cette montagne. Ceux-là seuls qui suivent le Christ et qui se laissent
conduire par la vérité, ceux-là seuls, je pense, courent sans
s'égarer, vont jusqu'au bout sans rencontrer d'obstacle. Toi,
qui que tu sois, qui te hâtes vers ces hauteurs, chemine en
sécurité si la vérité marche devant toi, car sans elle tes efforts
sont vains. La vérité ne veut pas plus tromper qu'elle ne peut
être trompée. Suis donc le Christ, si tu ne veux pas t'égarer.

CAPVT LXXVIII

Quantum ualeat plena cognitio sui

Sed ne te perterreat uel retrahat labor itineris, difficultas ascensionis, audi et attende quis sit fructus peruentionis. In huius montis cacumine Ihesus transfiguratur ; in ipso Moyses cum Helya uidetur, et sine indice uterque cognos-
5 citur ; in ipso uox Patris ad Filium auditur ᵃ. Quid horum non mirabile, quid horum non desiderabile ? Vis uidere Christum transfiguratum ? Ascende in montem istum, disce cognoscere teipsum. Vis uidere et absque ullo indice cognoscere Moysen et Helyam, uis absque doctore, sine
10 expositore, intelligere legem et prophetiam ? Ascende in montem istum, disce cognoscere teipsum. Vis audire paterni secreti archanum ? Ascende in montem istum, disce cognos-cere teipsum ᵇ. De coelo enim descendit Γνῶθι σεαυτόν illud, id est : « Nosce teipsum ». Videsne adhuc quantum
15 ualeat montis huius ascensio, quam utilis sit sui ipsius plena cognitio ?

LXXVIII, 11 audire *om.* ‖ 13 descendit + cum dixit

---

a. Cf. Matth. 17, 1-5 ; Mc 9, 1-6 ; Lc 9, 29-35

---

1. Plusieurs manuscrits, appartenant le plus souvent au groupe de ceux qui sont divisés en chapitres, omettent le passage *Vis audire — cognoscere teipsum.*

2. Voir JUVÉNAL, *Satires*, XI, 27, rapporté par MACROBE, *Songe de Scipion* I, 9, 2 : « De caelo descendit γνῶθι σεαυτόν ». A propos du *Beniamin minor* LXXVII, P. COURCELLE écrit : « Une telle interprétation chrétienne du vers de Juvénal ne laisse pas de surprendre par son audace. Elle est plus hardie encore que la vue cicéronienne selon laquelle Socrate a

CHAPITRE LXXVIII

Quelle est la valeur de la parfaite connaissance de soi

Mais afin que la fatigue du chemin, la difficulté de l'ascension ne t'effraient ni ne te retiennent, écoute et considère quelle récompense attend celui qui parvient au but. Au sommet de cette montagne, Jésus est transfiguré ; on voit là Moïse en compagnie d'Elie, et on les reconnaît l'un et l'autre sans besoin d'aucun signe ; on entend là la voix du Père s'adressant à son Fils [a]. Qu'y a-t-il en tout cela qui ne soit admirable, qui ne soit désirable ? Veux-tu voir le Christ transfiguré ? Fais l'ascension de cette montagne, apprends à te connaître toi-même. Veux-tu voir Moïse et Elie et les reconnaître sans besoin d'aucun signe ? Veux-tu comprendre la Loi et les Prophètes, sans maître et sans commentateur ? Fais l'ascension de cette montagne, apprends à te connaître toi-même. Veux-tu entendre le mystère caché du Père ? Fais l'ascension de cette montagne, apprends à te connaître toi-même [1]. C'est du ciel, en effet, qu'est descendu le « Connais-toi toi-même [2] ». Vois-tu donc maintenant quelle est la valeur de l'ascension de cette montagne, combien est utile la parfaite connaissance de soi-même ?

---

fait descendre du ciel la philosophie en substituant aux inutiles recherches cosmologiques des anciens Sages une recherche morale fondée sur la connaissance de soi ». *Connais-toi toi même. De Socrate à saint Bernard*, t. 1, Paris, 1974, p. 243. Selon Hugues de Saint-Victor, le *Gnothi seauton* inscrit sur le trépied d'Apollon avertit l'homme que « s'il n'était pas oublieux de son origine, il reconnaîtrait à propos de tout ce qui est exposé au changement que ce n'est rien ». *Disascalicon*, intr., trad. et notes par M. Lemoine, Paris, 1991, p. 67-68. Un sermon inédit d'Alain de Lille († 1203) a pour incipit : *De celo descendit Gnoti seliton* (sic), Munich, Staatsbibl. Clm 4616, f° 82v-85 ; voir M.-Th. d'Alverny, *Alain de Lille. Textes inédits avec une introduction sur sa vie et ses œuvres*, Paris, 1965, p. 130.

CAPVT LXXIX

Quibus modis ad scientiae altitudinem pertingimus

Sed quid hoc esse dicimus, quod sine tribus discipulis in hunc montem ascendere noluit, nec plus quam tres secum ducere Christus quaesiuit ? Sed forte in hoc opere docemur, quod sine triplici studio ad huius cognitionis celsitudinem
5　non perducimur. Per studium operis, per studium meditationis, per studium orationis paulatim promouemur, et quandoque perducimur ad perfectionem cognitionis. Multa enim experimur operando, multa inuenimus inuestigando, multa extorquemus orando. Innumera siquidem, quae nec
10　per experientiam operis, nec per inuestigationem rationis inuenire ualemus, per importunitatem orationis edoceri meremur ex reuelatione diuinae inspirationis. His tribus comitibus sibi adiunctis, ueritas in nobis proficit, et in alta se attollit, et eousque per cotidiana incrementa exaltat,
15　donec praedicti montis uerticem tangat.

O quam multos hodie uidemus studiosos in lectione, desidiosos in opere, tepidos in oratione, praesumentes tamen montis huius cacumina posse apprehendere ! Sed quando, quaeso, apprehendent, qui Christum ducem non habent ?
20　Neque enim ducit eos Christus, qui ascendere non uult, nisi cum discipulis tribus. Iungat ergo studio lectionis studium operis et orationis, qui Christum quaerit habere ducem itineris, ductorem ascensionis. Absque dubio sine ingenti exercitio, sine frequenti studio, sine ardenti desiderio, ad
25　perfectam scientiae altitudinem mens non subleuatur, quia

LXXIX, 3 christus duceri (*sic*) ‖ 5 perducitur ‖ 7 perducimur : producimur ‖ 11 edocere

CHAPITRE LXXIX

Par quels moyens nous parvenons au sommet de la science

Mais comment expliquons-nous que le Christ n'ait pas voulu faire l'ascension de cette montagne sans trois disciples, et qu'il n'ait pas cherché à en emmener plus de trois avec lui ? Peut-être ces faits sont-ils là pour nous apprendre que nous ne pouvons atteindre cette sublime connaissance que par un triple effort. C'est par l'effort de l'action, par l'effort de la méditation, par l'effort de l'oraison que nous nous élevons peu à peu jusqu'à la perfection de la connaissance et que parfois nous l'atteignons. Nous faisons en effet l'expérience de beaucoup de choses, dans l'action ; nous en apprenons beaucoup dans la méditation ; nous en saisissons beaucoup dans l'oraison. Or, il en est d'innombrables que nous ne pouvons découvrir, ni par les expériences de l'action, ni par les investigations de la raison, mais dont notre prière importune nous vaut d'être instruits par révélation et par inspiration divines. Lorsque la vérité a pris avec elle ces trois compagnons, elle grandit en nous, elle prend de la hauteur, et elle s'exalte en des accroissements quotidiens jusqu'à toucher le sommet de la montagne en question.

Combien en voyons-nous, aujourd'hui, appliqués à l'étude, mais paresseux dans l'action, tièdes dans l'oraison, qui se croient néanmoins capables d'atteindre les sommets de cette montagne ! Mais quand donc les atteindront-ils, je le demande, eux qui n'ont pas le Christ pour guide ? Car le Christ n'est pas leur guide, lui qui ne veut monter qu'avec trois disciples. Qu'il joigne donc l'effort de l'action et celui de l'oraison à l'effort de l'étude, celui qui veut avoir le Christ pour guide sur son chemin, pour conducteur dans son ascension. Il n'y a pas de doute : sans un intense exercice, sans un effort incessant, sans un désir ardent, l'esprit ne peut

Christi uestigia perfecte non sequitur, qui uiam ueritatis
haud recte ingreditur.

CAPVT LXXX

Quomodo summis conatibus nostris
diuina reuelatio occurrat

Sed nec hoc silendum, quod multi montis huius iam se
credunt apprehendisse suprema, cum constet eos eius uix
tetigisse extrema. Sit tibi certum signum quia montis huius
uerticem minime apprehendisti, si Christum clarificatum
5 nondum uidere meruisti. Mox ut te dux tuus Christus col-
locauerit in summo, apparet tibi in habitu alio, et te coram
induitur lumine sicut uestimento. Et sicut Euangelista testatur, fiunt mox *uestimenta eius alba sicut nix* [a], *et qualia non
potest fullo facere super terram* [b], quia ille diuinae sapientiae
10 splendor, qui ab alto speculationis uertice prospicitur,
omnino diffiniri non potest per humani sensus prudentiam.
Animaduerte ergo quia aliam in ualle, et aliam uestem
Christum habet in monte. In ualle sane habet uestem integram, sed in monte tantum uestem habet gloriosam. Nescit
15 penitus simplex ueritas scismatum scissuras, et iccirco siue
in ualle, siue in monte, non induit Christus nisi uestes inte-
gras. Sed multum interest inter uestem integram et uestem
gloriosam. Vultis uestium eius differentiam nosse, et inter
uestem et uestem distinctionem apertam accipere ? *Si ter-*

---

26 quia : qui
LXXX, 2 constat

---

a. Matth. 17, 2 ‖ b. Mc 9, 2

être soulevé jusqu'aux sommets de la science parfaite, parce qu'il ne suit pas parfaitement les traces du Christ, celui qui n'aborde pas en toute rectitude le chemin de la vérité.

CHAPITRE LXXX

Comment survient la révélation divine
lorsque nos efforts ont atteint leur point culminant

Cependant on ne peut non plus passer sous silence que beaucoup se croient déjà parvenus au sommet de cette montagne, alors qu'en réalité ils en ont à peine gravi les premières pentes. Que ce soit pour toi un signe évident que tu n'as nullement atteint le sommet de cette montagne, si tu n'as pas encore mérité de voir le Christ transfiguré. Aussitôt que ton guide, le Christ, t'a établi sur ce sommet, il t'apparaît dans un état différent et il s'enveloppe devant toi de lumière, comme d'un vêtement. Et comme l'atteste l'Évangéliste, bientôt *ses vêtements deviennent blancs comme neige* [a], *tels qu'aucun foulon n'en peut blanchir sur la terre* [b], parce que cette splendeur de la divine sagesse, aperçue du sommet de cette sublime spéculation, ne peut absolument pas être enfermée dans les limites prudentes de la compréhension humaine.

Fais donc attention : autre est le vêtement que le Christ porte dans la vallée, autre celui dont il se revêt sur la montagne. Sans doute porte-t-il dans la vallée un vêtement sans défaut, mais il ne porte un vêtement de gloire que sur la montagne. La vérité, dans sa simplicité, ne connaît absolument ni déchirures, ni divisions, et c'est pourquoi, aussi bien dans la vallée que sur la montagne, le Christ ne porte que des vêtements sans défaut. Mais grande est la différence entre un vêtement sans défaut et un vêtement de gloire. Voulez-vous savoir quelle différence il y a entre ces vête-

20 *rena*, inquit, *dixi uobis et non creditis, quomodo si dixero*
    uobis coelestia credetis [c] ? Distingue ergo inter doctrinam et
    doctrinam, et inuenies uestium differentiam. O quantum est
    inter doctrinam qua docentur terrena, et inter doctrinam
    qua docentur coelestia, et quidem non sine Christo, quia
25 sine ueritate non cognoscuntur uel ista, uel illa ! Quid enim
    uerum scitur, ubi ueritas non loquitur ? Christus ergo est
    qui docet utraque, sed terrena in ualle, coelestia in monte.
    Quamdiu ergo adhuc in ualle moraris, quamdiu ad alta non
    ascendis, non te docet Christus nisi de rebus terrenis et infi-
30 mis.

CAPVT LXXXI

Quam suspecta debeat esse omnis reuelatio
quam non comitatur Scripturarum attestatio

    Sed si iam te existimas ascendisse ad cor altum [a], et appre-
    hendisse montem illum excelsum et magnum, si iam te cre-
    dis Christum uidere transfiguratum, quicquid in illo uideas,
    quicquid ab illo audias, non ei facile credas, nisi occurrant
5   ei Moyses et Helyas. Scimus quia in ore duorum uel trium
    stat omne testimonium [b]. Suspecta est michi omnis ueritas
    quam non confirmat Scripturarum auctoritas, nec Christum
    in sua clarificatione recipio, si non assistant ei Moyses et
    Helyas [c]. Et in ualle et in montis ascensione Christum saepe
10 recipio sine teste, nunquam autem in montis uertice uel in

c. Jn 3, 12
a. Cf. Ps. 63, 7 ‖ b. Cf. Deut. 19, 15 ; Matth. 18, 16 ; Jn 8, 17 ; I Cor.
13, 1 ‖ c. Cf. Matth. 17, 4 ; Mc 9, 3 ; Lc 9, 30-31

ments et connaître l'évidente distinction qui les sépare l'un de l'autre ? *Si vous ne croyez pas, alors que je vous ai parlé des choses de la terre*, dit le Seigneur, *comment croirez-vous si je viens à vous parler de celles du ciel* [c] ? Distingue donc ces deux enseignements l'un de l'autre, et tu découvriras quelle différence il y a entre ces vêtements. Quelle profonde distance, en effet, entre l'enseignement qui se rapporte aux choses de la terre et celui qui se rapporte à celles du ciel, encore que rien ne soit enseigné sans le Christ, car, sans la Vérité, ni celles-ci ni celles-là ne peuvent être connues ! Que peut-on savoir de vrai, en effet, là où la Vérité ne parle pas ? C'est donc le Christ qui nous instruit des unes et des autres, mais il enseigne les choses terrestres dans la vallée, les choses célestes sur la montagne. Aussi longtemps, dès lors, que tu demeures dans la vallée, aussi longtemps que tu ne montes pas sur les hauteurs, le Christ ne t'instruit que des choses de la terre et des plus basses.

CHAPITRE LXXXI

Combien on doit tenir pour suspecte toute révélation qui n'est point accompagnée du témoignage de l'Écriture

Mais si tu crois être déjà monté au sommet de ton cœur [a] et avoir atteint cette sublime et grande montagne, si tu crois voir déjà le Christ transfiguré, tout ce que tu vois en lui, tout ce que tu entends de lui, ne le crois pas facilement, à moins que Moïse et Elie ne l'accompagnent. Nous savons que tout témoignage doit reposer sur la parole de deux ou trois témoins [b]. Toute vérité m'est suspecte, si l'autorité de l'Écriture ne la confirme, et je ne puis accueillir le Christ transfiguré, si Moïse et Elie ne sont à ses côtés [c]. J'accueille souvent le Christ, sans témoins, dans la vallée ou en gravis-

sua clarificatione. Si Christus docet me de rebus exterioribus uel de intimis meis, facile recipio, utpote in his quae
comprobare possum proprio experimento.

Verum ubi ad alta mens ducitur, quando de coelestibus
15 quaestio uentilatur, ubi de profundis rebus agitur, in tantae
sublimitatis uertice non recipio Christum sine teste, nec rata
esse poterit quamlibet uerisimilis reuelatio sine attestatione
Moysi et Helyae, sine Scripturarum auctoritate. Adhibeat
igitur sibi Christus duo testimonia in transfiguratione sua,
20 si uult ut non sit michi suspecta claritatis suae lux illa tam
magna et tam insolita. Vt ergo secundum huius documen-
tum in ore duorum uel trium suum confirmet testimonium,
ad comprobandam reuelationis suae ueritatem, non solum
figuratiue, sed etiam aperte, Scripturae exhibeat auctorita-
25 tem. Pulchrum spectaculum ualdeque iocundum, cum in
reuelatione ueritatis hinc procedit manifesta ratio, et ad
confirmationem reuelationis illinc occurrit tam aperta quam
figurata locutio. Alioquin *ab altitudine diei timebo* [d], uerens
ne forte seducar a *demonio meridiano* [e]. Vnde enim tot hae-
30 reses, unde tot errores, nisi quia spiritus erroris *transfigurat*
se in angelum lucis [f] ? Vides certe quia uterque se transfigurat, Christus uidelicet et diabolus, sed Christus lucis suae
ueritatem confirmat in duobus testibus. Apparent itaque
Moyses et Helyas cum Domino in hoc monte, apparent
35 autem in maiestate, non in obscuritate litterae, sed in claritate spiritualis intelligentiae.

LXXXI, 14 quando : quoniam ‖ 21 huius + rei ‖ 24 apertae

d. Ps. 55, 4 ‖ e. Cf. Ps. 90, 6 ‖ f. II Cor. 11, 14

sant la montagne, mais jamais au sommet de cette montagne ou lors de sa transfiguration. Si le Christ m'instruit des réalités extérieures ou de celles qui sont au dedans de moi, je l'accepte sans difficulté, car ce sont là des choses que je puis contrôler par ma propre expérience.

Mais lorsque l'esprit est conduit vers les hauteurs, lorsque est posée la question des réalités célestes, lorsqu'il s'agit de choses profondes, je n'accueille point le Christ sans témoins sur des sommets aussi sublimes, et aucune révélation, si vraisemblable qu'elle soit, ne pourra être tenue pour authentique sans que Moïse et Elie n'en témoignent, sans que les Écritures ne l'attestent. Que le Christ prenne donc avec lui deux témoins, lors de sa transfiguration, s'il veut que ne me soit pas suspecte cette lumière de sa gloire, si éclatante et si insolite. Afin donc qu'il confirme son témoignage par la bouche de deux ou trois témoins et qu'il prouve ainsi la vérité de sa révélation, comme son enseignement le demande, qu'il fasse apparaître, non seulement en figure, mais en toute clarté, l'autorité de l'Écriture. C'est un beau et très réjouissant spectacle que de voir, d'une part la raison humaine aller avec évidence au devant de la révélation divine, tandis qu'une parole aussi claire que figurée s'empresse, d'autre part, de la confirmer. S'il en était autrement, *je redouterais la clarté du plein jour* [d], craignant que le *démon de midi*, peut-être, ne me séduise [e]. Pourquoi tant d'hérésies et tant d'erreurs, en effet, sinon parce que l'esprit d'erreur *se transfigure en ange de lumière* [f] ? Tu constates, sans aucun doute, que l'un et l'autre se transfigurent, le Christ et le diable, mais, grâce à deux témoins, le Christ confirme la vérité de sa lumière. C'est la raison pour laquelle Moïse et Elie apparaissent avec le Seigneur sur cette montagne, et ils apparaissent en majesté, non pas dans l'obscurité de la lettre, mais dans l'éclat de l'intelligence spirituelle.

CAPVT LXXXII

Quam sint incomprehensibilia quae mens per excessum
uidet ex reuelatione diuina

Ecce quam magna sunt quae in hoc monte geruntur, sed
adhuc his maiora sunt quae sequuntur. Hoc enim totum
discipuli stantes aspiciunt, nondum in faciem cadunt. Nondum paterna uox auditur, nondum auditor prosternitur.
5 Nondum Rachel moritur, nondum Beniamin nascitur.

Mox enim ut paterna uox intonuit, discipulos prostrauit ᵃ.
Ad tonitruum itaque diuinae uocis auditor cadit, quia ad id
quod diuinitus inspiratur, humani sensus capacitas succumbit, et nisi humanae ratiocinationis angustias deserat, ad
10 capiendum diuinae inspirationis archanum intelligentiae
sinum non dilatat. Ibi itaque auditor cadit, ubi humana ratio
deficit. Ibi Rachel moritur, ut Beniamin oriatur ᵇ. Idem
itaque, ni fallor, per mortem Rachel et casum discipulorum
figuratur, nisi quod trium in tribus discipulis, sensus uide-
15 licet, memoriae, rationis defectus ostenditur. Ibi enim sensus corporeus, ibi exteriorum memoria, ibi ratio humana
intercipitur, ubi mens supra semetipsam rapta in superna
eleuatur.

Attendamus quam incomprehensibile sit quod paterna
20 uox insonuit, et intelligemus quam recte auditor succumbit.
Hic est, inquit, *Filius meus dilectus, in quo michi complacui* ᶜ.
Aliud est dicere *complacui*, et aliud est dicere *complacuit*, et
tamen hoc unus, illud alter Euangelista posuit. Consequens

LXXXII, 13 ni : nisi ‖ 19 incomprehensibile : comprehensibile

---

a. Cf. Matth. 17, 6 ‖ b. Cf. Gen. 35, 17-19 ‖ c. Matth. 3, 17

---

1. Baptême du Christ : *conplacui* en Matth. 3, 17 et Mc 1, 11. Pour Lc 3,
22, l'édition WEBER propose *conplacuit*, mais signale en note la variante *conplacui*. — Transfiguration : *conplacuit* en Matth. 17, 5, dans l'édition WEBER qui
signale en note la variante *conplacui*. Pour II Pierre 1, 17, *conplacui* dans l'édition WEBER avec en note la variante *conplacuit*. (suite de note p. 328)

CHAPITRE LXXXII

Combien sont incompréhensibles les choses
que l'esprit voit dans ses transports, par révélation divine

Comme elles sont grandes, les choses qui se passent sur la montagne, mais celles qui suivent sont plus grandes encore. C'est debout que les disciples voient en effet tout cela ; ils ne tombent pas encore la face contre terre. La voix du Père ne se fait pas encore entendre ; celui qui l'écoute ne s'est pas encore prosterné. Rachel ne meurt pas encore, Benjamin ne naît pas encore.

Mais aussitôt que la voix du Père a éclaté, elle a jeté à terre les disciples [a]. Ainsi, au coup de tonnerre de la voix divine, celui qui l'entend tombe à terre, car, en présence de ce qui lui est divinement inspiré, l'esprit humain perd tous ses moyens, et s'il ne s'évade pas des étroites limites du raisonnement humain, il ne peut élargir la capacité de son intelligence afin d'y recevoir les enseignements secrets de l'inspiration divine. Celui qui écoute tombe à terre, là où l'humaine raison défaille. Rachel meurt, afin que Benjamin vienne au monde [b]. Ainsi rien d'autre n'est figure, si je ne me trompe, par la mort de Rachel et la prosternation des disciples, si ce n'est la triple défaillance des sens, de la mémoire et de la raison. Là en effet où les sens corporels, les souvenirs des choses extérieures et la raison humaine s'évanouissent, c'est là que l'esprit, ravi au-dessus de lui-même, est enlevé vers les hauteurs.

Considérons à quel point est incompréhensible ce qu'a fait retentir la voix du Père, et nous comprendrons qu'il est bien juste que défaille celui qui l'entend : *Celui-ci est mon fils bien-aimé*, dit-il, *en qui je me suis complu* [c]. Autre chose est de dire : *Je me suis complu*, autre chose de dire : *J'ai mis ma complaisance*, et pourtant l'un des Évangélistes a employé la première formule, l'autre la seconde[1]. Il faut en

est autem ut si ibi ueraciter dictum est *complacui*, sensus qui
25 ab alio Euangelista ponitur possit ueraciter intelligi, sed non
potest conuerti. Vere et absque contradictione in ipso michi
complacuit, in quo ipse michi complacui, sed non statim in
quocumque michi complacuit, in illo ipse michi complacui.
Si igitur *complacui* ibi dictum non esset, nullo modo Euan-
30 gelista hoc dicere auderet : *Hic est*, inquit, *Filius meus, in
quo michi complacui*. Certe si Filius aliud quam Pater esset,
posset Patri in Filio complacere, sed ipse Pater sibi in Filio
complacere non posset. Quid est dicere *complacui*, nisi quomodo placui michi in memetipso, ita placui michi in Filio ?
35 An forte in eo quod dicit *michi complacui*, in hoc suo bene-
placito socium se habere ostendit ? Quia quomodo Patri
complacet in Filio, sic in Filio complacet et Spiritui sancto.
Vel forte iccirco dicitur *complacui*, ut inde detur intelligi
quia quomodo Pater sibi complacet in Filio, sic sibi nimi-
40 rum complacet in Spiritu sancto.

Quid horum rectius dicitur ? An potius totum hoc quam
unum horum aliquod singulariter intelligitur ? Haec adhuc
uerba aliter atque aliter distingui possent, si ad misterii pro-
funditatem intimandam minus ista sufficerent. Certum
45 autem est quia quicquid horum eligitur, unitatem substan-
tiae in diuersis personis astruit si recte intelligatur. Nam
illud quod dicitur : *Hic est Filius meus*, personarum diuer-
sitatem ostendit : unus enim atque idem sibi ipsi et Pater et

---

32 sibi pater ‖ 34 memetipso : meipso ‖ 36 patri ; pater ‖ 43 misterii :
ministerii ‖ 45 quis : quid

(suite de la n. 1, p. 326) Richard établit entre les formes verbales *conplacui*
(personnel) et *conplacuit* (impersonnel) une subtile distinction qui lui permet de voir dans la formule : *in quo michi complacui* une affirmation de
l'unité au sein de la Trinité ; de même que le Père se complaît à lui-même
en lui-même, de même il se complaît à lui-même en son Fils : « *Quid est
dicere "complacui", nisi : Quomodo placui michi in memetipso, ita placuit
michi in Filio ?* » (formule relevée parmi les plus notables dans l'Index de
l'édition de 1650 des *Opera* de Richard).

conclure que si ici il a été dit en toute vérité : *Je me suis complu*, le sens de ce qui est dit par l'autre Évangéliste peut être entendu d'une manière conforme à la vérité. Mais l'inverse n'est pas possible. On peut dire en vérité et sans contradiction : « J'ai mis ma complaisance en celui en qui je me suis moi-même complu », mais non pour autant : « En celui, quel qu'il soit, en qui j'ai mis ma complaisance, je me suis complu ». Si donc il n'avait pas été dit ici : *Je me suis complu*, l'Évangéliste n'oserait nullement dire : *Celui-ci est mon Fils bien-aimé, en qui je me suis complu*. Certes, si le Fils était autre chose que le Père, il pourait y avoir complaisance de la part du Père pour le Fils, mais le Père ne pourrait se complaire à lui-même dans le Fils. Qu'est-ce à dire : *Je me suis complu*, sinon : « Comme je me suis complu à moi-même en moi-même, ainsi je me suis complu dans le Fils » ? A mois qu'en disant : *Je me suis complu*, il montre que dans cette complaisance, la sienne, il possède un compagnon ? Car, de même que le Père se complaît dans le Fils, de même, dans le Fils, il se complaît aussi dans le saint Esprit. Ou peut-être la raison pour laquelle il est dit : *Je me suis complu*, est-elle de donner à entendre que tout comme le Père se complaît dans le Fils, de même assurément, il se complaît dans l'Esprit saint.

De ces interprétations, laquelle est la plus juste ? Mais peut-être faut-il tout retenir plutôt que d'accepter isolément l'une d'elles ? Ces mots pourraient faire d'ailleurs l'objet de bien d'autres distinctions, si ce qu'on vient d'en dire ne suffisait à nous introduire dans la profondeur du mystère. Il est certain cependant que la solution choisie, quelle qu'elle soit, si on la comprend bien, confirme l'unité de la substance dans la diversité des personnes. Les mots : *Celui-ci est mon Fils*, montrent en effet la diversité des personnes, car une seule et même personne ne pourrait être, vis-à-vis d'elle-même, à la fois Père et Fils. Mais quelle intelligence est capable de

Filius esse non posset. Sed quis sensus hoc capiat, quomodo
50 unus ad alium sit, alius in persona, idem in essentia ? Si
exemplum quaeris, nusquam creaturarum inuenis quod tibi
satisfacere ualeat ; si rationem consulas, omnis humana ratio
reclamat. In tantum enim est ista assertio supra omnem
humanam aestimationem et praeter omnem humanam ratio-
55 nem, ut nunquam ei ratio acquiesceret, nisi ad huius rei certitudinem fides eam subleuaret. Merito ergo in huius misterii reuelatione auditor cadit, sensus deficit, humana ratio
succumbit.

CAPVT LXXXIII

Quod illa mens diuinas reuelationes percipit
quae in intimis stare consueuit

Merito talis reuelatio non est facta nisi in monte, neque
enim misterii huius tam profunda sublimitas et tam sublimis profunditas debuit manifestari in ualle. Qui enim
conuersatione uel cogitatione adhuc in imo sunt, huius
5 muneris dignatione indignos se esse ostendunt.
Ascendat ergo homo ad cor altum ᵃ, *ascendat* in montem
istum, si uult illa capere, si uult illa cognoscere quae sunt
supra sensum humanum. *Ascendat* per semetipsum supra
semetipsum. Per cognitionem sui, ad cognitionem Dei.
10 Discat prius homo in Dei imagine, discat in eius similitu-
dine, quid debeat de Deo cogitare. Montis ascensio, ut dic-

LXXXIII, 5 esse *om.*

---

a. Cf. Ps. 63, 7 (*Accedet homo ad cor altum,* Vulg.)

2. Par suite d'un homéoteleute, les cinq mots « aestimationem et praeter omnem humanam » ont été omis par un grand nombre de manuscrits
appartenant au groupe *a*.

comprendre comment l'un, par rapport à l'autre, est à la fois un autre quant à la personne, le même quant à l'essence ? Si tu cherches un exemple, tu n'en trouves nulle part, parmi les créatures, qui puisse te satisfaire ; si tu en appelles au raisonnement, toute raison humaine proteste. Une telle affirmation, en effet, dépasse à ce point toute réflexion humaine, elle est si étrangère à toute raison humaine [2], que jamais la raison n'aurait consenti à l'admettre, si la foi ne l'avait soulevée jusqu'à pareille certitude. C'est donc à juste titre, au moment où ce mystère lui est dévoilé, que l'auditeur tombe à terre, que l'intelligence défaille, que succombe l'humaine raison.

CHAPITRE LXXXIII

Que l'esprit qui perçoit les révélations divines est celui qui a l'habitude de se tenir au plus profond de lui-même

C'est en effet à juste titre qu'une telle révélation ne se produit que sur la montagne et qu'un mystère d'une si profonde sublimité et d'une si sublime profondeur n'aurait pas dû être manifesté dans la vallée. De fait, ceux dont le comportement et la pensée en restent encore à des choses basses, montrent qu'ils sont indignes de mériter ce don.

Que l'homme gravisse donc le sommet de son cœur [a], qu'il fasse l'ascension de cette montagne, s'il veut saisir, s'il veut connaître ce qui est au-dessus de toute compréhension humaine. Qu'à travers lui-même *il monte* au-dessus de lui-même. Que par la connaissance de soi il parvienne à la connaissance de Dieu. Que l'homme apprenne d'abord dans l'image de Dieu, qu'il apprenne dans la ressemblance de Dieu ce qu'il doit penser de Dieu. L'ascension de la montagne, on

tum est, pertinet ad cognitionem sui ; ea quae supra montem
geruntur prouehunt ad cognitionem Dei. Illud ad Ioseph,
ista ad Beniamin pertinere dubium non est. Ante Beniamin
15 Ioseph nasci necesse est. Mens quae se ad sui considerationem non subleuat, quando ad ea quae supra ipsam sunt
penna contemplationis euolat ? In hunc montem Dominus
descendit, Moyses ascendit [b]. In hoc monte de tabernaculi
constructione Dominus docuit, Moyses didicit [c].
20   Quid per tabernaculum foederis, nisi status intelligitur
perfectionis ? Qui igitur montem ascendit, qui diligenter
attendit, qui diutius quaerit, qui tandem inuenit qualis sit,
restat ut ex diuina reuelatione cognoscat qualis esse debeat,
quale mentis aedificium Deo praeparare, quibus obsequiis
25 Deum placare oporteat. Mens igitur quae adhuc per uaria
desideria spargitur, quae uariis cogitationibus huc illucque
distrahitur, quando, putas, hanc gratiam accipere merebi-
tur ? Quae nondum potest seipsam in unum colligere, quae
nondum nouit ad seipsam intrare, quando poterit ad ea quae
30 supra ipsam sunt contemplatione ascendere ?

CAPVT LXXXIV

Quomodo mens se ad interiora colligere debet
quae in coelestium contemplationem anhelat

Discat ergo dispersiones Israelis congregare [a], studeat euag-
gationes mentis restringere, assuescat in intimis suis immo-

---

16 quando : quomodo ǁ 29 seipsam : semetipsam

b. Cf. Ex. 19, 20 ǁ c. Cf. Ex. 20, 24-25 ; 25, 9-40 ; 26-30
a. Cf. Ps. 146, 2 (*dispersiones Israel congregabit*, Vulg.)

l'a dit, se rapporte à la connaissance de soi ; ce qui se passe au sommet de la montagne transporte vers la connaissance de Dieu. Il n'y a pas de doute que celle-là appartienne à Joseph, celle-ci à Benjamin. Il est nécessaire que Joseph vienne au monde avant Benjamin. L'esprit qui ne s'élève pas jusqu'à la connaissance de lui-même, quand donc prend-il son vol, sur les ailes de la contemplation, vers ce qui est au-dessus de lui-même ? Le Seigneur est descendu sur cette montagne, Moïse en a fait l'ascension [b]. C'est sur cette montagne que le Seigneur a donné ses instructions pour la construction du tabernacle et que Moïse en a été instruit [c].

Que signifie l'arche de l'alliance, sinon la perfection ? Celui qui fait donc l'ascension de cette montagne, qui considère avec attention, qui cherche avec persévérance, qui découvre enfin ce qu'il est, il lui reste à connaître par divine révélation ce qu'il doit être, quelle demeure il doit préparer à Dieu en son esprit, quels hommages il doit rendre à Dieu pour le satisfaire. Mais l'esprit qui se répand encore en vains désirs, qui se laisse entraîner çà et là par ses pensées changeantes, quand donc méritera-t-il, crois-tu, de recevoir cette grâce ? L'esprit qui ne peut encore se recueillir et parvenir à l'unité, qui ne sait pas encore rentrer en lui-même, quand donc pourra-t-il s'élever par la contemplation jusqu'à ce qui est au-dessus de lui-même ?

CHAPITRE LXXXIV

Comment doit se recueillir intérieurement l'esprit
qui aspire à contempler les choses du ciel

Qu'il apprenne à rassembler les dispersions d'Israel [a], qu'il s'efforce de contenir les divagations de son esprit, qu'il s'accoutume à demeurer au plus profond de lui-même, celui

rari, exteriora omnia obliuisci, qui ad coelestium contemplationem anhelat, qui in diuinorum notitiam suspirat.
5 Faciat ecclesiam, non solum desideriorum, uerum etiam
cogitationum, ut discat uerum bonum solum amare, et
ipsum solum indesinenter cogitare. *In ecclesiis*, inquit, *benedicite Deo* [b]. In hac namque gemina ecclesia, cogitationum
uidelicet et desideriorum, in hac gemina unanimitate stu-
10 diorum et uoluntatum, Beniamin in excelsum rapitur, et
mens diuinitus afflata in superna eleuatur : *Ibi*, inquit,
Beniamin adolescentulus in mentis excessu [c]. Vbi, putas, nisi
in ecclesiis ? *In ecclesiis benedicite Deo, Domino de fontibus
Israel* [d]. *Ibi Beniamin adolescentulus, in mentis excessu* [e].

15 Prius tamen est cuique ut faciat de cogitationibus uel desi-
deriis suis Synagogam, quam Ecclesiam. Nostis satis quod
Synagoga congregatio, Ecclesia interpretatur conuocatio.
Aliud est sine uoluntate seu contra uoluntatem aliqua in
unum cogere, atque aliud per seipsa ad nutum iubentis
20 sponte occurrere. Insensibilia et bruta congregari possunt,
conuocari autem non possunt. Sed et ipsorum quoque ratio-
nalium concursus spontaneo nutu fit, ut iure conuocatio dici
possit. Vides ergo quantum sit inter conuocationem et
congregationem, et inter Ecclesiam et Synagogam.

25 Si igitur praesenseris desideria tua circa exteriores delectationes affici, et cogitationes tuas in eis iugiter occupari,
cum magna sollicitudine compelle intrare, ut possis saltem
ex eis interim Synagogam facere. Quotiens enim euagationes

LXXXIV, 6 cogitationum : cognitionum

b. Ps. 67, 27 ‖ c. Ps. 67, 28 ‖ d. Ps. 67, 27 ‖ e. Ps. 67, 28

qui aspire, hors d'haleine, à contempler les choses du ciel, celui à qui la connaissance des choses divines arrache des soupirs. Que non seulement de ses désirs, mais aussi de ses pensées, il fasse une église, afin d'apprendre à aimer le seul bien véritable et à ne penser sans cesse qu'à lui. Il est écrit : *Bénissez Dieu dans les églises* [b]. C'est dans cette double église, celle des pensées et celle des désirs, dans cette double unanimité, celle des efforts et celle des volontés, que Benjamin est ravi jusque dans les hauteurs et que l'esprit, emporté par un souffle divin, est élevé jusqu'aux sommets. *Là est Benjamin, jeune adolescent,* est-il écrit, *dans le transport de l'esprit* [c]. Où donc, crois-tu, si ce n'est dans les églises ? *Dans les églises bénissez Dieu, le Seigneur des sources d'Israel* [d]. *Là est Benjamin, ce jeune adolescent, dans le transport de l'esprit* [e].

Il faut pourtant que chacun fasse de ses pensées ou de ses désirs une Synagogue, avant d'en faire une Église. Vous savez bien que Synagogue signifie réunion, alors qu'Église signifie convocation. Or rassembler des êtres sans qu'ils le veuillent ou contre leur volonté est une chose, les faire accourir d'eux-mêmes et spontanément sur un signe de celui qui les appelle en est une autre. Les êtres inanimés et les animaux peuvent être rassemblés, ils ne peuvent être convoqués. Mais un rassemblement d'êtres raisonnables doit se réaliser d'un mouvement spontané pour qu'on ait le droit de l'appeler convocation. Tu vois donc toute la différence qu'il y a entre convocation et rassemblement, entre l'Église et la Synagogue.

Dès lors, si tu pressens que tes désirs risquent d'être affectés par des jouissances extérieures et que tes pensées risquent de s'y arrêter d'une manière durable, force les à rentrer, avec beaucoup d'application, afin que tu puisses, en attendant, en faire au moins une Synagogue. Chaque fois, en effet, que nous ramenons à l'unité les divagations de notre esprit et que nous dirigeons tous les mouvements de

mentis in unum colligimus et omnes cordis motus in uno
30 aeternitatis desiderio figimus, quid aliud quam de illa interna
familia Synagogam facimus ?

Sed cum iam illa desideriorum nostrorum cogitatio-
numque frequentia, illius internae dulcedinis degustatione
allecta, ad nutum rationis sponte occurrere, et in intimis fixa
35 stare didicerit, Ecclesiae utique nomine ulterius digne cen-
seri poterit. Discamus ergo sola interiora bona amare, discamus sola illa frequentius cogitare, et quales Beniamin diligere scimus, proculdubio ecclesias efficimus.

CAPVT LXXXV

Quam sit iocundum et dulce contemplationis
gratiam familiarem habere

In huiusmodi siquidem ecclesiis Beniamin libenter immo-
ratur, mirabiliter delectatur, et cum seipsum prae gaudio iam
capere non possit, supra seipsum ducitur, et per excessum
mentis in summa eleuatur. Nisi enim in internorum contem-
5 platione Beniamin noster delectabiliter requiesceret, de eo
procul dubio per Moysen scriptum non esset : *Beniamin
ait : Amantissimus Domini, habitabit in eo confidenter ; tota
die quasi in thalamo commorabitur, et inter humeros illius
requiescet* [a].
10 Quid, putas, causae est quod iste Beniamin tota die in thalamo moram facit, quod ibi iugiter requiescit, in tantum ut

35 digna
LXXXV, 4 internorum : interiorum

a. Deut. 33, 12

1. « Causae » est omis par plusieurs manuscrits du groupe *b*.

notre cœur vers un seul désir, celui de l'éternité, faisons-nous autre chose que de transformer en Synagogue cette famille intérieure ?

Mais une fois que la foule de ces désirs et de ces pensées, ayant pris envie de goûter cette douceur intérieure, aura appris à accourir d'elle-même, sur un signe de la raison, et à se tenir fermement au plus profond de l'esprit, alors on pourra penser qu'elle est digne désormais du nom d'Église. Apprenons donc à n'aimer que les biens intérieurs ; apprenons à ne penser continuellement qu'à eux, et, sans aucun doute, nous constituerons des églises telles que Benjamin, nous le savons, les aime.

CHAPITRE LXXXV

Combien il est agréable et doux de jouir habituellement de la grâce de la contemplation

C'est dans de telles églises, en effet, que Benjamin demeure avec plaisir, qu'il goûte de merveilleuses délices, et lorsque dans sa joie il ne peut plus se contenir, c'est là qu'il est emporté au-dessus de lui-même et qu'il est élevé sur les sommets dans le transport de l'esprit. De fait, si notre Benjamin ne se reposait avec délice dans la contemplation des réalités intérieures, Moïse, sans aucun doute, n'aurait pas écrit à son sujet : *Il dit de Benjamin : Bien-aimé du Seigneur, il habitera sans crainte auprès de lui ; il demeurera tout le jour comme en une chambre nuptiale, et il reposera entre ses épaules* [a].

Pour quelle raison [1], crois-tu, ce Benjamin s'attarde-t-il ainsi tout le jour dans la chambre nuptiale ? Pour quelle raison y repose-t-il sans discontinuer, au point de n'en pas

nec ad horam saltem exire uelit ? Illud autem scimus quod
in thalamis soleant sponsus et sponsa simul morari, amoris
obsequiis in alterutrum occupari, mutuis amplexibus et cari-
15 tate alterna confoueri. Mirandae ergo pulchritudinis et formae singularis, ni fallor, praerogatiua pollet, quaecumque sit
illa Beniamin nostri dilecta, cuius contubernium nunquam
fastidire ualet, a cuius amplexibus nec ad horam abesse
uolet. Sed si iam uocem illam huius Beniamin esse agnosci-
20 mus, quantae pulchritudinis sit eius dilecta minime dubitamus : Dixi *sapientiae, soror mea es, et prudentiam* uocaui
amicam meam [b]. Vultis audire quam non possit fastidire
huius dilectae suae pulchritudinem, quam sororem et amicam uocat, propter castam et ardentissiman dilectionem ?
25 *Intrans in domum meam,* inquit, *conquiescam cum illa. Non*
enim habet amaritudinem conuersatio illius, nec taedium
conuictus ipsius, sed laetitiam et gaudium [c], *et in amicitia*
illius delectatio bona [d]. Dicat quisque quod sentiat, ego aliam
causam non inuenio quae illum intrinsecus ita ligatum
30 teneat, ut nec ad modicum quidem exire ualeat.

Vnum autem scio, quia quisquis huiusmodi amicae desiderio flagrat, quanto eam familiariter nouit, tanto amplius
amat, et quo frequentius eius fruitur amplexibus, eo uehementius eius desiderio aestuat. Eius siquidem frequens
35 contubernium solet sane desiderium non minuere sed
augere, et amoris incendium acrius inflammare. Mirum ergo
non est cur iste Beniamin tota die quasi in thalamo com-
moratur, qui talis sponsae dulcedine fruitur, et inter humeros illius requiescens, eius amore iugiter delectatur. Quam,
40 putas, frequentes mentis excessus patitur, quam saepe in

---

17 dilecta + et ‖ 19 illam *om.* ‖ 22 quam : quod ‖ 28 quod : quid

---

b. Prov. 7, 4 (*Dic sapientiae : Soror mea es, et prudentiam uoca amicam*
tuam, Vulg.) ‖ c. Sag. 8, 16 ‖ d. Sag. 8, 18

vouloir sortir, ne fût-ce qu'une heure ? Mais nous savons
bien qu'un époux et une épouse ont coutume de s'attarder
ensemble dans leur chambre, de passer leur temps à se donner des marques d'amour l'un à l'autre, de se réchauffer en
de mutuelles étreintes de tendresse réciproque. Elle a donc,
si je ne me trompe, le privilège d'une merveilleuse beauté et
d'une grâce singulière, la bien-aimée de notre Benjamin,
quelle qu'elle soit, puisqu'il ne peut se lasser de demeurer
auprès d'elle et qu'il ne veut pas, ne serait-ce qu'une heure,
s'arracher de ses bras. D'ailleurs, si nous reconnaissons
comme étant celle de Benjamin, la voix qui a déclaré : *J'ai
dit à la sagesse : tu es ma sœur, et j'ai appelé la prudence mon
amie* [b], nous ne pouvons douter le moins du monde de la
grande beauté de sa bien-aimée. Voulez-vous lui entendre
dire qu'il ne peut se lasser de la beauté de cette bien-aimée,
qu'il appelle sa sœur et son amie, à cause de son chaste et
très ardent amour ? *Entrant dans ma maison*, dit-il, *je me
reposerai auprès d'elle, car il n'y a point d'amertume en sa
conversation, ni d'ennui en sa compagnie, mais contentement
et joie* [c], *car son amitié est bonne et délectable* [d]. Que chacun
dise ce qu'il en pense. Pour moi je ne trouve aucune autre
raison qui le tienne si profondément lié, au point de ne pouvoir s'éloigner, si peu que ce soit.

De quiconque brûle de désir auprès d'une telle amie, je
sais cependant une chose : plus il la connaît intimement, plus
il l'aime ardemment, et plus souvent il jouit de ses embrassements, plus devient violent le désir dont il brûle. Un com-
merce répété a d'ailleurs généralement pour résultat, non de
diminuer le désir, mais de l'accroître et de rendre plus brû-
lantes les flammes de ce brasier d'amour. Il n'est donc pas
étonnant que ce Benjamin demeure pour ainsi dire tout le
jour dans la chambre nuptiale, lui qui jouit de la douceur
d'une telle épouse et qui, reposant entre ses épaules, trouve
de continuelles délices en son amour. Que de fois les transports de l'esprit le saisissent, n'est-ce pas, que de fois, ravi

extasim raptus supra seipsum ducitur, dum pulchritudinis
eius magnitudine attonitus, in eius admiratione suspenditur,
et impletur absque dubio quod de eo legitur : *Beniamin adolescentulus in mentis excessu* e.

45   Notandum sane quomodo sibi occurrant testimonia
Scripturarum. Quod enim Propheta per Rachelis interitum,
quod Euangelista designat per casum discipulorum, hoc
Psalmista exprimit in Beniamin per mentis excessum.

CAPVT LXXXVI

De duobus generibus contemplationum

Possumus tamen per mortem Rachel et per excessum
Beniamin diuersa contemplationum genera non inconue-
nienter intelligere.

Constat siquidem duo contemplationum genera supra
5   rationem esse, et utrumque ad Beniamin pertinere. Et primum quidem est supra rationem, sed non praeter rationem,
secundum autem et supra rationem et praeter rationem. Illa
sane supra rationem sed praeter rationem non sunt, quae
quamuis ratio patitur esse, nulla tamen humana ratione
10   inuestigari uel conuinci possunt. Illa tamen dicimus et supra
rationem, et praeter rationem esse, quibus uidetur omnis
humana ratio contraire. Qualia sunt ea quae de Trinitatis
unitate credimus, et multa quae de corpore Christi indubi-
tata fidei auctoritate tenemus. Quod enim in una et simplici
15   essentia triplex persona sit, uel quod unum idemque corpus

---

LXXXVI, 9 humana *om.* ‖ 10 tamen : autem ‖ 15 essentia : natura

---

e. Ps. 67, 28

---

1. La position de Richard à propos « des choses qui sont contre la raison » diffère un peu de celle de Hugues, dans le *De sacramentis* ; voir *supra*
LXXIV, n. 2. Voir aussi *Introduction, supra*, p. 52-53

en extase, il est emporté au-dessus de lui-même, tandis que frappé de stupeur par la grandeur de sa beauté, il est suspendu d'admiration pour elle et que s'accomplit, sans nul doute, ce qu'on lit à son sujet : *Benjamin, jeune adolescent, dans le transport de l'esprit* [e].

Il faut remarquer, certes, comment les témoignages de l'Écriture s'accordent. Ce que le Prophète a en effet signifié par la mort de Rachel, ce que l'Évangéliste indique lorsque les disciples tombent à terre, le Psalmiste l'exprime, en la personne de Benjamin, par le transport de l'esprit.

CHAPITRE LXXXVI

Des deux genres de contemplations

On peut cependant interpréter la mort de Rachel et le transport de l'esprit de Benjamin, sans aucun inconvénient, comme des genres de contemplations différents.

Il y a en effet deux genres de contemplations atteignant ce qui est au-dessus de la raison, et l'un et l'autre se rapportent à Benjamin. Or, le premier est au-dessus de la raison, mais non contre la raison, tandis que le second est au-dessus de la raison et contre raison [1]. Les choses qui sont au-dessus de la raison mais non contre la raison sont celles dont la raison admet l'existence sans qu'aucune raison humaine ne soit pour autant capable de la scruter ou de la démontrer. Celles dont nous disons en revanche qu'elles sont au-dessus de la raison et contre la raison, sont celles que toute raison humaine semble devoir contredire. Ainsi en est-il de ce que nous croyons de l'unité de la Trinité, et de tant de choses concernant le corps du Christ que nous tenons par l'autorité incontestable de la foi. Qu'il y ait en effet trois personnes dans une essence une et simple, ou qu'un seul et même corps puisse être au même instant en

eodem in tempore in diuersis locis esse possit, nulla humana ratio patitur, et huiusmodi assertionibus omnis absque dubio ratiocinatio reclamare uidetur.

Haec sunt itaque duo illa genera contemplationum, quo-
20   rum unum ad mortem Rachel, alterum pertinet ad Beniamin excessum. In primo Beniamin interficit matrem, ubi omnem supergreditur rationem ; in secundo autem etiam seipsum excedit, ubi in eo quod ex diuina reuelatione cognoscit, humanae intelligentiae modum transcendit.

25   Hoc autem non solum in Beniamin, sed et in omnibus eius fratribus oportet attendere, immo in innumeris Scripturarum locis diligenter obseruare, quomodo soleat Scriptura diuina circa eamdem rem nunc significationem extendere, modo restringere, uel etiam mutare. Solet autem
30   hos alternantium significationum modos, modis multis determinare, et modo per locum, modo per actum, uel aliis quibusque circumstantiis, sensum suum aperire. Per locum determinatur, sicut est illud ubi Beniamin in Aegyptum descendisse legitur. Per actum, sicut ibi ubi Ioseph et Beniamin
35   in mutuos amplexus ruunt, et alterna oscula iungunt [a].

CAPVT LXXXVII

Quomodo contemplatio desinat in meditationem uel
quomodo meditatio surgat in contemplationem

Quid est Beniamin in Aegyptum descendere, nisi ab aeternorum contemplatione ad temporalia contemplanda intuitum mentis reuocare, et ab aeternitatis luce quasi de

---

23 cognoscitur ǁ 26 eius *om.*

---

a. Cf. Gen. 45, 14

des lieux différents, aucune raison humaine ne l'admet, et tout raisonnement, sans aucun doute, semble protester contre de pareilles assertions.

Tels sont donc les deux genres de contemplations dont l'un se rapporte à la mort de Rachel, l'autre au transport de l'esprit de Benjamin. Dans le premier cas, Benjamin tue sa mère lorsqu'il s'élève au-dessus de toute raison ; mais dans le second, il se dépasse lui-même, lorsqu'en ce qu'il connaît par révélation divine il transcende les possibilités de l'intelligence humaine.

Il faut cependant remarquer, non seulement à propos de Benjamin, mais à propos de tous ses frères, mieux encore, il faut observer avec soin en d'innombrables passages des Écritures divines, comment celles-ci ont l'habitude, en parlant d'une même chose, tantôt d'en élargir la signification, tantôt de la restreindre, ou même de la changer. C'est de bien des manières qu'elles ont coutume de procéder pour déterminer les modes variables de ces significations alternées. Elles en découvrent le sens par des indications se rapportant tantôt aux lieux, tantôt aux actes, ou à quelque autre circonstance. C'est par le lieu qu'elles le déterminent là où il est écrit que Benjamin descendit en Égypte ; c'est par des actes, en ce passage où Joseph et Benjamin se jettent dans les bras l'un de l'autre et s'étreignent en échangeant leurs baisers [a].

CHAPITRE LXXXVII

Comment la contemplation s'achève dans la méditation, et comment la méditation surgit en contemplation

Que signifie cette descente de Benjamin en Égypte, sinon que le regard de l'esprit se détourne de la contemplation des réalités éternelles pour celle des choses temporelles, que les

coeli uertice usque ad mutabilitatis tenebras intelligentiae
5 radios deponere, et in tanta alternantium rerum confusione
diuinorum iudiciorum rationem perpendere, et ex magna
parte penetrare ?

Et quid est quod Ioseph et Beniamin conueniunt, et
oscula iungunt, nisi quod meditatio et contemplatio saepe
10 inuicem sibi cum rationis attestatione occurrunt ? Nam
quantum ad generalem considerationem pertinet, sicut per
Beniamin gratia contemplationis, sic per Ioseph intelligi
ualet gratia meditationis. Proprie tamen et expressius per
Beniamin designatur intelligentia pura ; per Ioseph uero
15 prudentia uera. Per Beniamin scilicet illud genus contemplationis quod est de inuisibilibus ; per Ioseph illud genus
meditationis quod est in moribus. Comprehensio siquidem
rerum inuisibilium pertinet ad intelligentiam puram ; circumspectio uero morum pertinet ad prudentiam ueram.
20 Intelligentiam puram dicimus, quae est sine admixtione imaginationis ; prudentiam autem ueram ad differentiam eius
quae dicitur prudentia carnis. Prudentia uera est de acqui-
rendis, multiplicandis, conseruandis ueris bonis, prudentia
autem carnis est de bonis transitoriis, secundum quam *filii*
25 *huius saeculi dicuntur prudentiores filiis lucis* [a]. Totiens ergo
Ioseph super collum Beniamin ruit, quotiens meditatio in
contemplationem desinit. Tunc Beniamin fratrem suum
super se ruentem excipit, quando ex studio meditationis animus in contemplationem surgit. Tunc Beniamin ex Ioseph
30 oscula iungunt, quando diuina reuelatio et humana ratiocinatio in una ueritatis attestatione consentiunt.

LXXXVII, 4 uertice coeli

a. Lc 16, 8

rayons de l'intelligence se détachent de la lumière de l'éternité et pour ainsi dire du sommet du ciel pour les ténèbres de ce qui est soumis au changement, et que dans l'extrême confusion de ces alternances ils pèsent attentivement les raisons des jugements divins et les pénètrent en grande partie ?

Et que signifie la rencontre de Joseph et de Benjamin, ainsi que les baisers qu'ils échangent, sinon que la méditation et la contemplation viennent souvent au-devant l'une de l'autre, comme en témoigne la raison ? Si l'on considère les choses d'un point de vue général, en effet, de même que l'on peut voir en Benjamin la grâce de la contemplation, de même peut-on voir en Joseph la grâce de la méditation. A proprement parler, cependant, et d'une manière plus précise, Benjamin signifie l'intelligence pure, et Joseph la véritable prudence ; Benjamin, ce genre de contemplation qui a pour objet les réalités invisibles, Joseph, ce genre de méditation qui s'occupe de la manière dont on doit se conduire. En effet la compréhension des réalités invisibles relève de l'intelligence pure, tandis que la considération des réalités de la vie morale relève de la véritable prudence. Nous appelons intelligence pure, celle qui est exempte de tout mélange avec l'imagination, et nous parlons de véritable prudence par opposition à celle qu'on appelle prudence de la chair. La véritable prudence est celle qui s'occupe d'acquérir, de multiplier et de conserver les biens véritables, alors que la prudence de la chair se soucie des biens qui passent, et c'est par référence à cette prudence de la chair *que les fils de ce siècle sont dits plus prudents que les fils de lumière* [a]. Joseph se jette au cou de Benjamin chaque fois que la méditation s'achève en contemplation. Lorsque Benjamin reçoit son frère qui se précipite dans ses bras, c'est l'esprit qui passe des efforts de la méditation à la contemplation. Lorsque Benjamin et Joseph échangent leurs baisers, c'est la révélation divine et le raisonnement humain qui s'accordent dans une commune affirmation de la vérité.

Videsne quomodo diuina Scriptura circa unam eamdemque rem significationis modum alternat, ubique tamen aliquid adiungit unde sensum suum ex toto latere non sinat ? 35 In morte Rachel contemplatio supra rationem ascendit ; in introitu Beniamin in Aegyptum contemplatio usque ad imaginationem descendit ; in deosculatione Beniamin et Ioseph diuinae reuelationi humana ratio applaudit.

Explicit liber Ricardi de Patriarchis

38 reuelatione

Vois-tu comment la divine Écriture change de moyens d'expression pour signifier une seule et même chose, en prenant soin cependant d'y ajouter partout quelque précision afin de n'en point dissimuler complètement la signification ? La mort de Rachel signifie que la contemplation s'élève au-dessus de la raison ; l'entrée de Benjamin en Égypte, que la contemplation redescend jusqu'à l'imagination ; les embrassements de Benjamin et de Joseph, que la révélation divine reçoit les applaudissements de la raison humaine.

Fin du livre de Richard : *Les Patriarches*

INDEX

I. INDEX SCRIPTURAIRE

Les références aux allusions scripturaires sont précédées d'un astérisque. Les chiffres [2...] en exposant indiquent la présence, dans le chapitre correspondant, de plusieurs citations ou références au même verset.

II. INDEX DES NOMS PROPRES

(sauf ceux de l'Ancien Testament)

III. INDEX DES MOTS

Le présent index n'a rien d'exhaustif et le choix des mots demeure en partie arbitraire. Lorsque les mots relevés ne figurent pas plus de dix fois dans le texte, les références sont données aux chapitres où ils se rencontrent (avec en exposant le nombre d'occurrences dans le chapitre). En revanche, pour les mots d'un emploi fréquent (surtout les termes philosophiques ou spirituels, comme *ratio* [88 emplois], *mens* [85], *amor* [55], *uirtus* [48], *contemplatio* [36], etc. ; plus d'autres mots familiers à Richard), seul a été indiqué, entre parenthèse, le nombre des occurrences : le but est de souligner, à partir de leur fréquence, leur plus ou moins grande importance dans la pensée de Richard et dans son expression. Un index développé peut être communiqué par le Secrétariat des Sources Chrétiennes.

blandior : 10.24.33.49.51
bonitas : 3².12

cacumen : 75.78.79
calco : 26³.36.47
cantus : 15
captiuo : 49
caritas : 41⁵.52.65.85
carius : 49
carnalis : (12)
castigo : 20³.41².45
casus : 62².82.85
caute : 43.62.66.70
cautela : 56.67
cautus : 43.68
celsitudo : 75.79
cerno : 3².19.27.74
certitudo : 65.82
circumcido : (13)
circumcisio : 50.53².54.55
circumquaque : 29
circumspectio : 87
circumspectus : 49
circumspicio : 51².62.70
citius : (11)
cito : 49.51.65
clarificatio : 81²
claritas : 22.72.74.81²
cogitatio : (43)
cogito : (18)
cognitio : (29)
cognosco : (47)
cohibeo : 6.21.59
colligo : (11)
comitor : 46.64.67
commemoro : 17.26
commodius : 14
comparatio : 3.22⁶.37³.65.73
comparo : 1.23.37.51.52

complaceo : 52.82¹⁹
compono : 3.4.25.31.32².33
comprobo : 33.81²
compunctio : 4
compungo : 4.9
concentus : 15
concito : 43
concupisco : (20)
concupiscibilis : 15
condescendo : 15
conditio : 53³
confessio : 11².12⁴.68
confirmo : 35.81⁴
confiteor : 11.12¹²
confundo : 16.47.48.49.56.59.60.
  69
confusio : (11)
conicio : 22.74
connubium : 2
conscientia : (12)
conscius : 48.56
consensus : 21.39.69
consideratio : (20)
considero : 10.12.22.47.52.55.
  57
consilium : (14)
consolatio : 10².35.43.57.70
consolator : 10
conspectus : 26.28.47.55.65
conspicio : 5.33.43.45.62.72.73
constantia : 35².40.48
constat : (11)
consuesco : 11.14.22².23.24.40.
  49.61.65
contagio : 45
contemplatio : (36)
contemplo : 3.4.19.23.87
contradictio : 28.82
contubernium : 85²

milito : 12
ministerium : 5.18.44
ministro : 5.31.33
mirabilis : 22.24.39.48.57.58.64.
78
mirabiliter : 22.24.35.38.40.85
mire : 31
miror : (20)
mirus : 1.36.39².40.51.72.76.85
miseria : 39⁶
misericordia : 34³
misericorditer : 12
misericors : 34².45
misterium : 82².83
mistice : 18
misticus : 18
moderamen : 61
moderatio : 20
moderor : 7².16.29.41.49.56.65.
66².68
modestia : 49⁴
modicum : 37.39.63.85
modifico : 69
molestia : 29.39.50
molior : 4.49.69
momentum : 5
mora : 9.33².49
moror : 28.39.76.80.85
mortificatio : 32
mortifico : 39²
multiformiter : 5
multiplicitas : 22.65
multipliciter : 15.34.62
multiplico : 29.73.87
multitudo : 10.22².36.39.47
mundanus : (11)
mutabilitas : 65.87
mutuus : 85.86

naeuum : 55
narratio : 6
natiuitas : 16.30.36.67
natura : 22².23.24³.70.74
naufragium : 43
naufrago : 43
necessario : 11
necessarius : 5.62.67
necesse : (9)
necessitas : 2.21.35.39²
negligenter : 31
negligentia : 14.69²
negligo : 20.31.56.69²
negotium : 18.23.33.56.63.73
nescio : (20)
nichilominus : (17)
nimietas : 58.62
nimirum : (11)
nimius : 12.45.58.59.63.66.76
norma : 3.4.41
notabilis : 19.23
notandum : 23.26.29.30.52.85
notitia : 41.52.55.84
nullatenus : 53.57
nutus : 65.84³

obedientia : 28⁸.29
oblectamentum : 22².26².76
obliuio : 14.37
obliuiscor : 14.29.39.40.51.63².
84
obsequium : 5⁴.6.15.55
obsequor : 5
occasio : 50.52.65
occurro : (15)
occurso : 32
odiosus : 32.69
officium : 20.22.44.46.70²
opinio : 29³.30

profunditas : 82.83
promereo : 12².55²
prosecutio : 17
prospicio : 62.82
prudentia : (14)
pudicitia : 57
pudor : 7.46⁴.67
puerilis : 63
pulcher : 1.51.81
pulchritudo : (23)
puritas : 14.25.68

quaero : (24)
quaeso : (15)
quaestio : 36.81
qualitas : 22.68
quandoquidem : 15.20.46
quantumcumque : 1.06
quemadmodum : 3.4.11.17.66

radius : 72.87
rapio : 21.23.31.73².74³.82.84.85
raptim : 39
rarissimus : 76
ratio : (88)
ratiocinatio : 73.74.82.86.87
ratiocino : 14
rationalis : (15)
reclamo : 82.86
recognosco : 4
recolo : 50
recordatio : 21
recte : (48)
rectitudo : 40.41².45.64
recurro : 18.55
recuso : 26
redarguo : 54
redigo : 27.29².60
reficio : 24².40²

reflecto : 72
reformo : 10
refreno : 32
refrigesco : 65
regula : 46²
relabor : 39
relucto : 33.51²
reminiscor : 45.63
replico : 6.52
repraesentatio : 19².20.22
repraesento : 5².15.19
reprehensibilis : 20
reprehensio : 20²
requies : (19)
requiescere : (13)
reseruo : 29
respectus : 8.75
restringo : 3.32².38.84.86
retractatio : 53
retributio : 40.55
reuelatio : (12)
reuerentia : 30
reuoco : 6.43.44.53.87
rigor : 25.26².58
rimor : 16.18
rudis : 14.23

sacerdotium : 40
saecularis : 38.63
saeuio : 40.42.48.53.57
saeuitia : 43
sapientes : 1²
sapientia : (20)
sapio : 5.24.34.35²
satago : 3.05.35.39.43.67
satisfactio : 10.56
scientia : (14)
scisma : 80
scissura : 80

TABLE DES MATIÈRES

SOURCES CHRÉTIENNES

Fondateurs : † H. de Lubac, s.j.
† J. Daniélou, s.j.
† C. Mondésert, s.j.
Directeur : D. Bertrand, s.j.
Directeur de la Collection : J.-N. Guinot

Dans la liste qui suit, dite « liste alphabétique », tous les ouvrages sont rangés par nom d'auteur ancien, les numéros précisant pour chacun l'ordre de parution depuis le début de la collection. Pour une information plus complète, on peut se procurer au secrétariat de « Sources Chrétiennes », 29, rue du Plat, 69002 Lyon (France), Tél. : 04.72.77.73.50, deux autres listes :

1. la « liste numérique », qui présente les volumes et leurs auteurs actuels d'après les dates de publication ; elle indique les réimpressions et les ouvrages momentanément épuisés ou dont la réédition est préparée.
2. la « liste thématique », qui présente les volumes d'après les centres d'intérêt et les genres littéraires : exégèse, dogme, histoire, correspondance, apologétique, etc.

LISTE ALPHABÉTIQUE (1-419)

SOUS PRESSE

APPONIUS, **Commentaire sur le Cantique.** Tomes I et II. L. Neyrand, B. de Vregille.

BARSANUPHE et JEAN DE GAZA, **Correspondance.** Tome I. P. De Angelis-Noah, F. Neyt, L. Regnault.

GRÉGOIRE LE GRAND, **Commentaire sur le Premier Livre des Rois.** Tome III. A. de Vogüé.

ISIDORE DE PÉLUSE, **Lettres.** Tome I. P. Évieux.

MARC LE MOINE, **Traités.** Tome I. G.-M. de Durand.

TERTULLIEN, **Le Voile des vierges.** P. Mattei, E. Schulz-Flügel.

PROCHAINES PUBLICATIONS

Les Apophtegmes des Pères. Tome II. J.-C. Guy (†).

BERNARD DE CLAIRVAUX, **Lettres.** Tome I. M. Duchet-Suchaux, H. Rochais.

BERNARD DE CLAIRVAUX, **Sermons sur le Cantique.** Tome II. R. Fassetta, P. Verdeyen.

JEAN CHRYSOSTOME, **Sermons sur la Genèse.** L. Brottier.

Livre d'heures ancien du Sinaï. M. Ajjoub.

SYMÉON LE STUDITE, **Discours ascétique.** H. Alfeyev, L. Neyrand.

THÉODORET DE CYR, **Correspondance.** Tome IV. Y. Azéma.

VICTORIN DE PŒTOVIO, **Commentaire sur l'Apocalypse.** M. Dulaey.

RÉIMPRESSIONS PRÉVUES EN 1997

Également aux Éditions du Cerf

LES ŒUVRES DE PHILON D'ALEXANDRIE
publiées sous la direction de
R. ARNALDEZ, C. MONDÉSERT, J. POUILLOUX.
Texte original et traduction française.

ACHEVÉ D'IMPRIMER
SUR LES PRESSES DE
L'IMPRIMERIE CHIRAT
42540 ST-JUST-LA-PENDUE
EN FÉVRIER 1997
N° D'ÉDITEUR : 10450
DÉPÔT LÉGAL 1997 N° 2770

IMPRIMÉ EN FRANCE